COLLECTION
L'IMAGINAIRE

William Burroughs

Le festin nu

Traduit de l'anglais
par Eric Kahane

Gallimard

Titre original :

NAKED LUNCH

© *William Burroughs, 1959.*

© *Éditions Gallimard, 1964, pour la traduction française.*

Né en 1914 à Saint Louis, Missouri, William Burroughs est le petit-fils de l'inventeur de la machine à calculer du même nom.

Il fait ses études secondaires à Los Alamos, puis étudie la littérature anglaise et l'anthropologie à Harvard. Il devient ensuite « l'homme de tous les métiers » : employé d'une agence de publicité, détective privé spécialisé dans les affaires de divorce, enfin destructeur de parasites à Chicago.

En 1950, il quitte définitivement les États-Unis, passe trois ans au Mexique, et fait de longs séjours à Londres et à Paris, avant de s'installer à Tanger.

Burroughs a commencé d'écrire à l'âge de trente-cinq ans. Son premier ouvrage, *Junkie* paraît en 1953 à New York. *Le festin nu* est d'abord publié à Paris, par Olympia Press, en 1959, puis aux États-Unis en 1963. Deux autres ouvrages de Burroughs sont ensuite publiés par Olympia Press : *The soft machine*, en 1961, et *The ticket that exploded* en 1962. Burroughs a condensé en un volume ces trois derniers ouvrages, afin de permettre leur publication en Angleterre, en 1963, sous le titre *Dead fingers talk*, les éditions Grove Press ont publié, en 1964, *Nova Express*.

Chef de file de la « beat generation », longtemps considéré comme un auteur maudit, dont les livres étaient interdits, William Burroughs est tenu aujourd'hui pour un des plus grands écrivains américains.

Témoignage à propos d'une maladie

Je me suis éveillé de la Maladie à l'âge de quarante-cinq ans, calme, sain d'esprit et relativement sain de corps si j'excepte un foie affaibli et ce masque de chair d'emprunt que portent tous ceux qui ont survécu au Mal... La plupart des survivants ne se souviennent pas du délire dans tous ses détails. Il semble que j'aie enregistré mes impressions sur ce mal et son délire, mais je n'ai guère souvenir d'avoir rédigé les notes que l'on a publiées en langue anglaise sous le titre Naked Lunch — Le Festin nu. *C'est Jack Kerouac qui m'a suggéré ce titre et je n'en ai compris la signification que très récemment, après ma guérison. Il a exactement le sens de ses termes : le festin* NU — *cet instant pétrifié et glacé où chacun peut voir ce qui est piqué au bout de chaque fourchette.*

Ce Mal, c'est ce qu'on appelle la toxicomanie, et j'en ai été la proie quinze années durant. Sont toxicomanes tous ceux qui s'adonnent à la drogue, ou came *(terme d'argot générique s'appliquant à l'opium et ses dérivés, y compris tous les produits synthétiques, du dolosol au palfium). J'en ai fait usage sous toutes ses formes : héroïne, morphine, dilaudide, eucodal, pantopon, dicodide, opium, dolosol, méthodone, palfium... Je l'ai fumée, avalée, reniflée, injectée dans le réseau veines-peau-muscles, absorbée en suppositoires. La seringue hypodermique n'est pas essentielle. Qu'on renifle la came ou qu'on la fume, qu'on la mange ou qu'on se l'enfonce entre les fesses, le résultat*

1

est toujours le même : on devient toxicomane, c'est-à-dire prisonnier. Quand je parle de toxicomanes, j'exclus ceux qui font usage du kif, de la marijuana ou de tout autre sous-produit du hachisch, de la mescaline, de l'ayahuasca ou Banisteria Caapi, de l'acide lysergique ou Lsd 6, des champignons sacrés et de toutes les drogues hallucigènes... Rien ne prouve que ces stupéfiants créent un état de sujétion ou de toxicomanie. Physiologiquement, leur action est à l'opposé de celle de l'opium et de ses dérivés. C'est le zèle des diverses Brigades des Stupéfiants, aux États-Unis comme ailleurs, qui a engendré la confusion déplorable de ces deux catégories de drogues.

Ces quinze années de sujétion m'ont permis d'observer minutieusement la façon dont le virus prend racine. L'univers de la drogue ressemble à une pyramide dont chaque étage grignoterait celui d'en dessous (ce n'est pas par hasard que les « pontes » de la drogue sont toujours gros et gras alors que le « camé de la rue » est maigre comme un clou), et ainsi de suite jusqu'au sommet — ou plutôt : aux sommets, car il existe de nombreuses pyramides de came qui écrasent des dizaines de milliers de gens de par le monde, et elles sont toutes fondées sur les principes de base du monopole :

1º Ne jamais rien donner gratis;

2º Ne jamais donner plus que le strict nécessaire (ne contacter l'acheteur que lorsqu'il est dévoré par le besoin de drogue, et toujours le faire attendre);

3º Ne jamais hésiter à tout reprendre si l'occasion se présente.

Le vendeur gagne invariablement sur les deux tableaux. Le drogué a besoin d'une dose de plus en plus forte pour conserver forme humaine... pour se délivrer du singe qui lui ronge la nuque.

La drogue est le moule du monopole et de la « possession ». Le drogué reste en quelque sorte à l'écart, aux aguets, pendant que ses jambes de camé l'emmènent tout droit à la source de la came pour un nouveau plongeon. Le principe même de la drogue est quantitatif et exactement mesurable : plus on en

2

prend et moins on en a; corollairement, plus on en a et plus on en prend. *Tous ceux qui s'adonnent aux drogues halluci-gènes les disent sacrées : il y a le Culte du Peyotl et celui de la Banistérie, le Culte du Hachisch et celui des Champignons (« Les Champignons Sacrés du Mexique vous font voir Dieu »). En revanche, nul n'a jamais considéré la came proprement dite comme sacrée. Il n'y a pas de Culte de l'Opium. Tout comme l'argent, l'opium est profane et purement quantitatif. J'ai entendu dire qu'il existait jadis aux Indes un dérivé de l'opium appelé Soma, dont l'usage était bénéfique et n'engen-drait pas de sujétion. On le représentait comme une merveilleuse vague bleue. Si le Soma a réellement existé, il s'est sûrement trouvé un trafiquant pour le monopoliser, le mettre en flacons et le lancer sur le marché — et le Soma a pris la couleur de la bonne vieille came de toujours.*

La came est le produit idéal, la marchandise par excellence... Nul besoin de boniment pour séduire l'acheteur; il est prêt à traverser un égout en rampant sur les genoux pour mendier la possibilité d'en acheter. Le trafiquant ne vend pas son produit au consommateur, il vend le consommateur à son produit. Il n'essaie pas d'améliorer ou de simplifier sa mar-chandise : il amoindrit et simplifie le client. Et il paie ses employés en nature — c'est-à-dire en came.

La drogue recèle la formule du virus « diabolique » : l'Algèbre du Besoin. *Et le visage du Diable est toujours celui du besoin absolu. Le camé est un homme dévoré par un besoin absolu de drogue. Au-delà d'une certaine fréquence, ce besoin ne peut plus être freiné et ne connaît plus aucune limite. Selon les termes du besoin absolu : «* Tout le monde en ferait autant. » *Oui, vous en feriez tout autant. Vous n'hésiteriez pas à mentir ou tricher ou dénoncer vos amis ou voler —* n'im-porte quoi *pour pouvoir assouvir ce besoin absolu. Lorsqu'on est en proie au Mal, lorsqu'on est possédé, on ne peut s'empê-cher d'agir de la sorte. Les drogués sont des malades totalement incapables de changer leur comportement... Un chien enragé ne peut s'empêcher de mordre... Affecter une attitude phari-*

saïque serait hors de propos — à moins que votre propos ne soit justement de propager le virus de la drogue... Car la drogue constitue une industrie gigantesque. Je me souviens de ce que m'a dit un Américain rencontré au Mexique. Il faisait partie du « Comité Aftosa », chargé de lutter contre la fièvre aphteuse. Six cents dollars par mois, sans compter la note de frais...

— Combien de temps l'épidémie va-t-elle durer? lui ai-je demandé.

— Aussi longtemps que nous pourrons l'entretenir, répondit-il, puis il ajouta d'une voix rêveuse : Oui, et après ça, l'aftosa éclatera peut-être en Amérique du Sud...

Quand on veut modifier ou disloquer une pyramide de chiffres disposés dans un ordre donné, il suffit de modifier ou de supprimer le chiffre du bas. De même, si l'on veut détruire la pyramide de la came, il faut commencer par la base, c'est-à-dire par le camé de la rue, et cesser de jouer les Don Quichotte en s'attaquant aux soi-disant « pontes » des échelons supérieurs, qui sont tous remplaçables au pied levé. Car le camé du trottoir — celui qui a besoin de came pour pouvoir se maintenir en vie — est le seul facteur irremplaçable dans l'équation de la drogue. Quand il n'y aura plus de malades pour en acheter, le trafic de la drogue cessera aussitôt de lui-même. Inversement, aussi longtemps que le besoin existera, on trouvera quelqu'un pour le satisfaire.

Pourtant, on peut guérir les toxicomanes, ou les placer en « quarantaine » — ce qui revient à leur accorder une ration minimale et contrôlée de morphine, un peu comme on traite les porteurs de microbes typhoïdiques. Quand on en sera arrivé là, les pyramides de came du monde entier s'écrouleront. L'Angleterre est, à ma connaissance, le seul pays qui applique cette méthode au problème de la drogue : il y a là-bas environ cinq cents drogués en quarantaine. D'ici une génération, lorsque tous ces types-là seront morts et qu'on aura trouvé le moyen de fabriquer des analgésiques sans contenu opiacé, le virus de la drogue ne sera plus qu'une curiosité médicale, au même titre que la variole — un chapitre clos et déjà oublié.

Or, le vaccin capable d'enfouir le virus de la drogue dans les profondeurs du passé a été effectivement découvert. C'est le traitement à l'apomorphine, mis au point par un médecin britannique dont je ne puis révéler le nom tant qu'il ne m'aura pas autorisé à le faire et à citer des extraits de son livre (couvrant trente années de traitement d'alcooliques et de drogués par l'apomorphine). Ce vaccin est un produit composé, obtenu en chauffant à 150° un mélange de morphine et d'acide chlorhydrique. Il a été découvert longtemps avant que l'on songe à l'utiliser dans le domaine de la toxicomanie. Pendant des années, on ne l'a employé que pour ses vertus émétiques dans les cas d'empoisonnement : en effet, l'apomorphine agit directement sur le centre vomitif du cerveau postérieur.

J'étais parvenu au terminus de la came quand j'ai entendu parler de ce vaccin. Je vivais alors dans un taudis du quartier indigène de Tanger. Depuis plus d'un an je n'avais pas pris de bain ni changé de vêtements. Je ne me déshabillais même plus — sauf pour planter, toutes les heures, l'aiguille d'une seringue hypodermique dans ma chair grise et fibreuse, la chair de bois du stade final de la drogue. Je n'avais jamais balayé ni rangé ma chambre. Boîtes d'ampoules vides et détritus de toute sorte s'entassaient jusqu'au plafond. L'eau et l'électricité avaient été coupées depuis longtemps faute de paiement. Je ne faisais absolument rien. Je pouvais rester immobile huit heures d'affilée, à contempler le bout de ma chaussure. Je ne me mettais en branle que lorsque le sablier de la came s'était écoulé. Quand un ami venait me voir (mais on venait rarement, car que restait-il de moi à qui l'on pût parler?), je demeurais prostré, indifférent à l'ombre qui avait pénétré mon champ de vision — cet écran grisâtre, chaque jour plus vide et plus flou — sans prêter plus d'attention à sa présence qu'à son départ. Et si cet ami avait été terrassé sur place, je serais resté assis sans bouger à regarder ma godasse en attendant qu'il fût bien mort pour pouvoir lui faire les poches. Vous en auriez fait tout autant. Parce que je n'avais jamais assez de came — on n'en a jamais assez. Trente capsules de morphine

5

par jour et ce n'était pas suffisant. Et ces longues heures d'attente devant la pharmacie... Dans l'industrie de la came, retards et délais sont de règle. Le vendeur n'est jamais au rendez-vous à l'heure dite, et ce n'est pas par hasard... Il n'y a pas de hasards dans l'univers de la drogue. On ne laisse jamais le drogué oublier ce qui arrivera s'il n'a pas de quoi payer sa ration de came. Débrouille-toi pour trouver le fric, sinon tu n'auras rien... Et brusquement, le besoin devint de plus en plus virulent. Quarante, puis soixante capsules par jour. Mais ce n'était toujours pas assez. Et je ne pouvais plus payer...

Un matin, je me retrouvai avec mon dernier chèque en main — et je compris subitement que c'était le dernier. Deux heures après, je sautai dans l'avion pour Londres.

Le médecin m'expliqua que l'apomorphine, en agissant sur l'arrière-cerveau, régularise le métabolisme et le flux sanguin, de telle sorte que le processus enzymatique de la toxicomanie est enrayé en quatre ou cinq jours. Dès la régénérescence de l'arrière-cerveau, on peut interrompre le traitement sans danger, avec toute possibilité de le reprendre en cas de rechute. (Nul ne prend d'apomorphine par vice, et on n'a pas enregistré un seul cas d'intoxication engendrée par l'abus de ce vaccin.)

J'acceptai de me soumettre à ce traitement et entrai en clinique. Durant les premières vingt-quatre heures, je fus littéralement fou et présentai les mêmes phénomènes paranoïdes que la plupart des toxicomanes quand ils sont brusquement privés de drogue. Une journée de traitement intensif suffit à disperser le délire. Le médecin me montra ma fiche : les quantités de morphine que l'on m'avait administrées étaient trop infimes pour expliquer l'absence des principaux symptômes de réaction à la privation, tels que la fièvre, les crampes dans les jambes et l'estomac, et mon symptôme personnel, la Brûlure à Froid — la même sensation que si mon corps tout entier était couvert d'eczéma et frictionné au menthol (chaque drogué a son symptôme personnel qui défie toute analyse et tout remède). Or, il manquait un facteur à l'équation habituelle de *la privation de drogue — et il ne pouvait y avoir à cela qu'une seule cause : l'apomorphine.*

J'ai vu ce vaccin à l'œuvre. Au bout de huit jours, quand j'ai quitté la clinique, je mangeais et dormais comme un homme normal. Je suis resté totalement privé de drogue pendant deux années entières, pour la première fois en douze ans — un record! J'ai eu par la suite une rechute de quelques mois, provoquée par la maladie et la souffrance physique; mais, au moment où j'écris ceci, une seconde cure m'a permis d'échapper de nouveau à la drogue.

Le traitement à l'apomorphine est qualitativement différent des autres méthodes. Je les ai toutes expérimentées : la diminution graduelle, le rationnement, la cure de sommeil, les tranquillisants, la cortisone, les antihistaminiques, la réserpine... Aucune d'elles n'a résisté à la première occasion de rechute. J'affirme que seul le traitement à l'apomorphine m'a guéri en régénérant mon métabolisme. Les statistiques de l'hôpital de Lexington (Kentucky), spécialisé dans le traitement des drogués, indiquent un pourcentage de rechutes si élevé que nombre de médecins sont convaincus que la toxicomanie est incurable. A Lexington, on pratique un traitement « réductif » à la méthodone mais, à ma connaissance, on n'a jamais essayé l'apomorphine. En fait, la plupart des spécialistes ne font aucun cas de ce vaccin, et on n'a encore entrepris de recherche sur ses dérivés ou sur des produits de synthèse. On pourrait cependant mettre au point des substances cinquante fois plus efficaces que l'apomorphine et qui élimineraient ses propriétés émétiques.

Il est possible de supprimer l'apomorphine dès qu'elle a rempli son office de régulateur du métabolisme et des fonctions psychiques. L'univers est submergé de pilules tranquillisantes ou énergétiques, mais nul ne s'est penché sur ce vaccin véritablement unique, même dans les plus grands laboratoires de recherche pharmaceutique. Je suis persuadé que la découverte d'un produit de synthèse, réalisé à partir d'expériences sur les dérivés de l'apomorphine, ouvrirait un champ d'investigation scientifique dépassant de fort loin le seul problème de la toxicomanie.

Une poignée d'« antivaccinationistes » ignares et vociférants ont longtemps essayé d'interdire le vaccin antivariolique. Dans le cas de la drogue, de même, il est probable que tous les intéressés, camés ou trafiquants, vont hurler à la mort quand on leur ôtera le coussin du virus de dessous les fesses. La came est une industrie richissime qui a ses victimes et ses profiteurs — mais il faut les empêcher de compromettre la mise en œuvre essentielle du traitement par inoculation et quarantaine. Car le virus de la drogue constitue le problème médical numéro un du monde moderne.

Traitant de ce problème médical, Le Festin nu *est fatalement brutal, obscène et répugnant. La maladie et ses détails cliniques ne sont pas pour les estomacs délicats...*

POST-SCRIPTUM :
« TU N'EN FERAIS PAS AUTANT ? »

... Je parle personnellement, *et s'il existe un homme pour parler autrement, nous ferions bien d'essayer de traquer sa Cellule Mère ou son Papa Protoplasmique...* Je ne veux plus entendre ressasser les boniments de camés et les combines de drogués aux abois... *Toujours les mêmes histoires, et on les a racontées des millions de fois, mais il n'y a rien à dire parce qu'il n'arrive jamais rien dans l'univers de la drogue.*

La seule justification de cette épuisante marche à la mort est le moment où l'on coupe le circuit de la drogue pour non-paiement — alors la peau se meurt du manque de drogue, se meurt d'avoir trop attendu, et l'Ancienne Peau finit par oublier sa fonction de simplification sous la croûte de la drogue, ce qui est le rôle de toutes les peaux — et le Camé en voie de Renoncement devient brusquement et totalement vulnérable dès qu'il n'est plus capable de s'empêcher de voir et de sentir et d'entendre... C'est à ce moment qu'il faut faire attention aux voitures...

Les camés se plaignent sans cesse de ce qu'ils appellent le Grand Froid, et ils relèvent le col de leurs manteaux noirs et serrent les poings contre leurs cous desséchés... Tout ça c'est du cinéma : le camé ne veut pas être au chaud, il veut être au frais, au froid, au Grand Gel. Mais le froid doit l'atteindre comme la drogue : pas à l'extérieur, où ça ne lui fait aucun bien, mais à l'intérieur de lui-même, pour qu'il puisse s'asseoir tranquillement, avec la colonne vertébrale aussi raide qu'un cric hydraulique gelé et son métabolisme tombant au Zéro Absolu... Les camés au stade terminal restent parfois jusqu'à deux mois sans aller à la selle, et les parois de leurs intestins se collent — les tiens en feraient tout autant — à tel point qu'ils doivent recourir à un vide-pomme ou à son équivalent chirurgical... Voilà la vie que l'on mène dans la Chambre Froide... Pourquoi s'agiter, pourquoi perdre son temps?

Il reste encore une place à l'intérieur, Monsieur.

Il y en a qui trouvent leur plaisir dans la thermodynamique, comme s'ils l'avaient inventée eux-mêmes... Tu n'en ferais pas autant?

D'autres prennent leur plaisir autrement, mais entre nous, tout se joue cartes sur table, à la loyale — j'aime mieux ça, de même que j'aime voir ce que je mange et vice versa ou mutatis mutandis selon le cas. A l'enseigne du « Vieux Bill, Banquets et Repas Nus »... Entrez, entrez... La gargote idéale pour jeunes et vieux, hommes et bêtes. Rien de tel qu'une goutte d'huile de serpent du D^r X pour te lubrifier les rouages, et en avant les artistes! Dans quel camp es-tu, vieux? Tu es pour le grand froid mystique, le cric gelé? Ou bien veux-tu que le bon Oncle Bill te remette les yeux en face des trous?

Voilà donc le véritable problème — le problème médical numéro un dont je parlais tout à l'heure. Voilà le choix qui se présente à tous mes copains. Est-ce que j'entends quelqu'un râler à propos de son rasoir-yatagan et de je ne sais quel escroc à la petite semaine qui est censé avoir inventé la combine de

9

l'escroque au rendez-moi? Bah, tu en ferais tout autant! Seulement, ce rasoir se trouve être un simple aphorisme énoncé par un moine du nom d'Occam, qui n'avait rien d'un collectionneur de coups de lame... Selon le Tractatus Logico-Philosophicus *de Ludwig Wittgenstein :* « Si une proposition n'est pas nécessaire, elle est sans objet et sa signification approche zéro. »

Question : « Et quoi de moins nécessaire que la drogue, pour ceux qui n'en ont pas besoin? »

Réponse : « Les drogués — pour ceux qui ne sont pas camés jusqu'aux oreilles. »

Les gars, laissez-moi vous dire que j'ai entendu ma part de boniments fatigués, mais aucune autre catégorie de trompe-l'ennui n'est capable de rivaliser avec cette espèce de ralentissement thermodynamique du camé. Le gars qui pratique l'héroïne n'ouvre pratiquement pas la bouche et ça ne me gêne pas. Mais le fumeur d'opium reste en pleine activité, parce qu'il a encore sa tente et sa lampe... et quand tu as huit ou dix gars couchés en rond comme des serpents en hibernation, il fait assez chaud pour dégeler la conversation : « Les autres camés sont vraiment foutus, tandis que nous — nous avons cette tente et cette lampe et cette tente et cette lampe et cette tente et il fait bon chaud ici, il fait bon et chaud, il fait bon ICI et il fait FROID DEHORS, là où les mâcheurs de dross et les piquousards sont en train de geler, et ils ne tiendront pas deux ans, pas même six mois, ils ne valent pas un clou... Mais nous, nous sommes ASSIS AU CHAUD, et nous ne forçons jamais la dose... Jamais au grand jamais... Nous ne forçons jamais la dose, sauf ce soir, parce que c'est une OCCASION vraiment spéciale et que tous les piquousards et les mangeurs de dross sont dehors à crever de froid... Mais nous, nous ne mangeons jamais la came, jamais, jamais, jamais... Excusez-moi une minute, je vais faire un tour à la Source des Capsules de Vie dont ils ont tous plein les poches, et de ces boulettes d'opium qu'on s'enfonce avec un doigtier dans le derrière en même temps que les bijoux de famille et toute la saloperie... »

Je viens de tirer quinze ans sous cette tente. Je suis entré et sorti et rentré et ressorti et rentré encore et enfin SORTI. *C'est fini, je suis* DEHORS. *Alors écoutez bien ce que vous explique le vieux tonton Bill Burroughs, l'inventeur de la fameuse calculatrice-régulatrice Burroughs fondée sur le principe du cric hydraulique, et vous aurez beau cogner sur toutes les touches, le résultat sera toujours le même à partir des mêmes coordonnées de base... J'ai fait mon apprentissage très tôt — et à ma place vous en auriez tous fait autant.*

Moutards Parégoriques du Monde Entier, Unissez-Vous... Nous n'avons rien ni personne à perdre, sinon nos anciens Fourgueurs de Came... Et ils ne sont pas nécessaires.

Regardez tous, regardez bien jusqu'au bout du circuit de la came avant de vous y engager et de tomber sur la Mauvaise Bande...

C'est un bon conseil que je donne à tous les types sensés.

POST P.-S.

Héroïne-opium-morphine-palfium : tout ça pour te délivrer du singe, le singe monstrueux du besoin qui te ronge la nuque et te grignote toute forme humaine... Mais le résultat est invariable... C'est le singe qui connaît l'Algèbre...

Je n'avais pas compris la guérison... Une confusion déplorable au moment où le camé se tasse sur lui-même, sain d'esprit et de corps en dépit d'un foie affaibli, et tout se réduit à une parcelle de soulagement quantitatif...

L'attitude pharisaïque est celle du singe qui a pignon sur rue... mais qu'y a-t-il derrière le nom, derrière l'enseigne? Et qui a besoin de drogue pour se tenir sur cet échafaudage? Quand il n'y a pas de camés, l'opium s'appelle Soma... On a le jargon que le virus de la drogue a enseigné au singe par l'entremise de ceux qui veulent propager le virus des nombres ou faire sauter le chiffre du bas afin de satisfaire la fréquence de base du besoin...

11

La drogue sacrée, qui ne crée pas de sujétion, pas d'escla-vage, est dépeinte comme une merveilleuse vague d'égout...
mais la couleur disparaît et on retrouve la came ordinaire, la
came de toujours... Souviens-toi : le résultat est toujours le
même : la possession absolue devient le seul but, et seule la
drogue peut rendre chair et os au visage et aux jambes...

Cette algèbre gelée qu'on appelait Soma avant que l'opium
soit venu huiler les rouages du pharisaïsme... L'opium pour
faire voir aux camés ce que c'est que la came... On l'a inventé
pour que les gars restent pieds et poings liés, à la merci du
circuit de la mort... Et on a inventé aussi la dynamique de
l'héroïne pour calmer le besoin fondamental, le besoin vital
de se fondre dans le blanc du temps, et puis le singe qui est
au fond de l'égout t'arrache l'âme pour qu'elle serve d'enseigne
aux camés tombés au zéro absolu... Et on a inventé la morphine
porteuse du virus total pour graisser le parcours des camés
jusqu'au terminus du temps... Inventés aussi les mots tout
bleus du besoin et de la sujétion qu'on épelle pour les débutants,
et les combines de camés pour assouvir ce besoin vital du temps
blanc, du grand égout des Fourgueurs du monde entier...

Il reste une seule place à l'intérieur, Monsieur... Allez-y,
cognez sur les touches...

Le collectionneur de coups de lame qui est né de cette seringue
a oublié quelque chose : le pharisaïsme nécessaire pour mettre
un autre gars sur la voie avant le terminus du temps...

William Burroughs.

L'odeur de roussi se rapproche, je les devine dans l'ombre en train de combiner leur coup, de mettre en place leurs mouchards de charme et baver de joie en repérant ma cuiller et le compte-gouttes que j'ai jetés à la station de Washington Square au moment où j'ai sauté le tourniquet pour dévaler la ferraille des deux étages et attraper l'express du centre... Un petit jeune me tient la porte du wagon, il est beau garçon, les cheveux en brosse, la pomme d'un bâchelier de la haute devenu chef de publicité et un tantinet pédale. Probable que je suis son idée du héros de feuilleton. Tu connais le style : bon cheval avec les barmen et les chauffeurs de taxi, le gars qui sait causer rugby ou crochets du droit et qui appelle le loufiat du snack Nedick par son prénom. Un trou du cul bon teint... Et voilà que le poulet des Stupéfiants arrive pile sur le quai dans son bel imperméable blanc (se mettre en blanc pour filer un type, tu te rends compte! Il a dû se dire que le genre tapette passerait inaperçu). Je sais d'avance comment il va me dire ça, en brandissant mes ustensiles dans sa main gauche et son pétard dans la droite : « J'ai idée que t'as perdu quelque chose, mon pote. »

Mais le métro démarre.

Je crie : « Salut pied plat! » histoire de donner au pédé bâchelier son petit frisson de cinéma populaire. Et je me retourne vers le jeunot, je le regarde droit dans les yeux, je note ses dents bien blanches, son hâle des plages de Floride, son costume d'alpaga à deux cents dollars, sa chemise luxe à col boutonné de chez Brooks Brothers et le *News* qu'il tient à la main pour en installer (« Remarquez, je l'achète uniquement pour les bandes dessinées! »).

Un jeune cave qui veut avoir l'air à la coule... Ça se gargarise en parlant « herbe à Marie » et « thé », ça va même jusqu'à en fumer de temps à autre et à trimbaler sur soi une petite provision de marijuana pour en offrir aux affranchis de Hollywood.

— Merci petit, dis-je, je vois que tu es des nôtres.

Du coup, sa bobine s'illumine comme un billard électrique, avec des reflets de crétinisme rose bonbon.

— Le salaud, dis-je d'une voix dramatique, il m'a donné.

Je me colle contre lui et pose mes doigts gris de camé sur sa manche d'alpaga :

— Nous deux on est frères de sang, on sort de la même seringue. Et je te signale en confidence que ce bâtard va avoir droit à sa piquouse de braise... (*N. B.* — Il s'agit d'une capsule de blanche empoisonnée qu'on refile à un camé dont on veut se débarrasser. Méthode usuelle pour liquider les mouchards. C'est généralement de la strychnine, qui a le goût et l'apparence de l'héroïne.) ...Tu as déjà assisté à une séance de braise, petit? Moi j'ai vu le Boiteux se faire assaisonner à Philadelphie. On avait équipé sa piaule avec un miroir truqué de bordel et les amateurs devaient cracher dix sacs pour voir le spectacle. Il a même pas eu le temps d'ôter l'aiguille de son bras. Quand la dose est bien calculée ça part recta et on retrouve le zig tout bleu, avec la seringue pleine de sang coagulé qui lui pend encore au coude... Et le regard du Boiteux quand il a pris le coup de bambou — fiston, c'était du gâteau...

« Je me souviens du temps où j'étais en tandem avec le Milicien, un copain qui jouait les lyncheurs Sudistes. Personne lui arrivait à la cheville pour l'escroque au faux poulet... C'était à Chicago, on travaillait les pédés de Lincoln

Park. Et un soir le Milicien s'amène au boulot en bottes de cow-boy et gilet noir avec un insigne de shérif bidon et un lasso à l'épaule. Alors moi je lui dis : « Non mais ça va pas? « Tu es blindé ou quoi? » Et lui il me regarde en disant comme dans un western : « Dégaine, l'ami! » Sur quoi il sort un vieux six-coups tout rouillé et je détale à travers le parc avec le plomb qui me siffle aux oreilles. Il a descendu trois pédés avant de se faire épingler par les flics. Le Milicien — on peut dire qu'il avait pas volé son nom...

« Jamais remarqué le nombre d'expressions que les truands ont piquées aux pédés? Comme « mettre dans l'œuf »...

« Oui, et « vise le Môme Parégorique qui balance la purée à son micheton! »

« Et « File-Vinaigre perd pas son temps à écrémer le cave »...

« Petit Chausse-Pied (il tient son nom du fait qu'il engourdit les fétichistes dans les magasins de chaussures) dit toujours : « Fais-toi un cave à la vaseline et il viendra mendier « du rabiot à deux genoux! » Quand Petit Chausse-Pied repère un cave tu as l'impression qu'il peut plus respirer. Sa tranche commence à enfler, ses lèvres virent au violet — il a l'air d'un Esquimau en chaleur. Et puis il marche sur son client à tout petits pas, lent comme un pape, il le cherche à tâtons et se met à le palper avec ses doigts d'ectoplasme pourri...

« Le Glaiseux a un regard de mômichon ingénu, ça lui brille dans les yeux comme du néon bleu. A le voir tu croirais qu'il pose pour une couverture de magazine avec une brochette de pescales frais pêchés à bout de bras. Il est conservé intact, congelé par la came. Les michetons qu'il arnaque ne font jamais d'histoires mais ça empêche pas la maison poulaillon de vouloir lui faire la peau. Un jour son choupin Blouson Bleu a fait une cagade et le résultat était pas beau à voir, de quoi faire dégueuler un interne d'hôpital. Le pauvre Glaiseux en perd la boule et il part en galope à travers les couloirs de métro et les self-services en braillant : « Reviens,

« mon gosse, ramène-toi! » Il suit son girond jusqu'à l'East River et se balance à la baille avec lui, entre les capotes et les écorces d'oranges et les mosaïques de journaux qui flottent tout partout, et il finit dans le silence noir de la vase en compagnie des truands en carcan de béton et des vieux flingues maquillés à coups de marteau pour piper les vicieux de la balistique. »

Ça usine ferme dans le crâne du pédé : « Quel type! Attends voir que je raconte ça aux copains de chez Clark! » Il fait collection de héros de feuilleton, c'est le gars à se pâmer devant un chien savant. Ce qui me permet de le soulager de dix dollars moyennant quoi je lui donne rendez-vous pour lui apporter un « sacheton d'herbe » (c'est lui qui appelle ça comme ça) tout en me disant : « Ah, tu veux de l'herbe, pauvre cloche, eh bien je m'en vais te servir de l'herbe-aux-chats! » (*N. B.* — L'herbe-aux-chats, ou cataire, séchée et roulée en cigarette, a le même goût que la marijuana, les profanes et les distraits l'apprennent souvent à leurs dépens.)

— C'est pas tout ça, lui dis-je en me tapotant l'avant-bras, le devoir appelle. Comme disait le juge de paix à son collègue : « Faut être juste, ou bien il faut savoir être arbitraire. »

Je me retrouve au self-service où je tombe sur Bill Gains, tout recroquevillé dans son paletot volé qui le fait ressembler à un banquier début de siècle frappé de paralysie, et sur Bart l'Ancien, toujours aussi flou et guenilleux, qui trempe du cake aux raisins du bout de ses doigts luisants de graisse par-dessus la crasse.

A cette époque, Bill s'occupait des trois ou quatre clients que j'avais en banlieue, et Bart était copain avec les laissés-pour-compte du temps de l'opium : fantômes de portiers gris cendre, spectres de larbins balayant des corridors poussiéreux de leurs vieilles mains ralenties, toussant et crachant dans l'aube malade de la came, receleurs à la retraite dorlotant leur asthme dans des garnis pour ratés du music-hall, et Rose Pantoponne la vieille mère maquerelle de Peoria, et des barmen chinois masquant stoïquement leur mal... Bart allait de l'un à l'autre de sa démarche de camé sénile, tout doux, prudent-patient, et laissait couler quelques heures de chaleur au creux de leurs mains exsangues.

Un jour, pour la rigolade, j'avais fait la tournée avec lui. Tu connais les vieux — plus aucune pudeur de l'estomac, tu as envie de vomir rien qu'à les voir se goinfrer. Les vétérans de la drogue sont tout pareils. A la seule vue de la camelote, ils commencent à mouiller et gargouiller. Pendant qu'ils mitonnent leur sauce blanche, la bave leur dégouline du menton, ils ont le ventre clapoteux et les tripes qui papillotent en péristole, et le peu de peau intacte qui leur reste sur les os se dissout, tu t'attends à voir le protoplasme en gicler sous le coup de seringue et retomber en pluie. C'est répugnant à voir... « Bah, c'est ce qui nous attend tous, pensai-je avec philosophie. Comme la vie est bizarre! »

Je reprends le métro vers le centre, en faisant un crochet par la station de Sheridan Square pour le cas où le poulaillon de la Stupéfiante se serait planqué dans un placard à balais.

Comme je te le disais, ça ne pouvait pas durer. Je savais bien qu'ils étaient quelque part dans les parages en train de me jeter le mauvais œil, de touiller leurs philtres de flicards maléfiques, de me conjurer en effigie derrière les barreaux de la Centrale de Leavenworth (« Allons, laisse tomber, Mike, il a assez d'aiguilles comme ça dans le corps! »).

A propos, il paraît que c'est avec une poupée de son qu'ils ont eu Chapin. Accroupi au sous-sol du poste, un vieux flic émasculé passait son temps à le pendre en effigie, jour et nuit, mois après mois. Et après que Chapin a été effectivement pendu dans le Connecticut, on a retrouvé l'eunuque avec le cou brisé. « Il est tombé dans l'escalier », a-t-on expliqué — le boniment classique des poulets.

17

La drogue s'entoure de magie et de tabous, de formules secrètes, de malédictions et de rites. J'étais capable de dénicher mon Contact de Mexico au radar. « Pas cette rue-ci, la prochaine à droite... maintenant à gauche... encore à droite... » et il était là, avec son masque de vieille femme sans dents et ses yeux abolis.

Je connais un fourgueur de schnouf qui fait son parcours en chantonnant, et tous les gens qu'il croise reprennent son refrain sans s'en rendre compte. Il est si gris, si anonyme et spectral qu'ils ne le voient même pas et s'imaginent que la chansonnette leur est venue toute seule en tête. Ses clients le repèrent en se branchant sur le refrain du jour, *Smiles* ou *I'm in the Mood for Love* ou quoi ou qu'est-ce... On voit parfois jusqu'à cinquante camés loqueteux et piaulant de souffrance filer au train un môme qui joue de l'harmonica, et soudain ils tombent sur le Type — le Contact, la Connection, le Fourgueur de Came, le vrai Camelot — le cul posé sur une canne-siège en train de jeter du pain aux cygnes, ou bien il apparaît sous les traits d'une tantouse en travesti qui balade son afghan du côté de la 50e Rue, ou d'un vieux pochard pissotant contre un pilier du métro aérien, ou d'un étudiant juif qui distribue des tracts socialisants à Washington Square, ou d'un forestier, ou d'un exterminateur de parasites — ou d'un chef de publicité pédouillard qui s'en jette un au snack Nedick et appelle le serveur par son prénom... Voilà le réseau international des camés, captant cinq sur cinq la même gamme de foutre ranci, se garrottant le bras sur un lit de meublé, frissonnant dans l'aube malade de la drogue. Les vieux drossards qui suçotent la noire à bout de pipe au fond d'une blanchisserie chinoise, Bébé la Tristesse qui crève d'un abus de manque ou d'une cure coupe-souffle... C'est du même au Yémen et à Paris, à La Nouvelle-Orléans, à Mexico ou à Istanbul — tout le monde grelottant au rythme des marteaux pneumatiques et des excavatrices, nous jetant au visage des jurons cameux que nous n'entendions même pas... et puis le Contact s'était penché du haut de son rouleau compresseur et j'avais touché ma portion dans un seau de goudron. (*N. B.* — On est en train de raser les vieux quartiers d'Istanbul, et surtout ceux où traînent les drogués les plus minables, pour tout reconstruire à neuf. Istanbul compte encore plus de suceurs d'héroïne que New York.) Les vivants et les morts, ceux qui souffrent du manque et ceux qui branlottent du menton dans les vapes, ceux qui inaugurent la seringue et ceux qui sont en renonce ou bien en dégringolade de revenez-y — ils sont tous branchés sur le bip-bip de la came, pendant que le Contact se gave de riz à la cantonaise dans une gargote de la Calle Dolores à Mexico (Distrito Federal), mouille son biscuit de café dans un self-service, ou se trouve en pétard à La Nouvelle-Orléans et se cavale à travers Exchange Place avec une meute de flicaillons des Stups glapissant à ses trousses...

Le vieux Chinois puise de l'eau du fleuve dans une boîte de conserve rouillée pour laver un bloc de dross noir et dur comme de l'anthracite. (*N. B.* — Le dross est le résidu de l'opium fumé, réutilisé en période de disette.)

Donc les poulets tiennent ma cuiller et mon compte-gouttes, je sais qu'ils arrivent sur ma longueur d'ondes, guidés par un mouchard aveugle qui patine sous le nom de Willy le Disque. Il a la bouche toute ronde et bordée de poils noirs, sensitifs, érectiles. Il est devenu aveugle à force de se piquer dans la pupille, il a le nez et le palais rongés par la reniflette, son corps n'est plus qu'une masse de cicatrices durcies et sèches comme du bois. La merde blanche, Willy en est maintenant réduit à la manger avec cette horrible bouche en disque, en se dandinant sur un long boudin d'ecto-plasme pour guetter la fréquence inaudible de la schnouf. Il me suit à la trace d'un bout de la ville à l'autre, fouillant les garnis que j'ai à peine quittés — et les poulets font irrup-tion chez deux péquenots de Sioux Falls en voyage de noces. « Allons, Lee, inutile de te cacher derrière ce suspensoir, on te connaît », et crac, ils arrachent le paf du conjoint.

Voilà que Willy flaire la bonne piste, je l'entends geindre sans trêve dans l'ombre alentour (il ne fonctionne que la nuit), je sens le souffle affamé de cette bouche chercheuse qui fouine à l'aveuglette... Chaque fois que les poulets entrent en scène pour cravater leur prise, Willy perd les pédales et tente de se frayer un passage en rongeant le bois de la porte, et si les autres n'étaient pas là pour le calmer à coups de crosse il sucerait à blanc tous les camés qu'il a débusqués.

Je sais — tout le monde sait — qu'ils ont mis Willy le Disque sur mes traces. Je sais aussi que si jamais on traîne à la barre les petits jeunots de ma clientèle (« Il m'a forcé à faire tout un tas de cochonneries en échange! »), je pourrai dire adieu à ma bonne ville.

Alors on a fait provision d'héroïne, acheté une Studebaker d'occasion et on a mis le cap à l'ouest...

Le Milicien tenta de maquiller son affaire en crise de schizophrénie :

— Je courais à côté de mon corps, essayant d'arrêter tous ces lynchages avec mes pauvres doigts de fantôme... Parce que je ne suis qu'un fantôme et je cherche ce que cherchent tous mes semblables — un corps — pour rompre la Longue Veille, la course sans fin dans les chemins sans odeur de l'espace, là où non-vie n'est qu'incolore non-odeur de mort. Et nul ne peut la flairer à travers les tortillons rosâtres des cartilages, lardés de morve de cristal et de la merde de l'attente et des tampons de chair noire qui filtrent le sang...

Il déblatérait à perdre le souffle, se tenant tout droit dans l'ombre allongée de la salle du tribunal, son visage torturé comme une pellicule déchiquetée, crevant des besoins de ses organes larvaires qui palpitaient au fond de sa chair d'ectoplasme, la chair incertaine du corps en manque (dix jours de jeûne forcé quand vint la première audience), chair qui se dissout dès la première caresse silencieuse de l'héroïne retrouvée. (*N. B.* — J'ai vu ça. Vu un homme perdre dix livres en dix minutes, tout debout dans sa chambre, la seringue dans la main droite et l'autre retenant son pantalon... sa chair répudiée se consumant dans un halo jaune et glacial... et lui toujours planté entre les quatre murs de cette chambre d'hôtel new-yorkais... table de nuit jonchée de boîtes de cachous, mégots jaillissant en cascade des trois cendriers, mosaïque des nuits d'insomnie et de fringales soudaines du drogué en renonce qui console sa chair sevrée...)

Le Milicien était jugé par une Cour fédérale sous l'inculpation de lynchage, il se retrouva donc dans un asile de fous fédéral et spécialement conçu pour la garde des fantômes : impact prosaïque, précis, des objets... lavabo... porte... tinette... barreaux... tout y était... tout était joué... les ponts rompus... rien au-delà... l'Impasse. Et sur tous les visages, la même fin sans espoir, la même impasse...

Les changements physiques furent lents au début, puis tout se précipita, explosa en détritus noirâtres qui coulaient au fond de sa chair amollie, effaçant toute forme humaine... Dans la nuit absolue de la réclusion, la bouche et les yeux ne font plus qu'un organe qui déchiquette l'air de ses dents transparentes... mais les organes perdent toute constance, qu'il s'agisse de leur emplacement ou de leur fonction...des organes sexuels apparaissent un peu partout... des anus jaillissent, s'ouvrent pour déféquer puis se referment... l'organisme tout entier change de texture et de couleur, variations allotropiques réglées au dixième de seconde...

Le Glaiseux est un fléau public quand viennent ce qu'il appelle ses « attaques ». Et voilà que le Cave du Dedans, le Connard Intime, se met à le travailler au corps, rien à faire pour étouffer ça... A la sortie de Philadelphie, il descend pour braquer une voiture, mais c'est une bagnole de patrouille, les poulets le retapissent au premier coup d'œil et nous embarquent tous avec lui.

On tire trois jours francs et il y a cinq schnoufards en carence dans notre cellule. Vu que je n'ai aucune envie de déballer mon petit en-cas devant ces voraces, il me faut manœuvrer serré et graisser abondamment la patte du gardien pour qu'il nous donne une cellule séparée.

Les camés prévoyants, connus sous le nom d'écureuils, planquent sur eux des provisions de blanche en cas de rafle. Chaque fois que je m'offre une soignette, je laisse tomber quelques gouttes dans la poche de mon gilet, au point que la doublure est raide de came. Et avec ça un compte-gouttes en matière plastique dans ma chaussure et une épingle de sûreté piquée dans ma ceinture. Le ballet de l'épingle et du compte-gouttes — tu sais comment on traite ce poncif à la frissonnante dans les romans : « Saisissant l'épingle rongée de rouille et de sang, elle laboure sa jambe, ouvrant une plaie béante — telle une bouche obscène et purulente attendant l'ignoble caresse — et elle y plonge le compte-gouttes qui disparaît tout entier entre ces lèvres sanglantes. Soudain, au paroxysme de son avidité innommable (locustes affamés dans un désert de feu), le compte-gouttes se brise au tréfonds de sa cuisse aussi ravagée qu'une carte d'érosion des sols. Mais la malheureuse n'en a cure! Elle ne songe même pas à ôter les éclats de verre et considère l'horrible blessure avec le regard froid et impersonnel d'un boucher. Elle n'a cure de la bombe atomique, ni des punaises de matelas, ni de la multiplication du cancer, ni de la Société de Crédit qui vient l'exproprier de sa chair insolvable... Fais de beaux rêves, Rose Pantoponne... »

Et maintenant le vrai topo : tu pinces un peu de peau de jambe en cul de poule et tu y fais un aller et retour bien net avec une pointe d'épingle. Ensuite, tu places le bout du compte-gouttes sur le trou — *pas dedans* — et tu y fais couler la sauce très lentement en veillant qu'elle ne gicle pas à côté... Quand j'empoigne la cuisse du Glaiseux, la chair se modèle sous mes doigts comme de la cire et reste pointée en l'air, je vois une goutte de pus sourdre du trou d'épingle.

Je n'ai jamais touché un corps vivant aussi froid que celui du Glaiseux dans cette cellule de Philadelphie...

Je décide de me débarrasser de lui, même s'il faut en passer par une Soirée d'Étouffade. (*N. B.* — C'est une coutume paysanne anglaise instituée pour éliminer les parents âgés ou invalides. Une famille ainsi frappée par le sort donne une Soirée d'Étouffade, au cours de laquelle les invités entassent des matelas sur le vieil emmerdeur, puis ils s'installent en haut de la pyramide et se saoulent la gueule à mort.) Le Glaiseux est une épine au pied de la corporation et mérite d'être Égaré dans les fosses à égout de l'univers. (*N. B.* — C'est, ici, une coutume africaine. Un notable portant le titre d'Égareur est chargé d'emmener les vieillards inutiles hors du village et de les abandonner au cœur de la forêt.)

Les « attaques » du Glaiseux sont devenues chroniques. Flics, portiers, chiens, secrétaires — tout le monde montre les crocs en le voyant arriver. Le dieu blond a sombré dans l'abjection des intouchables. Les arnaqueurs ne changent pas, ils se brisent, ils se pulvérisent — une explosion de matière dans le froid glacial des espaces interstellaires, et tout s'évanouit dans la poussière cosmique, laissant derrière le corps vidé de sa substance. Truands du monde entier, il y a un Cave que vous ne pourrez endormir : le Cave du Dedans...

J'ai planté le Glaiseux à un coin de rue (ciel bouché par des immeubles de briques crasseuses, pluie de suie à perpétuité). « Je connais un toubib par ici, je vais le torpiller et je reviens tout de suite. Avec de la bonne morphine fraîche de pharmacie... Non, attends-moi ici, je tiens pas à ce qu'il te repère. » Ne bouge plus de ce coin de trottoir, le Glaiseux, et attends-moi, attends-moi jusqu'à la fin des siècles. Salut Glaiseux, salut petit gars... Où vont-ils donc quand ils se décident enfin à partir et abandonner leur corps derrière eux?

Chicago : hiérarchie invisible de Ritals décortiqués, remugle de gangsters atrophiés, revenants qui s'abattent sur toi au carrefour de North et Halstead ou à Lincoln Park, mendiants de rêves, le passé qui envahit le présent, sortilèges suris des machines à sous et des restaurants routiers.

Visite au Dedans : subdivision sans fin, antennes de télévision piquetant le ciel vide de sens. Dans les immeubles antivie, on couve les petits en avalant çà et là une minuscule lampée de monde extérieur. Seuls les rejetons apportent un peu d'air frais, mais ils ne restent pas longtemps jeunes. (Dans les boîtes d'East Saint-Louis passe le souvenir de la frontière de l'Ouest et des bateaux à roues sur le fleuve.) Illinois et Missouri, miasmes préhistoriques des bâtisseurs de forts et de sépultures, des adorateurs rampants de la Corne de Pitance, des rites hideux et sanguinaires, horreur sans espoir du Dieu Centipède qui s'étend du tumulus de Moundsville en Virginie jusqu'aux déserts lunaires des côtes du Pérou.

L'Amérique n'est pas jeune : le pays était déjà vieux et sale et maudit avant l'arrivée des pionniers, avant même les Indiens. La malédiction est là qui guette de tout temps.

Et les flics, toujours et partout. Flics d'État sortis de l'université, bien policés, chevronnés, le baratin tout sucre tout miel, l'œil électronique qui fouille voiture et bagages, vêtements et physionomie; flics hargneux des grandes villes; shérifs de cambrousse, un reflet sombre et menaçant dans leurs yeux d'un gris délavé de vieille chemise de flanelle...

Et les ennuis de voiture, partout et toujours. A Saint-Louis, on troque la Stude 42 (elle avait un défaut d'origine, comme le Glaiseux) contre une Packard hors d'âge au moteur trafiqué qui nous mène ric-rac à Kansas City, où on la remplace par une Ford, laquelle bouffe de l'huile à pleins bidons et qu'on doit bazarder à son tour contre une jeep, mais on pousse la jeep trop fort (ça ne vaut pas tripette pour la route) et quelque chose grille dans le moteur, ça cogne à tout va, alors on est revenu à ce bon vieux V-8 qui ne te laisse jamais en carafe, pisse-huile ou pas.

Et voilà que le coup de bourdon nous tombe dessus, le vrai bourdon noir et nauséeux *made in U. S. A.*, pire que tout au monde, pire que le bourdon des Andes (villages de haute altitude, le vent glacé qui descend des montagnes de cartes postales, l'air raréfié qui te prend à la gorge comme la mort, et l'Équateur avec ses petites villes en bordure du fleuve, la malaria grise comme la came sous le bord noir et empoissé du panama, les escopettes qu'on charge par la gueule, les charognards qui piochent du bec la boue séchée des rues). Pire même que le bourdon que tu attrapes en Suède quant tu débarques du ferry à Malmœ (pas de taxe à bord sur la picolette), et ce coup-là est pourtant assez vicieux pour refroidir toute la bonne gnôle hors douane du ferry et tu te retrouves plus bas que terre : sur ce, les regards fuyants et le cimetière au beau milieu de la ville (à croire que toutes les villes suédoises sont bâties autour du marché aux ci-gît), et rien à faire tout au long de l'après-midi, ni bistro ni cinéma — alors je m'étais envoyé ma dernière pipe de bon kif de Tanger et j'avais dit à K. E. : « Viens, on retourne tout droit au ferry. »

Mais le bourdon à l'américaine est pire que tout. Tu ne peux pas mettre le doigt dessus, tu ne sais pas d'où il vient. Prends un de ces bars préfabriqués au coin des grandes casernes urbaines (chaque bloc d'immeuble a son bar, son drugstore et son supermarket). Dès que tu ouvres la porte, le bourdon te serre les tripes. Tu as beau chercher, c'est impossible à expliquer. Ça ne vient pas du garçon, ni des clients, ni du plastique jaunasse qui recouvre les tabourets de bar, ni du néon tamisé. Pas même de la TV... et les habitudes se cristallisent en fonction de ce bourdon quotidien, tout comme la cocaïne finit par durcir l'organisme contre le coup de bâton en fin de parcours...

Nous sommes pratiquement à fond de came. Or, nous voilà paumés dans un patelin de vapes maigres, réduits à carburer au sirop pour la toux. On dégueule le sirop et on reprend la route, roule que je te roule, avec le vent du petit printemps qui souffle par tous les trous du tacot et glace nos corps grelottants et suants et malades (ce rhume à froid qui te prend toujours quand tu es en carence)... On roule à travers un paysage pelé, tatous crevés sur la route, vautours qui survolent les marécages et les troncs de cyprès décapités, motels aux murs de bois synthétique avec chauffage au gaz et couvertures de coton rose.

Au Texas, pays des carnavals, les voyageurs du rendez-moi et les forains de la seringue à étourdir sont grillés chez tous les toubibs...

Et il faut avoir perdu la boule pour mendier une ordonnance chez un toubib de Louisiane. L'État a voté une Loi Anticame.

On arrive enfin à Houston, au Texas, où je connais un patron de drugstore. Cinq ans au moins depuis mon dernier passage mais il me reconnaît au premier coup d'œil, fait un signe de tête et dit : « Attendez-moi au comptoir... »

Je me pose donc sur un tabouret et sirote une tasse de café. Au bout d'un moment, le type vient s'asseoir à côté de moi et demande : « Qu'est-ce qu'il vous faut ?

— Un litre d'élixir parégorique et cent capsules de nembutal. »

Nouveau signe de tête : « Revenez dans une demi-heure. »

Quand je reviens, il me tend un paquet en disant : « Ça fait quinze dollars... Soyez prudent. »

La seringuette au parégorique c'est le franc merdier : il faut d'abord faire brûler l'alcool, puis isoler le camphre et pomper au compte-gouttes le résidu d'opium noirâtre, ensuite il faut piquer la mixture dans la veine pour éviter l'abcès — mais en réalité tu peux seringuer où ça te chante, ça ne t'empêchera pas d'avoir un abcès. Le plus sûr c'est encore de boire le parégo avec des pilules de barbiturique pour faire passer... On verse donc l'extrait dans une vieille bouteille de Pernod et en route pour La Nouvelle-Orléans à travers un décor de lacs iridescents et de torchères à la flamme orange pâle, de marécages et de dépotoirs, d'alligators vautrés sur les boîtes de conserve et les tessons de bouteilles, de motels aux arabesques de néon, de gigolos en carafe qui se plantent sur des montagnes d'ordures pour brailler des obscénités aux voitures qui passent...

La Nouvelle-Orléans est un musée mort. Fleurant le jus de parégorique à pleines narines, nous musardons autour d'Exchange Place et dépistons illico le Contact. La ville n'est pas bien grande et la Stupéfiante a fiché presque tous les vendeurs, si bien que le Camelot se dit qu'il n'en a rien à foutre et il vend sa marchandise à n'importe qui. Nous faisons le plein d'héroïne et redémarrons dans l'autre sens, direction Mexique.

Nous retraversons Lake Charles et le désert aux machines à sous, puis c'est la frontière Sud du Texas (shérifs négrophages qui nous passent au tamis, papiers de voiture et bonshommes). Un poids te tombe des épaules quand tu passes en territoire mexicain — et soudain, brutalement, le paysage te dégringole dessus, plus rien entre toi et l'horizon que le désert vaguement montagneux et les vautours : les uns des petits points qui tourbillonnent dans le lointain, les autres si proches que tu les entends fendre l'air de leurs ailes (un bruit sec, comme un épi de maïs qu'on décortique), et quand ils aperçoivent une proie ils jaillissent tout noirs du bleu du ciel, ce bleu horrible et écrasant du ciel mexicain, et giclent en entonnoir vers le sol... Roulé toute la nuit... A l'aube, traversé un village tiède et brouillé de brume, chiens qui aboient, murmure d'un ruisselis d'eau.

— Tomas et Carlo, dis-je.

— Quoi?

— C'est le nom de ce bled. Altitude zéro. A partir de là, on monte jusqu'à trois mille mètres.

Je m'offre ma dose matinale et m'installe sur le siège arrière pour dormir. Elle conduit comme une reine. C'est le genre de choses qu'on remarque dès que quelqu'un prend le volant.

Enfin Mexico où, trônant comme la déesse aztèque de la

Terre, Lupita fourgue ses petits sachets d'héroïne merdeuse.

— Tu t'intoxiques bien plus à la vendre qu'à te piquer avec, dit Lupita.

Les fourgueurs végétariens — ceux qui ne consomment pas leur marchandise — attrapent l'obsession de leur petit commerce, et cette sorte d'intoxe est bien pire que la vraie parce qu'il n'existe pas de cure pour. Ça contamine les flicards eux-mêmes. Exemple : Bradley l'Acheteur, un des poulaillons de la Stupéfiante. Le meilleur agent double de la Brigade. A le voir, tu jurerais qu'il est camé tout comme toi. C'est au point qu'il lui suffit de s'approcher d'un fourgueur pour que l'autre le serve recta et sans pet. Il est si anonyme, si gris et irréel qu'on ne se souvient même pas de lui après coup — et c'est ainsi qu'il les arnaque l'un après l'autre...

Eh bien, figure-toi que Bradley l'Acheteur ressemble de plus en plus à un camé pur sang. Il ne peut pas boire. Il ne peut plus bander. Ses dents se font la valise : comme les femmes enceintes qui perdent leurs dents en nourrissant l'étranger, les camés perdent leurs chicots jaunâtres à force de nourrir le singe. (*N. B.* — Ce singe, que les drogués ont l'impression de porter en permanence sur le dos, c'est le besoin fait monstre.) L'Acheteur mâchonne sans arrêt des chocolats fourrés, il a un faible pour la marque Baby Ruth. « Ça me donne franchement envie de dégueuler de le voir bouffer ces machins-là! » dit un des flics de la Brigade.

La peau de l'Acheteur a pris une teinte sinistre, gris olive. Il faut dire que son organisme fabrique sa propre came, ou une saloperie équivalente. Il a son Contact à demeure, un Camelot Intérieur en quelque sorte. C'est du moins ce qu'il prétend. « Je reste bien au chaud dans ma chambre, dit-il, et je baise le monde entier... Tous des caves, d'un côté comme de l'autre. Je suis le seul homme vraiment complet de toute la corporation. »

C'est alors qu'il est pris d'une fringale soudaine qui le transperce jusqu'aux os comme une grande tornade noire.

Aussitôt il se met en chasse, déniche un jeune camé et lui donne un petit sachet de blanche.

— Chouette, dit le môme. Qu'est-ce qu'il vous faut en échange?

— Je veux seulement me frotter un petit coup contre toi pour me recharger, c'est ma soignette à moi.

— Pouah! Enfin... d'accord... Mais quand même! Vous pouvez donc pas vous envoyer en l'air comme un être humain?

Un peu plus tard, le gamin se retrouve dans un milk-bar avec deux potes à lui.

— Je me suis jamais laissé faire des trucs aussi dégoûtants, dit-il en trempant son cake aux raisins. Je sais pas comment il s'y prend mais il devient tout mou, comme une grosse flaque de gelée, et là-dessus il se colle tout autour de toi et il se met à mouiller de la tête aux pieds, une espèce de bave verdâtre. Faut croire que c'est sa façon de jouir, mais c'est vraiment ignoble... Failli dégueuler en voyant cette morve qui me giclait dessus. Et avec ça il pue comme une vieille pastèque pourrie.

— Faut pas râler, tu t'es rechargé pour pas un rond.

Le gamin a un soupir résigné : « Oui, on s'habitue à tout. D'ailleurs j'ai rencart avec lui demain soir...

Le péché mignon de l'Acheteur a viré à l'obsession, il ne peut plus s'en passer, il a besoin de se recharger toutes les demi-heures. De temps en temps, il fait la tournée des commissariats et graisse la patte du flic de service pour qu'il le laisse entrer dans une cellule de cametons. Mais à force de frottailler à jet continu il est devenu pratiquement immunisé... Un beau jour, le voilà convoqué chez le grand patron :

— Bradley, dit le Flicard-Chef, votre conduite fait jaser. J'espère pour vous qu'il ne s'agit là que de rumeurs, mais elles sont d'une nature si odieuse que... Voyez-vous, la femme de César... broumpf... c'est-à-dire la Brigade... doit être au-dessus de tout soupçon... et à plus forte raison des bruits qui circulent sur votre compte. Vous souillez l'honneur de la

Maison et je suis prêt à accepter votre démission sur-le-champ.

L'Acheteur se jette à plat ventre et rampe jusqu'aux pieds du F.-C.

— Non, patron, non... Pitié! La Brigade c'est ma vie.

Il lèche la main du F.-C. et lui attrape les doigts à pleine bouche pour que l'autre tâte ses gencives édentées, en gémissant qu'il a perdu toutes ses chocottes « à chon cherviche ».

— Je vous en chupplie, patron... Je vous torcherai le baba, je laverai vos vieilles capotes, je vous chirerai les bottes avec ma graiche de nez...

— Vraiment, Bradley, c'est intolérable! Vous n'avez donc aucun amour-propre? Je vous avoue que je trouve cela franchement répugnant. Je veux dire... il y a en vous quelque chose de... disons le mot... de pourri... vous dégagez une odeur de fumier.

Il se tamponne le nez avec un mouchoir parfumé.

— Je vous prie de quitter ce bureau immédiatement.

— Je ferai n'importe quoi, patron, *n'importe quoi*...

La figure verte et ravagée de l'Acheteur se fend en un sourire abject.

— Je chuis pas chi vieux, patron, et j'ai encore du répondant quand je m'y mets.

Le F.-C. vomit discrètement dans son mouchoir et montre la porte d'une main ramollie. L'Acheteur se relève et ' guigne d'un air rêveur. Son corps ploie par à-coups comme une baguette de sourcier et, tout à trac, il se répand sur le patron.

— Non! Non! hurle le F.-C.

— Schlop... schlop schlop schlop...

Une heure après, on trouve l'Acheteur vautré sur le fauteuil du F.-C., complètement envapé. L'autre a disparu sans laisser de traces.

Le Juge : « Tout indique que vous avez, de quelque façon innommable... euh, assimilé le chef de la Brigade. Il n'y a malheureusement aucune preuve. Je serais d'avis de vous faire interner, ou plus exactement infiltrer, dans une institution appropriée, mais je ne sache pas qu'il existe un établissement susceptible de prendre en charge un être de votre farine. Je suis donc contraint, bien à contrecœur, de vous relaxer.

— On devrait le flanquer dans un aquarium, dit le flic qui l'a mouché.

L'Acheteur terrorise la corporation tout entière. Camés et poulets disparaissent. Tel un vampire géant, il émet des effluves narcotiques, une sorte de buée verte et poisseuse qui anesthésie ses victimes et les livre sans défense à ses épanchements circonvolutifs. Et quand il a son compte, il se terre durant plusieurs jours comme un boa constrictor repu. Finalement, il est pincé en flagrant délit (il était en train de digérer le Haut-Commissaire de la Stupéfiante) et on l'extermine au lance-flammes — le tribunal justifiant cette méthode peu orthodoxe par le fait que Bradley l'Acheteur a perdu toute identité humaine et qu'il est devenu, par voie de conséquence, une créature hors catégorie et hors l'espèce, doublée d'une menace pesant, du haut en bas de l'échelle, sur toute l'industrie des stupéfiants.

Au Mexique, la combine consiste à trouver un camé indigène muni d'un certificat officiel grâce auquel il peut toucher une certaine quantité de marchandise tous les mois. Notre Contact là-bas c'est le vieil Ike, qui a passé la plus grande partie de sa vie aux États-Unis.

Ike : « J'étais en virée avec Irène Kelly, une sportive comme on n'en fait plus. Un soir qu'on était dans un bled du Montana, à Butte pour être précis, elle force un peu trop sur la neige et pique une Panique de Cocarde. La voilà qui fonce à travers l'hôtel en bramant que des flicards chinetoques veulent lui faire la peau à coups de hachoir... Et à Chicago, je connaissais un poulet qui reniflait de la coco d'un type spécial, ça se présentait sous forme de petits cristaux bleus. Un jour, il entre en panique lui aussi et se met à gueuler que les Fédéraux lui courent au cul. Il se carapate jusqu'au bout de la ruelle et plonge la tête dans une boîte à ordures. Je lui dis : « Eh bien quoi, qu'est-ce que tu fais ? » et il me dit : « Fous-moi le camp où je te descends. Je suis bien planqué, ils me trouveront jamais. »

Donc, on arrive à se procurer de la cocaïne sur ordonnance. La Coquette, papa, il faut la piquer direct dans la veine. Quand elle entre tu as l'impression de la flairer au passage, ça te fait tout froid tout propre dans le nez et dans la gorge, et puis tu sens comme une bouffée de bonheur à l'état pur qui te transperce le cerveau en allumant toutes les lampes témoins du circuit, une succession d'explosions blanches qui te défoncent le citron. Dix minutes plus tard, il te faut une autre piqûre, tu traverserais la ville à pied pour trouver du rabe. Mais si tu ne fais pas mouche, tu manges un morceau et puis tu vas te coucher et tu oublies le reste. L'envie de coco est purement cérébrale, l'organisme et les sens sont hors du coup, c'est une fringale de revenant, d'ectoplasme fétide que les vétérans balayent en crachotant dans l'aube malade de la came.

Un matin, dès le réveil, tu t'offres un Coup de Canon — un cocktail d'héroïne et de cocaïne — et tu sens tout à coup un régiment de taons qui te fourmillent sous la peau... des flics avec des grosses moustaches 1890 barrent toutes les portes et se penchent aux fenêtres en retroussant des lèvres hargneuses sur leurs insignes bleu et or... des camés défilent dans ta chambre en braillant l'Ode Funèbre Musulmane, ils portent le cadavre de Bill Gains et tu vois les stigmates de l'aiguille qui brasillent encore avec une flammèche turquoise... des flics schizophrènes et acharnés flairent ton pot de chambre.

C'est ça, la Coco Paniquarde... Il faut t'asseoir bien à l'aise, éviter de te frapper les sangs — et t'injecter une bonne dose de morphine à soldat.

Jour des Morts : l'estomac noué par la renonce, je me suis

forcé à bouffer le crâne en sucre candi de mon petit frère Willy. Il s'est mis à pleurer et j'ai dû sortir pour lui en acheter un autre. Passé devant un bar où ils étaient en train de cravater le book de la pelote basque.

A Cuernavaca — ou bien était-ce Taxco? — Jane a fait la connaissance d'un joueur de trombone qui jouait surtout au maque, et elle a disparu dans un nuage de fumée de marijuana. Le maquereau en question était un spécialiste de la vibration diététique — c'était sa façon d'avilir ses nunuches en les forçant à avaler toutes ses salades en plus de l'herbe à fumer. Il passait son temps à approfondir ses théories, et puis il posait des colles à la poule du jour, en menaçant de la plaquer si elle n'avait pas retenu par cœur chaque nuance de son dernier coup de boutoir à la logique et à l'humanité.

— Écoute voir, ma gosse, j'ai tout le paquet à disposition, bon à prendre. Mais si tu es pas fichue de le gagner je peux rien pour toi.

Il lui fallait tout un cérémonial pour fumer ses pipes de marijuana et, comme tous les pratiquants du thé, il était très puritain question héroïne et autres cames sérieuses. Il prétendait en revanche que la marie-jeannette le mettait en contact avec le plus-que-bleu des grands champs de gravitation. Il avait des théories à propos de tout, il savait quelle marque de maillot de corps était la plus hygiénique, savait quand il fallait boire de l'eau, connaissait la marche à suivre pour se torcher le fion. Il avait une trogne couleur brique pilée et toute luisante, un gros nez lisse qui n'en finissait pas, des petits yeux rouges qui s'allumaient dès qu'il voyait une poule et s'éteignaient quand il s'agissait du reste. Il paraissait presque difforme tant ses épaules étaient larges. Il se conduisait comme s'il avait été le seul mâle au monde. Au restaurant et dans les magasins il passait commande au personnel masculin par le truchement d'une souris. Et nul homme,

Camelot ou autre, ne franchit jamais le seuil putride de son domaine secret...

... Il est donc à clouer la vraie came en croix et à chanter les louanges du thé. Moi je suis en train de tirer deux trois bouffées de son herbe à Marie quand je vois Jane qui le regarde avec des yeux exorbités, la chair du visage comme cristallisée. Alors je bondis de ma chaise en gueulant : « J'ai la panique! » et je pars au galop. Je me tape une bière dans un petit restaurant — comptoir en faïence, affiches de corridas et résultats de foot placardés aux murs — en attendant le bus pour rentrer en ville...

L'année suivante, à Tanger, j'appris qu'elle était morte.

Benway

J'ai été chargé d'engager les services du docteur Benway au nom de la Société Islam & Cie.

Le docteur est le conseiller médico-technique de la république de Libertie, territoire voué à l'amour libre et à l'hygiène du bain. Les citoyens sont parfaitement adaptés, serviables, honnêtes, tolérants et, par-dessus tout, bien briqués. Néanmoins, la présence de Benway indique que tout ne va pas pour le mieux derrière cette façade de propreté, sachant qu'il est maître manipulateur et coordinateur du système symboliste, expert en interrogatoires, lavages de cerveaux et contrôles à tous les degrés. Je ne l'avais pas revu depuis son départ précipité d'Annexie, où il dirigeait les services de D. T. — Démoralisation Totale. Sa première mesure là-bas avait été l'abolition des camps de concentration, des arrestations en masse et, hormis certains cas particuliers et limités, de la torture.

— Je réprouve la brutalité, disait-il alors. Elle n'est pas efficace. D'un autre côté, une certaine forme de persécution excluant toute violence physique peut donner naissance, si elle est appliquée de façon prolongée et judicieuse, à un complexe de culpabilité spécifique. Il est indispensable de retenir quelques règles, ou plutôt quelques idées directrices. Le sujet ne doit pas voir dans ce mauvais traitement une agression de sa personnalité par quelque ennemi antihumain.

On doit lui faire sentir que la punition qu'il subit, quelle qu'elle soit, est entièrement méritée, c'est-à-dire qu'il est affligé d'une tare horrible — non précisée. Le besoin tout cru des fanatiques du contrôle doit être camouflé décemment derrière une paperasserie aussi arbitraire que complexe, de manière que le patient ne puisse jamais entrer en rapport direct avec son ennemi.

Chaque citoyen de l'Annexie était tenu de solliciter — et ensuite de porter sur soi en permanence — une profusion de cartes d'identité et de documents divers. Il pouvait être interpellé à toute heure et en tout lieu : le Contrôleur, tantôt en civil et tantôt vêtu d'uniformes variés, souvent en pyjama ou en costume de bain, ou bien encore nu comme un ver à l'exception de l'insigne épinglé à son téton gauche, tamponnait ses documents après un contrôle minutieux. A chaque interpellation subséquente, le citoyen devait montrer ses papiers dûment paraphés lors du dernier contrôle. Or, quand le Contrôleur interpellait un groupe de plusieurs personnes, il ne visait que quelques-unes des pièces qu'on lui présentait. Après quoi, il faisait arrêter les citoyens dont les cartes n'étaient pas tamponnées et qui se trouvaient donc en infraction. Toute arrestation se traduisait par une « détention provisoire »; cela signifiait que le prisonnier ne pouvait être relâché que si et quand son Placet Justificatif, signé de sa main et paraphé dans les règles, était visé par l'Arbitre Suppléant des Justifications. Étant donné que ce fonctionnaire ne venait à son bureau que très exceptionnellement et que le détenu devait lui apporter en main propre son Placet Justificatif, les Non-Justifiés passaient des semaines et des mois à patienter dans des antichambres sans chauffage, sans chaises et sans latrines.

Nombre de pièces rédigées à l'encre sympathique se métamorphosaient en vieux bulletins de consigne. De nouveaux documents étaient sans cesse requis, et les citoyens couraient d'un bureau à l'autre, s'évertuant frénétiquement à se mettre en règle en respectant des délais impossibles.

Tous les bancs publics de la cité furent bientôt supprimés, les fontaines bouchées, arbres et fleurs détruits. Sur le toit de chaque immeuble d'habitation (tous les citoyens étaient contraints à vivre en appartement), une énorme sirène électrique mugissait tous les quarts d'heure et, bien souvent, ses trépidations jetaient les gens à bas du lit. Des projecteurs étaient braqués sur la ville durant toute la nuit (rideaux, stores, jalousies et persiennes étaient bien sûr prohibés).

Personne ne regardait personne, de crainte de contrevenir à la loi punissant les citoyens qui importunaient leurs semblables par des avances, verbales ou autres, dictées par un mobile quelconque, sexuel ou autre. Cafés et bars furent fermés. Il fallait désormais une autorisation spéciale pour obtenir de l'alcool — lequel ne pouvait être vendu, offert ou transféré de quelque manière que ce fût à quelque autre personne que ce fût; la présence d'un tiers au domicile du buveur constituait la preuve *prima facie* d'une tentative caractérisée de cession d'alcool.

Nul n'était autorisé à verrouiller sa porte (la police possédait d'ailleurs des passe-partout ouvrant toutes les serrures de la cité). Ainsi, accompagnés d'un Mentaliste, les policiers pouvaient faire irruption chez un particulier et mettre son appartement à sac pour « déterrer le pot aux roses ». Le Mentaliste les guidait vers ce que le citoyen tentait de dissimuler : tube de vaseline, clystère, mouchoir souillé de sperme, arme, alcool hors licence. Le suspect était dénudé et soumis à une fouille avilissante que scandaient des commentaires goguenards et malveillants sur sa conformation physique. Maint pédéraste latent fut inculpé et ficelé dans une camisole de force après que les policiers eux-mêmes lui eurent farci l'anus de vaseline. Dans d'autres cas, les sbires mettaient le grappin sur un objet quelconque, essuie-plume ou embauchoir.

— Et ça, qu'est-ce que ce serait d'après vous?
— C'est un essuie-plume.
— Tu te rends compte, il prétend que c'est un essuie-plume!

— Qu'est-ce qu'il faut pas entendre!

— Bon, on a tout ce qu'il faut. Hé toi, suis-nous.

Après quelques mois de ce régime, les citoyens se terraient dans les coins sombres comme des chats névrosés.

Il va sans dire que les individus soupçonnés d'espionnage, de déviationnisme politique ou de sabotage étaient contrôlés à la chaîne. Quant aux méthodes d'interrogatoire utilisées par la police d'Annexie, le docteur Benway les décrivait avec enthousiasme :

— Si j'évite, en règle générale, de recourir à la torture — laquelle tend à cristalliser l'opposition et à mobiliser les forces de résistance — j'estime en revanche que la *menace* de torture contribue à inspirer au sujet le sentiment approprié d'impuissance doublée de gratitude envers l'interrogateur qui n'en fait point usage. De plus, la torture punitive est indiquée quand le sujet a suivi le traitement assez longtemps pour être à même d'estimer ce châtiment mérité. A cette fin, j'ai imaginé un certain nombre de mesures disciplinaires. L'une des plus intéressantes a été baptisée le Standard Téléphonique. On fixe des fraiseuses électriques aux dents du sujet, lequel est alors astreint à actionner un standard factice, et de brancher telle ou telle fiche en fonction de divers signaux lumineux ou sonores. A chaque erreur, les fraiseuses entrent en action pendant vingt secondes. Le rythme des signaux est progressivement accéléré jusqu'à dépasser les possibilités physiques de réaction. Une demi-heure au Standard et le sujet est aussi déréglé qu'un cerveau électronique chargé d'un trop-plein de cartes perforées.

« En fait, l'étude des machines à calculer nous en apprend plus sur le fonctionnement du cerveau que tous les procédés d'introspection. L'Occidental s'extériorise à l'aide de gadgets. Telle la cocaïne. Vous êtes-vous déjà flanqué une bonne ration de coco dans la veine? On l'a dit, ça file directement au cerveau en allumant des plots de jouissance pure. La jouissance d'une piqûre de morphine est viscérale : on s'écoute vivre tout au fond de soi-même. Mais la coco c'est de l'électricité dans le cerveau. En d'autres termes, le crâne chargé de coco est comme un billard électrique détraqué qui éjacule ses petites lumières bleues et roses. Un cerveau électronique serait sans doute capable de ressentir l'extase de la cocaïne, un peu comme le grouillement initial d'une vie d'insecte immonde. Et le besoin de coco n'est que cérébral, c'est un besoin sans passion, incorporel, qui dure quelques heures seulement, aussi longtemps que les circuits de la drogue sont stimulés. Il est donc évident que l'on pourrait produire un effet identique à celui de la cocaïne en stimulant ces mêmes circuits à l'aide d'une décharge électrique... Cependant, ces circuits finissent par se détériorer comme de simples veines et le sujet doit en trouver d'autres... Or, avec le temps, les veines usées se retapent et, s'il met au point un système de rotation astucieux, le piqueur d'héroïne peut encore se faire la fête à condition de ne pas forcer la dose. En ce qui concerne le cerveau les cellules délabrées ne se réparent malheureusement pas, et quand un amateur de cocaïne a grillé toutes ses cellules cervicales il se retrouve salement emmerdé.

« A croupetons sur un monceau d'os pâlis, d'excréments et de ferraille rouillée, dans un brasillement de chaleur à blanc, un panorama de crétins nus s'étend jusqu'à l'horizon. Le silence est absolu (on leur a cisaillé les organes de la parole), hormis le crépitement des étincelles et le faible clapotement des cloques de chair cramée que l'on entend lorsque les crétins s'appliquent mutuellement des électrodes le long de la colonne vertébrale. Une fumée blanche fleurant la viande humaine flotte dans l'air immobile. Quelques enfants ligotent un crétin à un poteau avec du fil de fer barbelé, puis ils allument un feu de bois entre ses jambes et l'observent avec une curiosité bestiale tandis que les flammes lui lèchent les cuisses, agitant sa chair de tressaillements de cancrelat à l'agonie...

« Mais je me perds en digressions, à mon habitude... Tant que nous n'aurons pas une connaissance plus précise de l'électronique du cerveau, la drogue restera l'instrument essentiel de l'Interrogateur chargé d'anéantir la personnalité du sujet. Il va de soi que les barbituriques sont pratiquement inutilisables, en ce sens qu'un sujet incapable de résister aux somnifères ne vaudrait pas cher devant les méthodes infantiles en usage chez les policiers de province... La scopolamine est d'un bon emploi pour dissoudre les résistances, mais elle encrasse la mémoire du même coup : son action est telle qu'un agent double, par exemple, sera tout disposé à révéler ses secrets mais incapable de s'en souvenir, et sa « couverture » se mélangera inextricablement avec sa personnalité camouflée. Mescaline, harmaline, Lsd 6 — l'acide lysergique — bufoténine et muscarine donnent des résultats souvent très intéressants. La bulbocapnine provoque un état voisin du syndrome catatonique de la schizophrénie, et on a relevé plusieurs cas d'imitation impulsive. La bulbocapnine exerce un effet dépressif sur le cerveau postérieur en déréglant les centres moteurs de l'hypothalamus. D'autres drogues qui ont entraîné une schizophrénie de type expérimental — mescaline, harmaline, Lsd 6 — sont au contraire des stimulants du bulbe. L'arrière-cerveau du schizophrène est alternativement stimulé et déprimé, et la catatonie est fréquemment suivie d'une période d'excitation et d'activité motrice, durant laquelle le patient perd la boule et fait chier tout un chacun. En revanche, il arrive parfois que les schizos au stade terminal se refusent à faire le plus petit mouvement, et qu'ils ne quittent plus le lit jusqu'à la fin. On estime que la « cause » de la schizophrénie (mais la causalité n'a jamais permis d'expliquer avec précision le processus métabolique — notre vocabulaire est encore bien limité!) réside dans une altération de la fonction régulatrice de l'hypothalamus. Des injections de Lsd 6 en alternance avec de la bulbocapnine (celle-ci activée avec du curare) présentent les meilleures garanties d'obéissance automatique.

« Il existe d'autres méthodes. On peut plonger le sujet dans un état de dépression profonde en lui administrant plusieurs jours durant de la benzédrine en doses intensives. On peut provoquer des psychoses en injectant à feu continu de fortes doses de cocaïne ou de dolosal, ou encore en interrompant brutalement un traitement à base de barbituriques. On peut également intoxiquer le sujet en le gavant de dihydro-oxyhéroïne puis en lui coupant net les vivres — et, sachant que les vertus intoxicantes de ce composé sont cinq fois supérieures à celles de l'héroïne, la privation doit être pénible à proportion.

« Il y a aussi divers traitements « psychologiques », telle la psychanalyse obligatoire. Chaque jour, le sujet est soumis pendant une heure à une séance de « libre association » (ceci dans les cas où le facteur temps est d'importance secondaire) : « Voyons, fiston, faut pas être si négatif, sinon papa « va appeler le vilain homme noir. Bébé va avoir panpan sur « les quenottes au Standard. »

« L'affaire de l'agente qui avait oublié sa personnalité d'origine et s'était identifiée à sa couverture — elle fricote toujours quelque part en Annexie — m'a inspiré une autre astuce. Tout agent étant entraîné à éliminer sa véritable identité, pourquoi ne pas abonder dans son sens? Il suffit d'un brin de judo psychique pour le convaincre que sa couverture est la réalité. Du coup, son identité réelle sombre dans son inconscient, hors contrôle, et on peut l'enfouir plus profondément encore avec un traitement à base d'hypnose et de drogues diverses. Grâce à cette combine, on peut métamorphoser un hétérosexuel en pédéraste : il faut étayer son horreur des tendances pédérastiques qui sont normalement latentes en lui — et, simultanément, le priver de chatte tout en le soumettant à une stimulation homosexuelle. Là-dessus, un peu de drogue, un peu d'hypnose, et hop! (Avec un claquement mou des doigts.)

« Nombre de sujets sont très vulnérables à l'humiliation sexuelle : nudité forcée, stimulation par ingestion d'aphrodisiaques, surveillance continuelle destinée à la fois à troubler le sujet et à lui interdire le soulagement de la masturbation (toute érection, même involontaire, pendant son sommeil déclenche automatiquement un énorme vibreur électrique qui précipite le sujet dans un baquet d'eau froide, d'où une réduction au strict minimum de l'incidence des pollutions nocturnes). Inutile de préciser que ce procédé d'avilissement est contre-indiqué dans le traitement des pédés patents — attention, il ne faut pas s'endormir et oublier les consignes de prudence, l'ennemi guette à la porte. Tenez, je me souviens d'un jeunot, je l'avais si bien conditionné qu'il caguait à ma vue, sur quoi je lui rinçais l'oignon et le tringlais dans ma foulée. Du vrai nanan. Un gamin adorable, avec ça... Il arrive parfois qu'un sujet éclate en sanglots juvéniles parce qu'il ne peut s'empêcher de prendre son pied quand il se fait ramoner... Bref, comme vous pouvez le voir, les possibilités sont nombreuses — infinies comme les ramifications des sentiers dans un grand parc public. Je n'avais fait qu'effleurer cet univers sublime quand j'ai été épuré par les comateux du Parti... Bah! *Son cosas de la vida!*

Me voilà donc en Libertie, qui est propre comme un sou neuf et cafardeuse à mourir, doux Jésus. Benway dirige le C. R. — le Centre de Reconditionnement. Je lui fais une petite visite, et la kyrielle des « Que devient donc Un Tel? » donne à peu près ça : « Sidi Idriss Smithers *alias* la Mouche s'est affalé devant les Émissionistes moyennant une gobette de sérum du centenaire. Question connerie, rien de tel qu'une vieille tante. » Et puis : « Lester Stroganoff Smuunn, dit El Hassein, a viré au Latah à force de travailler son P. O. A. (Processus d'Obéissance Automatique). Un martyr de la Cause... » (*N. B.* — L'état de Latah se présente dans le Sud-Est asiatique. Parfaitement sain par ailleurs, le Latah, cousin malais du lycanthrope, ne peut s'empêcher d'imiter machinalement tout geste fait devant lui dès qu'on a captivé son attention par un appel de voix ou un claquement de doigts. C'est une sorte d'impulsion hypnotique involontaire.

Il arrive que les Latahs se blessent en s'efforçant d'imiter les gestes de plusieurs personnes à la fois.) Et encore : « J'ai entendu un secret atomique, arrêtez-moi si vous le connaissez... »

Les traits de Benway ne restent en place que dans l'éclair de magnésium du besoin et, d'une seconde à l'autre, ils se creusent et se métamorphosent de façon indescriptible, papillotant comme une image de lanterne magique entre flou et net.

— Venez avec moi, me dit-il, je vais vous montrer le C. R.

Nous suivons un long corridor blanc. Venant de nulle part et de partout, la voix de Benway s'infiltre dans ma conscience — une voix désincarnée, tantôt claire et puissante, tantôt presque imperceptible, comme un air de musique au coin d'une rue balayée par le vent.

— ...peuplades isolées telles que les indigènes de l'archipel Bismarck. Pas d'homosexualité au grand jour dans ce coin-là. Putain de matriarcat! Tout ce qui est matriarcal est conformiste, terre à terre et antitante. Si jamais vous échouez dans un bled matriarcal, mettez le cap sur la frontière la plus proche et partez au pas de promenade. Je dis bien *au pas*. Prenez vos jambes à votre cou et vous pouvez parier qu'un flicard refoulé, du genre pédé en puissance, va vous farcir de pruneaux... Ainsi donc, il y a des mordus de l'Homogénéité et de la Cohérence qui veulent établir une tête de pont dans cette pagaïe de virtualités que sont l'Europe occidentale et les États-Unis! Encore du matriarcat à la con, et tant pis pour Margaret Mead et les ethnologues en jupons...

« ...et là on est tombé sur un bec. Bagarre au scalpel avec un collègue en pleine salle d'opération. Mon assistante, une babouine, en a profité pour se jeter sur le patient et le mettre en pièces. Dans une rixe, les babouins s'attaquent toujours au plus faible. Ils ont bien raison, et gardons-nous d'oublier notre glorieux héritage simien. Le collègue en question c'était Browbeck le Toubib, un ex-fourgueur de came et avorteur à la retraite (en fait, il n'était que vétérinaire) qui avait repris du service au moment de la crise de la main-d'œuvre. Il faut dire que Browbeck avait passé toute la matinée dans les cuisines de l'hosto à gouiner les infirmières et à se gazer au Klim — sans compter qu'il s'était envoyé une double porcif de muscade juste avant l'opération pour se donner du courage...

(*N. B.* 1. — Le Klim. En Grande-Bretagne, notamment à Edimbourg, des particuliers sifflent du gaz d'éclairage à travers un filtre de Klim — une marque de lait en poudre qui a un horrible goût de craie moisie — et arrivent à s'envaper avec cette mixture. Ils mettent tous leurs biens au clou pour régler la note de gaz. Lorsqu'ils ne peuvent pas payer et que l'employé vient leur couper le compteur, on les entend bramer à des lieues à la ronde. Souffrir du manque, là-bas, cela s'appelle « avoir le mâchefer à zéro » ou « se sentir le poêle dans le dos ».)

(*N. B.* 2. — La muscade. Cf. article de l'auteur dans le *British Journal of Addiction*, janv. 1957, vol. 53, n° 2 : « ... Marins et forçats ont parfois recours à la muscade en poudre... Une cuillerée à soupe environ, avec un verre d'eau... Effet vaguement comparable à celui de la marijuana, accompagné de migraine et de nausée. Les Indiens d'Amérique du Sud utilisent nombre de narcotiques dérivés de la muscade et de plantes voisines, apprêtées sous forme de poudre à priser. Après quelques prises de cette substance toxique, les sorciers entrent en convulsions, et l'on accorde une signification prophétique à leurs spasmes nerveux et à leur charabia... »)

— ...du courage. Moi, j'étais bourré de hachisch et pas du tout disposé à me laisser emmerder par Browbeck. Il commence par m'expliquer que je devrais faire l'incision par-derrière et non pas par-devant, en bafouillant tout un tas de sottises comme quoi faut surtout pas oublier d'ôter la vésicule biliaire sinon la barbaque sera bonne à jeter. L'avait perdu les pédales et se croyait dans sa basse-cour en train de vider un poulet. Je lui dis de retourner se coller la tête dans le fourneau de la cuisine et voilà pas qu'il a le culot de me flanquer un coup sur le poignet si bien que je tranche l'artère fémorale du patient. Le sang gicle droit dans l'œil de l'anesthésiste qui part au galop dans le couloir en criant au feu. Browbeck va pour me filer du genou dans les joyeuses, mais j'arrive à l'enjarnaquer d'un coup de scalpel et il se retrouve à patiner sur le ventre tout en essayant de me larder pieds et jambes. Mon assistante Violette, la babouine (la seule femme que j'aie aimée), dégueulait d'horreur et de consternation. Je réussis à grimper sur le billard — et j'étais en train de prendre mon élan pour sauter sur Browbeck et lui défoncer la pomme à pieds joints quand les flics sont entrés.

« Bref, cette empoignade à l'hôpital (« cet incident indi-« cible », comme baragouinait le Flicard-Chef) a fait déborder le vase. La meute arrivait pour la curée. Une crucifixion, il n'y a pas d'autre mot! D'accord, j'avais fait quelques *Dumheite* par-ci par-là, mais qui n'a jamais péché? Un jour, par exemple, nous deux l'anesthésiste on a sifflé tout l'éther, là-dessus le patient qu'on avait travaillé à la coco se mêle de refaire surface et on m'accuse d'avoir coupé la cocaïne avec du détergent à chiottes. Pour tout dire, c'est Violette qui avait fait la blague. J'ai dû la couvrir, c'est bien normal...

« En fin de compte, on s'est tous fait virer de l'Ordre. Je reconnais que Violette n'était pas un toubib pur sucre, et Browbeck non plus — et il s'est même trouvé des gens pour trouver mon diplôme sujet à caution. Mais Violette s'y connaissait mieux en médecine que tous les prix Nobel. Elle avait une intuition exceptionnelle et un sens aigu du devoir.

« Me revoilà donc assis sur le derche, plus de diplôme plus rien. Faut-il m'orienter vers un autre métier? Non, j'ai la médecine dans le sang. Je parviens à garder la main en pratiquant des avortements au prix de solde dans les toilettes de métro. Je m'abaisse même jusqu'à racoler les femmes enceintes en pleine rue. C'était franchement indécent. C'est alors que je lie connaissance avec un type épatant, Juan Placenta le Magnat des Secondines, qui a fait son beurre dans le Veau de Couveuse pendant la guerre. (*N. B.* — Les Veaux de Couveuse sont des animaux frais nés qui trimbalent encore des déchets de placenta — ou arrière-faix, ou délivre, ou secondine, les mots ne manquent pas — et sont donc impropres à la consommation. Un veau ne peut être envoyé à la boucherie avant l'âge de six semaines, et le trafic de Veaux de Couveuse est sévèrement puni.) Après quoi, Juanito s'est trouvé à la tête d'une flotte de cargos battant pavillon abyssinien pour éviter les mesquineries de règlements. Il me bombarde médecin de bord sur le vapeur *Filiarose*, un rafiot qu'il faut trente ans de mer pour en trouver un aussi crado. Vous me voyez opérant d'une main et chassant de l'autre les rats qui me bouffent mon patient! Et avec ça des punaises et des scorpions qui pleuvent du plafond...

« ...sur ces entrefaites, il y en a qui réclament l'Homogénéité et la Cohérence. Je dis pas non mais ça va coûter chaud. Ils me cassent les pieds avec leurs grands projets... Ah, nous y voilà : le Quartier du Bourdon.

Benway esquisse un signe de la main et une porte s'ouvre magiquement, nous franchissons le seuil et elle se referme derrière nous. Une salle immense, étincelante, murs en briques de verre, carrelage blanc, acier inoxydable, lits disposés le long d'un seul mur. Nul ne fume, nul ne lit, nul ne parle.

— Venez voir de plus près, dit Benway, ça ne risque pas de les gêner.

Je m'approche d'un homme assis sur son lit. Je le regarde dans les yeux. Rien ni personne ne me renvoie mon regard.

— C'est un de mes D. P. I., dit Benway. Détérioration Psychique Irréversible. Le processus d'émancipation mentale a été poussé un peu trop loin... une épine au pied de la science.

J'agite la main devant les yeux du bonhomme.

— Oh, oui, dit Benway, les réflexes sont encore bons. Regardez!

Il sort une tablette de chocolat de sa poche, l'épluche et la colle sous le nez du malade. Celui-ci renifle longuement, puis ses mâchoires commencent à travailler, ses mains crochètent l'air spasmodiquement, une bave blanchâtre coule de ses lèvres et reste accrochée en longs serpentins à son menton, son estomac gargouille, son corps tout entier se tortille en un mouvement péristâltique. Benway recule d'un pas et tend le chocolat comme une carotte. L'homme se laisse tomber à genoux, rejette la tête en arrière et aboie. Benway lui lance la tablette. L'homme la manque et ses mâchoires claquent dans le vide. Il se contorsionne sur le carrelage en bavant de plus belle avec un bruit clapoteux, se faufile sous le lit, trouve enfin le chocolat et se le tasse dans la bouche à deux mains.

— Quelle misère! Ces D. P. manquent vraiment de style...

Benway appelle l'infirmier de service qui est assis au fond de la salle en train de lire les féeries édouardiennes de James Barrie :

— Foutez-moi ces D. P. à la porte. Ils flanqueraient le cafard à un mur. C'est un coup à faire fuir les touristes.

— Où faut-il les emmener?

— J'en sais foutre rien. Je suis un homme de science, de science pure. Flanquez-les dehors, c'est tout, je ne veux plus les voir. C'est des oiseaux de malheur.

— Mais où? Quoi? Comment?

— La filière habituelle. Téléphonez au Coordinateur de District — je ne suis pas sûr du titre, il en change toutes les semaines. Je crois bien qu'il n'existe même pas.

Le docteur Benway s'arrête sur le pas de la porte et se retourne pour jeter un dernier coup d'œil aux D. P. I.

— Un fiasco, dit-il, notre talon d'Achille... Bah! à chaque jour suffit sa peine.

— Sont-ils vraiment fichus? Sans espoir de retour?

— Une fois fichus, sont bien fichus, restent fichus, chantonne Benway. Ah! voilà une salle très intressante. Très très intressante.

J'aperçois des groupes de patients qui bavardent en crachotant par terre. Une odeur de came flotte dans l'air comme une buée grisâtre.

— Ça me réchauffe le cœur de voir ces envapés, dit Benway. Regardez-les, droits comme des I, guettant l'arrivée du Camelot. Il y a six mois à peine ils étaient tous schizophrènes. Certains d'entre eux n'avaient pas bougé du lit depuis des années. Regardez-les à présent! Depuis le temps que j'exerce, je n'ai jamais vu de camé schizophrène. Les drogués sont pour la plupart des faux schizos de type physique. Vous voulez guérir quelqu'un de quelque chose? Commencez par vous assurer qu'il n'est pas schizo. Question : Qui n'est pas schizo? Réponse : Le vrai camé n'est jamais schizo. A propos, il existe en Bolivie une région d'altitude où les psychoses sont inconnues. Ces péquenots de montagne sont aussi sains d'esprit qu'un nouveau-né. J'aimerais bien faire un tour là-bas moi-même, avant que le coin soit pourri par l'école, la publicité, la télévision et les motels... Pour étudier la question sous le seul angle du métabolisme : régime alimentaire, consommation d'alcool et de drogues, vie sexuelle, et cætera. Je me moque de savoir à quoi ils pensent. Les mêmes insanités que le reste du monde, je vous en fiche mon billet.

« Bon, et maintenant, pourquoi n'y a-t-il pas de schizophrénie chez les drogués? On ne le sait pas encore. Les schizos sont capables d'ignorer la faim et de se laisser mourir si on ne les alimente pas de force. Mais nul drogué ne peut ignorer la privation d'héroïne. Le simple fait d'être intoxiqué implique l'obligation impérative de se réapprovisionner.

« Ce n'est là qu'un aspect du problème. La mescaline, l'acide lysergique ou Lsd 6, l'adrénaline frelatée et l'harmaline peuvent provoquer un simulacre de schizophrénie. Mieux encore, c'est du sang des schizos que l'on peut extraire la drogue la plus subtile, ce qui semble indiquer que la schizophrénie est une sorte de psychose stupéfiante. Ces gars-là se droguent avec leur propre métabolisme, ils ont un Camelot à Demeure...

« Au stade terminal de la schizophrénie, la partie posté-
rieure du cerveau subit une dépression permanente, et la
partie antérieure est pratiquement vidée de substance puis-
qu'elle ne peut agir qu'en réponse à la stimulation de
l'arrière-cerveau. La morphine constitue un antidote qui parvient à stimuler le cerveau postérieur un peu à la façon de
cette substance disparue. On constate d'ailleurs une simi-
litude entre le syndrome de privation de drogue et l'intoxication à l'acide lysergique ou au yage sud-américain, encore
appelé ayuahuaska. L'ingestion de drogue — et notamment
d'héroïne quand elle est administrée à forte dose — provoque
à plus ou moins long terme une dépression permanente du
cerveau postérieur, très voisine de celle que l'on découvre
au stade terminal de la schizophrénie : autisme, absence
totale d'affect et quasi totale d'activité cérébrale. Le drogué
peut rester face au mur sept ou huit heures d'affilée. Il a
conscience de son environnement, mais celui-ci est dénué de
toute implication émotive et, partant, d'intérêt. Évoquer
une période, même récente, d'intoxication intensive, c'est
exactement comme si on écoutait un enregistrement d'évé-
nements perçus uniquement par la partie antérieure du cerveau, un constat impersonnel et purement extérieur : « Je
suis entré dans une boutique et j'ai acheté du sucre de canne.
Je suis rentré chez moi et j'ai mangé la moitié du paquet.
Je me suis fait une piqûre de deux milligrammes d'héroïne »,
et ainsi de suite. Pas trace de nostalgie dans ces réminiscences.
Pourtant, dès que l'effet de la drogue s'abaisse au-dessous
du point critique, l'organisme est comme inondé par le flux
de la privation... Si on définit le plaisir par le soulagement
d'une tension, la drogue vous soulage de tout ce qui constitue le processus de la vie, en mettant hors circuit le centre
moteur de la libido et de l'énergie psychique, c'est-à-dire
l'hypothalamus.

« Certains de mes éminents collègues (des cons sans nom)
professent que la drogue tire son effet euphorique d'une stimulation directe du centre orgastique. Il semble plus vrai-

semblable qu'elle rompt au contraire le cycle de la tension, de la décharge d'énergie et de l'apaisement subséquent. L'orgasme ne joue aucun rôle dans la vie du drogué. L'ennui, qui indique immanquablement une tension non soulagée, ne l'effleure jamais. Il peut contempler sa chaussure pendant huit heures d'horloge, et ne se remet en activité que lorsque le sablier de la came s'est vidé.

A l'autre bout de la salle, un infirmier déverrouille un volet de fer et pousse un grand cri, comme pour appeler les cochons à l'auge. Les camés se précipitent vers lui en couinant.

— Il se croit malin, ronchonne Benway. Ne tient aucun compte de la dignité de l'Homme... Bien, à présent je vais vous faire visiter la salle des égarés véniels et autres criminels. Oui, ici nous considérons les criminels comme des égarés de type véniel, car ils ne désavouent pas les statuts de la république de Libertie mais ne cherchent qu'à tourner certaines de leurs clauses. Ce réflexe est répréhensible, mais avouez que ce n'est pas bien grave. C'est au fond de ce couloir... nous pouvons négliger les salles 23, 86, 57 et 97, et le laboratoire.

— Les homosexuels sont-ils classés parmi les égarés?

— Nullement. Rappelez-vous l'archipel Bismarck. Pas de pédérastie militante. Un État policier bien rodé n'a plus besoin de police. L'uranisme apparaît à tout un chacun proprement inconcevable... Dans un État matriarcal, c'est même un crime politique. Aucune société ne peut tolérer que l'on enfreigne ouvertement ses principes fondamentaux. Le matriarcat n'est pas en vigueur ici — *inch' Allah...* Vous connaissez l'expérience sur les rats : s'ils font seulement mine d'approcher une femelle, on leur flanque une bonne décharge électrique et on les plonge dans l'eau froide. Ni une ni deux ils tournent tous à la tapette, c'est comme ça qu'on écrit l'étiologie. Et ainsi parlera le rat-tapette : « Je suis une souris, ronge-moi le chat! » ou encore : « Eh, doubletrou, on te les a coupées trop ras! » si vient le jour où ratpédé saura parler... Du temps où j'exerçais la psychanalyse — de façon bien éphémère, hélas, j'ai eu des mots avec l'Ordre — un de mes patients a pris un coup de sang en plein New York et a essayé de bousiller la gare de Grand Central au lance-flammes, deux autres se sont suicidés et un autre encore est mort sur mon divan comme un rat de jungle (les rats de la jungle sont capables de se laisser mourir s'ils se trouvent brusquement confrontés à une situation sans espoir). Les parents du rat ont fait du tintouin et j'ai dû m'en mêler : « Allons allons, à chaque jour suffit sa peine. Embarquez votre macchabée, il donne le cafard à mes patients encore en vie! » J'ai remarqué à l'époque que tous mes clients homosexuels manifestaient inconsciemment de nettes tendances hétérosexuelles, et réciproquement que mes hétéros tournaient à l'homo. Ça donne le vertige, pas vrai?

— Et quelles conclusions tirez-vous de tout cela?

— *Quelles conclusions?* Aucune, mon cher, ce n'était qu'une remarque en passant...

Nous sommes en train de déjeuner dans son bureau quand Benway est appelé au téléphone. « Quoi! s'écrie-t-il. C'est monstrueux... Fantastique... Bon, regagnez votre poste et veillez au grain. » Il raccroche et me dit : « J'accepte votre offre et suis prêt à me mettre immédiatement au service d'Islam & Cie. Il semble que le cerveau électronique a perdu la bille à force de coller le Technicien sur des problèmes d'échecs sexto-dimensionnels, et il a mis en liberté tous les sujets du C. R. Veuillez m'accompagner sur le toit. La suite est tout indiquée : Opération Hélicoptère. »

Du toit en terrasse du C. R., nous assistons à une scène d'horreur sans égale. Des D. P. I. prennent d'assaut les tables de la cantine, filet de bave au menton et tripes clapotantes. D'autres éjaculent tout net à la vue des femmes. Des Latahs imitent les gestes des passants avec une obscénité simiesque. Les camés ont pillé la pharmacie de l'hôpital et se piquent à tous les coins de rues. Des catatoniques s'éparpillent sous les frondaisons. Des schizophrènes en effervescence galopent dans les rues en braillant des insanités pré-historiques. Une douzaine de R. P. — Reconditionnés Partiels — ont cerné quelques touristes uranistes et leur font d'horribles sourires entendus, gueule bée, révélant à fond de palais leurs crânes nordiques en sousimpression.

— Que nous voulez-vous? demande sèchement un des uranistes.

— Nous voudrions tant vous *comprendre*...

Un contingent de simopathes hurleurs se balancent aux lampadaires, aux balcons et aux arbres, pissichiant à tous trous sur les badauds. (Un simopathe — la définition technique de cette affection m'échappe — est un citoyen persuadé qu'il est un gorille ou quelque autre membre de la grande famille simienne. C'est un désordre propre à la vie militaire, qui disparaît à la démobilisation.) Des fous trottinent de droite et de gauche, coupant des têtes au passage, un demi-sourire sur leurs visages perdus dans un rêve lointain... Des citoyens au premier stade du Bang-Utot — nous y reviendrons — se cramponnent à leurs parties génitales et appellent les touristes à la rescousse... Des émeutiers arabes glapissent et vocifèrent à tue-tête, émasculant de-ci, étripant de-là, lançant des cocktails Molotov un peu partout... Des éphèbes font du strip-tease avec leurs intestins sur un air de menuet, des femmes s'enfouissent dans le conduit des pénis tranchés à ras, les broyent et les branlent et les broutent sous le nez du chéri de leur choix... A bord d'hélicoptères, des cagots fanatiques haranguent la foule et la bombardent de tablettes de pierre inscrites de messages sans rime ni raison... Des Hommes-Léopards déchiquettent les passants avec leurs griffes d'acier en soufflant et haletant à pleins poumons... Les initiés du Cercle Anthropophagique des Indiens Kwakiutl croquent gaiement les nez et les oreilles...

Un bataillon de pédants de salon traquent leurs victimes

à travers rues et halls d'hôtels. Un intellectuel d'avant-garde (« ...certes lâ seule littérâture que l'on puisse considérer comme vâlâble aujourd'hui se trouve dans les râpports et mâgâzines scientifiques... ») injecte une dose de bulbocapnine à un pauvre bougre et s'apprête à lui lire une étude sur *L'Utilisation de la Néo-Hémoglobine dans le Traitement de la Granulomatose Multiple à Caractère Dégénérescent* — ladite étude n'étant bien sûr qu'un abracadabra qu'il a troussé et imprimé lui-même. Il appâte au miel : « Vous m'avez l'air d'un homme supérieurement intelligent... » (Méfie-toi de ces mots-là, petit gars — si tu les entends, n'attends pas d'avoir la permission de partir : pars!)

Un planteur anglais, escorté de cinq flicards bien roulés, interroge un suspect au bar du club : « *I say, do you know Mozambique?* » et il dévide la litanie interminable de ses accès de malaria (« ...alors le docteur m'a dit : « Je ne peux « que vous conseiller de quitter la région, si vous ne voulez « pas que je vous enterre. » Il faut préciser que ce toubib était croque-mort à la morte-saison, il faisait feu de tout bois pour boucher les trous... *yes, my boy...* »). Quand il a englouti son troisième gin rose et que vous êtes devenus copains, il passe à sa dysenterie : « *Aoh*, une selle tout à fait extraordinaire, *yes*, d'une teinte blanc-jaune plus ou moins comme du foutre ranci, et plus ou moins filandreux, *you know...* »

Un explorateur en casque colonial vient de descendre un citoyen avec une fléchette de sarbacane trempée dans le curare. Il s'approcne de lui et pratique la respiration artificielle du bout du pied. (*N. B.* — Le curare tue en paralysant les poumons. C'est là son seul effet toxique et ce n'est pas à proprement parler un poison. Si on pratique la respiration artificielle à temps, la victime éliminera rapidement le curare par les reins.) « C'était l'année de la peste bovine, tout crevait à la ronde, même les hyènes... Je me trouvais en amont des rapides de Kudbabwinn, et mon stock de vaseline avait fondu. On m'a réapprovisionné par parachute, jugez de ma joie et de ma gratitude... En fait, et je n'ai jamais soufflé mot de tout cela à âme qui vive — mais ce genre d'âme ne court pas les rues... (Sa voix résonne dans le grand foyer désert de cet hôtel 1890, peluche grenat, caoutchouc en pots, statues et dorures.) ...je suis le seul initié Blanc de l'infâme Société Agouti, le seul Blanc qui ait assisté et participé à ses rites innommables... »

Un autre raseur coltine une pleine valise de trophées et de médailles, de coupes et de rubans. « J'ai gagné celle-là au Concours du Meilleur Banding Gadget de Yokohama (retiens-moi, je deviens folle). C'est l'Empereur lui-même qui me l'a remise, il avait les larmes aux yeux, et mes rivaux mal classés se sont coupé les bonbons avec des poignards à harakiri. Et j'ai gagné ce ruban au Rallye de la Dégradation organisé dans le cadre du Congrès des Camés Anonymes à Téhéran...

« ...Je me suis envoyé tout le sulfate de morphine de ma pauvre femme qui est au lit avec un caillou dans les reins gros comme le diamant Hope, alors je lui ai donné un demi-cachet d'aspirine en lui disant : « Ne t'attends pas à être « vraiment soulagée avec ça... » et elle me fait : « Mais tais-« toi donc pendant que je déguste mon remède! » Une autre fois, j'ai chipé un suppositoire d'opium dans le cul de ma grand-mère... »

Un hypocondriaque attrape les passants au lasso, les emballe dans une camisole de force et leur décrit son infection du septum : « Va probablement y avoir un jaillissement de pus d'une minute à l'autre... Vous m'en direz des nouvelles... » Il fait un peu de strip-tease pour se mettre les cicatrices à l'air et guide les doigts récalcitrants de ses victimes. « Sentez-moi cette grosseur purulente à l'aine, c'est pourri de lymphogranulomatose... Et maintenant, je veux que vous me tâtiez mes hémorroïdes internes. »

(La lymphogranulomatose, ce sont les bubons climatériques, une maladie vénérienne à virus spécifique de l'Éthiopie. « C'est pas pour rien qu'on nous appelle les Infects! » ricane un mercenaire éthiopien, venimeux comme un cobra royal, tout en sodomisant Pharaon. Les papyrus égyptiens ne tarissent pas de commentaires sur ces Infects de l'Éthiopie. Tout a donc commencé à Addis-Abéba, comme la matchiche, mais nous voilà aux temps modernes. Un Seul Monde! De nos jours, les bubons climatériques florissent à Shanghaï et à Esmeraldas, à Helsinki et à La Nouvelle-Orléans, à Seattle et au Cap, mais ils ont le mal du pays et marquent une prédilection très nette pour les Noirs, c'est pourquoi ils sont si chers au cœur des colonialistes. Il paraît cependant que les sorciers Mau-Mau sont en train de mitonner une vérole copurchic à l'usage des Blancs. Non pas que la race caucasienne soit immunisée : cinq matelots britanniques ont chopé le mal à Zanzibar, et le coroner du comté de Dead Coon, Arkansas (« La Terre La Plus Noire & Les Hommes Les Plus Blancs Des U. S. A. — Négro, Ne Laisse Pas Le Soleil Se Coucher Sur Toi Chez Nous »), a attrapé des bubons en proue et en poupe. Quand ils ont eu vent de cette intressante maladie, ses voisins constitués en Comité de Vigilance l'ont brûlé tout vif dans les latrines du tribunal en se confondant en excuses : « Allons, Clem, fais un effort, imagine que tu es une vache avec la fièvre aphteuse! » ... « Ou une poule mouillée avec le choléra! » ... « Approchez pas, les gars, le feu pourrait bien lui faire exploser les tripes... » La maladie du bras d'amour a le don de se ramifier, à l'encontre de certains virus malchanceux qui sont condamnés à dépérir dans l'estomac d'une tique ou dans la bave argentée d'un chacal agonisant dans le désert. Après la lésion du foyer initial de l'infection, le virus s'infiltre dans les ganglions lymphatiques, qui gonflent et éclatent en fissures purulentes, dégouttant pendant des jours et des mois et des années d'un jus chancreux mêlé de sang et de lymphe pourrie. Le tout se complique habituellement d'éléphantiasis des parties génitales, et l'on a même observé plusieurs cas de gangrène dans lesquels l'amputation *in medio* à partir de la taille était techniquement indiquée mais pratiquement inutile. Les femmes présentent généralement une infection secondaire de l'anus. Les hommes qui se livrent à la pédérastie passive avec des partenaires contaminés, tels des babouins délabrés au baba rubescent, risquent fort eux aussi de nourrir un petit étranger dans leur giron. Les premières atteintes de proctite et l'inévitable épanchement de pus (lequel passera peut-être inaperçu dans la bagarre) sont alors suivis d'un rétrécissement du rectum, nécessitant l'intervention immédiate d'un vide-pomme ou de son équivalent chirurgical. Récemment encore il n'existait pas de thérapeutique satisfaisante. « Le traitement doit être symptomatique », disait-on (terme de métier signifiant en clair que l'on ne sait pas quoi faire). Aujourd'hui le mal cède en général devant une thérapeutique à base d'auréomycine, de terramycine et autres moisissures nouvellement inventées, mais un pourcentage non négligeable de malades lui sont aussi réfractaires que le gorille des montagnes... En conséquence, l'ami, suis le conseil du bon I. B. Watson, ponte pontifiant de l'I. B. M. : *ré-flé-chis!* Il n'est plus temps de haleter mais de palper, et si tu palpes un beau bubon rentre dans ta coquille et dis-toi froidement : « Tu crois que ça m'intresse de tripoter ces horreurs? Eh bien ça m'intresse pas mais pas du tout! »)

Les jeunes voyous du rock 'n' roll chambardent les rues du monde entier. Ils envahissent le Louvre et vitriolent la Joconde, ils ouvrent les grilles des zoos, des prisons et des asiles d'aliénés, ils crèvent les conduites d'eau au marteau pneumatique, défoncent à la hache le plancher des toilettes dans les avions de ligne, tirent à la cible sur les phares, liment les câbles d'ascenseur jusqu'au dernier toron, relient les tuyaux d'égout aux canalisations d'eau potable, jettent dans les piscines requins et pastenagues, anguilles électriques et candirous (minuscule poisson de la famille de l'urogymnus qui hante certains fleuves mal famés du bassin de l'Amazone, ressemblant à une anguille miniature dont la taille varie de quelques millimètres à cinq centimètres, le candirou s'insinue dans l'urètre ou l'anus du baigneur imprudent — ou encore, faute de mieux, dans une chatière de dame — et s'y cramponne à demeure avec ses petites griffes acérées, tout cela dans un dessein qui reste quelque peu obscur étant donné que nul ne s'est offert jusqu'ici pour étudier *in situ* le mode de vie du candirou), s'affublent en pirates pour éperonner le *Queen Mary* de plein fouet dans le port de New York, jouent aux James Dean au bord des falaises avec des autocars et des avions de transport, infestent les hôpitaux (déguisés en internes avec blouses blanches, hachoirs, scies et scalpels longs de trois pieds, ils démoulent les paralytiques de leurs poumons d'acier, singent leurs hoquets de suffocation en se trémoussant sur le carrelage les quatre fers en l'air, la langue pendante et les yeux révulsés, administrent des clystères avec des pompes à bicyclette, débranchent les reins artificiels, coupent une femme en deux avec une scie chirurgicale à quatre mains), lâchent des hordes de cochons grognonnants dans les coulisses de la Bourse, font caca sur le plancher de la salle des séances des Nations-Unies et se torchent avec les traités, les alliances et les pactes...

En avion ou en voiture, à dos de cheval, de chameau ou d'éléphant, en tracteur ou à vélo, en rouleau compresseur, à pied, à skis et en traîneau, avec des béquilles ou des échasses à ressort, les touristes se ruent aux frontières et réclament le droit d'asile avec une détermination implacable, « pour échapper à l'indescriptible état de fait qui règne en Libertie », tandis que le président de la Chambre de Commerce s'évertue vainement à endiguer le flot : « Z'il fous blaît de zang-froid garder. Zont zeulement guelgues fous gui ont de la maizon de fous éfadés. »

Joselito

Et Joselito, qui faisait de la mauvaise poésie sociale, commença de tousser. Le médecin allemand l'ausculta rapidement en lui frôlant les côtes du bout de ses longs doigts délicats (il était aussi violoniste de concert, mathématicien, champion d'échecs et docteur en Droit International avec licence d'exercer dans les édicules publics de La Haye). Il jeta un coup d'œil froid, presque cruel, sur le torse bruni de Joselito, puis il regarda Carl avec un sourire bref — le sourire d'un homme du monde s'adressant à un de ses pairs — et fronça un sourcil comme pour lui faire comprendre sans prononcer les mots : « *Also* bour ze baysan zdubide il faut férité dizimuler, *ja?* Zinon il aura diarrhée de derreur... Koch et grachat zont mots déblaizants, n'est-ze-bas? » Il dit alors à haute voix : « Z'est *gadarro de los bulmones.* »

Carl put lui parler dehors, sous l'arcade exiguë, avec la pluie qui ricochait de la chaussée à son pantalon. Il se demandait à combien de gens l'autre avait déjà servi ce discours, et il voyait dans les yeux du médecin tous les escaliers et les porches, les pelouses, les ruelles, les corridors et les trottoirs du monde entier... et des boudoirs germaniques sentant le renfermé, des planches de papillons jusqu'au plafond, une odeur implicite et maléfique d'urémie suintant sous la porte, le murmure du jet à tourniquet sur des plates-bandes de banlieue, les ailes silencieuses de l'anophèle dans

la nuit sereine de la jungle (ce n'est pas une figure de style :
le vol des moustiques anophèles est silencieux), une maison
de repos à Kensington, discrétion, moquettes épaisses, fauteuils de tissu broché et râpeux, une tasse de thé anglais,
salon meublé en suédois moderne avec des jacinthes d'eau
dans une coupe jaune — dehors, la porcelaine bleue du ciel
nordique parsemé de nuages à la dérive, et ici les méchantes
aquarelles d'un carabin moribond.

— Un schnaps, Frau Underschnitt.

Le docteur parlait au téléphone, un échiquier sous les
yeux. « Maufaise lésion je grois... examen radiozcobigue bas
fait. » Il saisit un cavalier et le reposa distraitement. « *Ja*...
les deux boumons... drès zerdainement. » Il raccrocha et se
tourna vers Carl : « J'ai chez zes gens obzerfé rabidité
édonnande de la zigadrizazion, afec inzidence minime d'infec-
zion. Le broblème z'est doujours les boumons... bneumonie
et naturment le Fieux Gobain. » Il empoigna le pénis de
Carl, fit un entrechat avec un rire grasseyant de charretier
et reprit, de sa voix mystérieusement monocorde et comme
désincarnée : « Notre Vieux Copain Herr Bacillus Koch! »
Il claqua des talons et salua de la tête. « Zans lui zes guls
zdubides de baysans ze muldiblieraient et bullureraient
jusgu'au fond de la mer, *nein?* » Il colla son visage contre
celui de Carl et poussa un cri strident. Carl fit un pas de
côté pour l'éviter, le mur de pluie grise juste derrière lui.

— Vous ne savez pas où il pourrait être soigné?

— Je grois il y a une ezbèze de *zanadorium* (étirant le mot
avec une obscénité ambiguë) dans la cabidale du Dizdrido.
Bour fous j'égris l'adresse.

— Quel genre de traitement? Chimiothérapie?

— Gomment zafoir? (Sa voix sans relief sonnait lourdement dans l'air mouillé de pluie.) Dous des baysans zdubides,
mais les baysans zoi-disant édugués zont bires gue dout. Il
faudrait les embêcher non zeulement de lire mais auzi de
barler. Inutile de les embêcher de benser : la Nadure z'est
de za chargée...

Le docteur laissa tomber un petit bouchon de papier dans la main de Carl. « Foizi l'adresse », souffla-t-il sans remuer les lèvres. Il posa ses doigts gantés de crasse luisante sur la manche de Carl : « Rezte le broblème des honoraires... »

Carl lui glissa dans la main un billet roulé en tube, et le médecin s'estompa dans la grisaille du crépuscule, furtif et délabré comme un vieux camé.

Carl revit Joselito dans une grande chambre immaculée et baignée de lumière, avec salle de bains privée et balcon de béton. Mais de quoi parler dans cette chambre vide et froide — ces jacinthes dans une coupe jaune, la porcelaine bleue du ciel avec ses nuages à la dérive, ce clignotement d'épouvante dans les yeux de Joselito? Quand il souriait la peur se changeait en paillettes de lumière et montait vers l'ombre fraîche du plafond d'où elle le guettait énigmatiquement. Et que pouvais-je dire avec cette odeur de mort tout autour de moi et cette prémonition étrange (comme ces fragments d'images qui défilent dans le cerveau juste avant qu'on sombre dans le sommeil)?

— Ils m'expédient demain au nouveau sanatorium. Viens me voir, je serai tout seul.

Il toussa, prit un comprimé de codéine.

— Docteur, je crois comprendre — c'est-à-dire qu'on m'a fait comprendre — j'ai lu et entendu dire — bien sûr je ne suis pas médecin — je ne prétends pas avoir de connaissances médicales — que le principe du traitement en sanatorium a été plus ou moins remplacé — ou en tout cas nettement renforcé — par la chimiothérapie. Est-ce bien exact à votre avis? Je... docteur, je voudrais que vous me disiez en toute franchise, d'homme à homme, si vous préférez le traitement en sanatorium ou la chimiothérapie? Êtes-vous *partisan* de l'une ou l'autre méthode?

Le masque d'Indien hépatique du médecin était aussi impassible que le visage d'un croupier de casino.

— Vous pouvez en juger vous-même, dit-il (sur un ton faubourien, avec un ricanement satisfait) en montrant la pièce de ses doigts violacés, c'est le dernier cri du modernisme : salle de bains... eau fraîche... fleurs... tout le toutim... Bien, je vais vous donner une lettre.

— Une lettre ? Pour le sanatorium ?

— Et ce mobilier... (La voix du médecin semblait venir d'un désert de roches noires et de grandes lagunes irisées.) Très moderne, hein ? Très confortable ! C'est bien aussi votre avis, n'est-ce pas ?

Carl ne vit pas tout de suite le sanatorium, que masquait une fausse muraille de stuc vert coiffée par les torsades tarabiscotées d'une enseigne au néon qui se détachait sur le ciel comme un squelette sinistre à la tombée de la nuit. Le sanatorium était bâti sur un vaste promontoire calcaire noyé de vigne vierge et d'arbres en fleurs. L'air était lourd du parfum des plantes.

Le Commandant était assis devant une longue table à tréteaux installée sous une treille de volubilis. Il ne faisait strictement rien. Il prit la lettre que Carl lui tendait et se pencha dessus, mâchonnant les mots entre ses dents et les rythmant sur ses lèvres du bout des doigts de sa main gauche. Puis il empala le papier sur un long clou au-dessus d'une tinette et commença à transcrire de longues colonnes de chiffres sur un registre, colonne après colonne, interminablement.

Des lambeaux d'images explosèrent silencieusement dans le cerveau de Carl, et il se sentit soudain comme détaché de lui-même. Avec une netteté parfaite en dépit de la distance, il se vit attablé dans un restaurant... Affalé, avec une surdose d'héroïne, sa mère qui le secoue et lui tient une tasse de café brûlant sous le nez... dehors un vieux camé déguisé en Père Noël vend des timbres antituberculeux. « Pour sauver nos malades, Messieurs-dames ! » chevrote-t-il de sa voix blanche...

Un chœur de volontaires de l'Armée du Salut (des entraîneurs de rugby pédérastes et fervents) chante un cantique...

Carl retomba lentement dans son corps, fantôme de la drogue qui se réincarne... « Je peux essayer de lui graisser la patte », songea-t-il. Le Commandant tapotait de l'index sur la table en fredonnant une vieille chanson folklorique — très loin, et subitement tout près, une voix pressante, puissante, comme une sirène de brume une fraction de seconde avant le fracas grinçant de la collision.

Carl fouilla dans sa poche et en tira à demi un billet... Le Commandant était planté devant une muraille de coffres et de placards métalliques. Il regarda Carl : yeux blancs de bête à bout de force, agonie suintant déjà de l'intérieur, terreur sans espoir reflétant le masque de la mort. Dans cette puanteur de fleurs, Carl fut saisi d'un brusque vertige — le souffle coupé, le sang figé, pris dans un cône qui tourbillonnait sur lui-même, s'amenuisait, se réduisait à néant...

— *Chimiothérapie?*

Le cri jaillit de sa chair, traversa un désert de vestiaires et de dortoirs à soldats, et l'air moisissant de pensions saisonnières, et les couloirs spectraux de sanatoriums de montagne, l'odeur d'arrière-cuisine grise et grognonne et graillonnante des asiles de nuit et des hospices de vieillards, l'immensité poussiéreuse de hangars anonymes et d'entrepôts de douanes — traversa des portiques en ruine et des volutes de plâtre barbouillé, des pissoirs au zinc corrodé en une dentelle transparente par l'urine de millions de lopettes, des latrines abandonnées aux mauvaises herbes et exhalant des miasmes de merde retournant en poussière, des champs de totems phalliques dressés sur la tombe de nations moribondes dans un bruissement plaintif de feuilles sous le vent — traversa encore le grand fleuve aux eaux boueuses où flottent des arbres aux branches chargées de serpents verts, et de l'autre côté de la plaine, très loin, des lémuriens aux yeux tristes contemplent les rives, et on entend dans l'air torride le froissement de feuilles mortes des ailes de vautours... Le chemin est jonché de préservatifs crevés et d'ampoules d'héroïne vides et de tubes de vaseline aplatis, aussi secs que l'engrais d'os sous le soleil d'été...

— Mon *mobilier!*

Le visage du Commandant s'illumine, bref éclair de magnésium, puis ses yeux s'éteignent. Une bouffée d'ozone filtre dans la pièce. Dans un coin, la *novia* marmonne au-dessus de son autel et de ses cierges.

— Tout est signé Trak... moderne, premier choix...

Il branle du chef comme un idiot de village, la bave au menton. Un chat jaune griffe la jambe du pantalon de Carl et bondit sur le balcon. Des nuages roulent au loin.

— Je pourrais me faire rembourser mes arrhes, démarrer une petite affaire quelque part...

Il hoche la tête avec un sourire figé de jouet mécanique.

Un cri : « *Joselito!* » Dans la rue, les gamins lèvent la tête de leurs jeux — ballon, encornages de corrida, courses de vélos — écoutent le sifflement du nom qui diminue et s'évanouit.

« *Joselito!... Paco!... Pepe!... Enrique!...* » Noms gémissants qui flottent dans l'ombre tiède du soir. L'enseigne des établissements Trak tremble comme une bête traquée dans la nuit et se désintègre soudain en une flamme bleu vif.

63

La viande noire

— Nous copains, oui?

Le petit cireur, un sourire aguicheur plaqué aux lèvres, leva son regard sur les yeux du Matelot, des yeux morts, d'un froid de profondeurs océaniques, sans la moindre trace d'affection, ni de désir, ni de haine, ni de quelque autre sentiment que le gamin pût avoir éprouvé lui-même ou constaté chez autrui, des yeux au regard tout ensemble intense et glacé, avide, impersonnel.

Le Matelot se pencha, ficha son index à la saignée du bras gauche du petit cireur, et il murmura dans un souffle — le souffle atone de la drogue : « Avec des veines comme ça, gamin, je serais à la fête! »

Il pouffa d'un rire noir qui avait peut-être une obscure fonction d'orientation comme le cri de la chauve-souris. Puis il se tut brusquement, en suspension dans l'air, sans un mouvement, écoutant tout au fond de lui-même. Il avait capté la fréquence silencieuse de la came. Son visage aux pommettes hautes se lissa, comme s'il avait été soudainement enduit de cire jaune. Il patienta le temps d'une demi-cigarette. Le Matelot savait attendre. Mais son regard brûlait d'une fringale desséchante. Il fit pivoter d'un quart de tour son masque de famine circonspecte pour examiner l'homme qui venait d'entrer. Terminus, dit la Bedaine, s'assit à une table et examina la salle du café d'un œil vide

64

et froid comme un périscope. Son regard passa sur le Matelot et il hocha imperceptiblement la tête. Seuls les nerfs à vif du mal de came auraient pu enregistrer cette saccade infime.

Le Matelot tendit une pièce de monnaie au cireur, glissa de son pas flottant jusqu'à la table de la Bedaine et s'assit. Ils restèrent face à face, sans parler, durant plusieurs minutes. Le café était creusé dans une rampe de béton au pied d'une haute falaise blanche de maçonnerie. Les visages de la ville s'y infiltraient, silencieux comme des poissons, les traits tavelés de vices et de passions microscopiques. Le café trop éclairé ressemblait à une cloche de plongée s'enfonçant, câble rompu, dans les ténèbres des profondeurs.

Le Matelot polissait ses ongles au revers de son complet de tweed à petits carreaux, en sifflotant un bout de refrain entre ses dents jaunes et luisantes. A chacun de ses gestes, un relent de moisi s'échappait de ses vêtements, une odeur viciée de vestiaire abandonné. Il étudia ses ongles avec une intensité qui rendait son regard presque phosphorescent.

— J'ai du bon, la Bedaine. Je peux en livrer une vingtaine. Il me faut une avance, bien sûr.

— En spéculation?

— Tu crois que je me balade avec deux douzaines d'œufs dans les poches? Je te jure que c'est du solide.

Il s'absorba dans la contemplation de ses ongles, avec la même attention que s'il avait étudié une carte marine.

— Tu sais que je fais jamais faux bond.

— Mets-m'en trente, dit la Bedaine. Avec une avance de dix tubes. Demain même heure.

— Besoin d'un tube tout de suite, vieux.

— Va faire un tour, tu en auras un.

Le Matelot partit en flânant sur la Plaza. Un gamin vint lui plaquer un journal sous le nez pour masquer le stylo qu'il lui glissait dans la main. Le Matelot poursuivit sa route de son pas glissant. Il cassa le corps du stylo comme une noix entre ses gros doigts fibreux, et extirpa un cylindre de plomb. Il en coupa l'extrémité avec un petit canif à la lame recourbée. Une buée noirâtre s'échappa du tube, flottant dans l'air comme une fourrure en ébullition. Le visage du Matelot se dilua, sa bouche se fronça autour du cylindre, il aspira le duvet noir, les lèvres agitées de contractions ultrasoniques qui explosèrent en une flamme rose et silencieuse. Ses traits se cristallisèrent avec une netteté, une clarté insupportables — la marque rougie à blanc de la drogue brûlant la chair grise de millions de malades hurlant à la mort. « J'en ai pour un mois! » se dit-il, consultant un miroir invisible.

Toutes les rues de la ville courent entre des gorges profondes qui débouchent sur une grande place en forme de haricot. Les façades entourant la place constamment baignée d'ombre sont percées d'alvéoles, taudis ou cafés, les uns profonds de quelques pieds, les autres se perdant en un labyrinthe de chambres et de couloirs.

A tous les niveaux, un lacis de ponts, de passerelles, de câbles de tramways à crémaillère. De jeunes catatoniques travestis en femmes (robes de jute et haillons pourrissants, leurs visages lourdement et crûment bariolés pour cacher l'écorce d'ecchymoses et de plaies mal cicatrisées, sillons purulents creusés jusqu'à la nacre de l'os) se frottent muettement contre les passants avec une avidité gluante.

Des trafiquants de Viande Noire — la chair de la scolopendre aquatique noire, le Mille-Pattes géant qui peut atteindre deux mètres et vit dans un univers de roches sombres et de lagunes aux couleurs d'arc-en-ciel — exhibent des crustacés paralysés au fond des caches secrètes de la Plaza qui ne sont accessibles qu'aux Mangeurs de Viande.

On y voit les adeptes de vocations anachroniques et à peine imaginables qui gribouillent en étrusque — des amateurs de drogues pas encore synthétisées, des exciseurs de sensibilité télépathique, des ostéopathes de l'esprit, des agents spéciaux chargés d'enquêter sur les délits que dénoncent fielleusement des joueurs d'échecs paranoïdes, des trafiquants de marché noir de la Troisième Guerre mondiale, des huissiers qui délivrent des exploits fragmentaires rédigés en sténographie hébéphrénique et stigmatisant d'odieuses mutilations de l'esprit, des fonctionnaires d'États policiers non constitués, des briseurs de rêves et autres nostalgies sublimes testés sur les cellules sensibilisées par le Mal de Drogue et troqués contre les matériaux bruts de la volonté, des buveurs du Fluide Lourd scellé dans l'ambre clair des rêves (c'est à Jacques Stern que je dois le concept du Fluide Lourd)...

Le Rendez-Vous des Omophages occupe tout un côté de la Plaza, un entrelacs de cuisines, de gargotes, de garnis exigus, de vertigineux balcons de fer, de soupiraux ouvrant sur les bains en sous-sol.

Affalés sur des tabourets recouverts de satin blanc, des Mugwumps nus suçotent des sirops translucides au bout de chalumeaux d'albâtre. (*N. B.* — Les Mugwumps — de l'algonquin *Mog-kiomp*, « grand chef » — étaient à l'origine, dans l'argot politique américain de 1900, les gros bonnets neutralistes faisant cavaliers seuls.) Les Mugwumps d'aujourd'hui n'ont pas de foie et se nourrissent exclusivement de sucreries. Ils ont des lèvres minces et violacées cachant un bec d'os noir effilé comme un rasoir avec lequel ils se déchiquettent les uns les autres quand ils se disputent un client. Ces créatures sécrètent avec leurs pénis un fluide qui prolonge la vie en ralentissant le métabolisme mais crée du même coup une accoutumance proche de la toxicomanie. (En fait, tous les facteurs de longévité entraînent une toxicomanie proportionnelle à leur efficacité.) Les amateurs du fluide de Mugwump sont connus sous le nom de Reptiles. On voit nombre de ces fluidomanes morbides, à la chair rose-noir et aux os malléables, dégouliner littéralement de leurs sièges. Derrière leurs oreilles jaillissent deux éventails de cartilage verdâtre couverts de poils creux et érectiles par lesquels les Reptiles absorbent le fluide. Ces éventails, qui s'agitent de temps à autre sous des courants invisibles, servent aussi à établir une mystérieuse forme de communication à l'usage exclusif des Reptiles.

Lors des Paniques Biennales, quand les écorchés vifs de la Police Onirique investissent la ville, les Mugwumps se réfugient au plus profond des crevasses murales, se lovent dans des cocons d'argile étroitement soudés autour d'eux et végètent en biostase des semaines d'affilée. Pendant ces périodes de terreur grise, les Reptiles errent désespérément, s'enfuient en vociférant à des vitesses vertigineuses, leurs crânes flexibles papillotant dans le tourbillon noir de leur agonie d'insecte.

La Police Onirique se désintègre en bribes d'ectoplasme ranci que vient balayer un vieux camé toussant et crachant dans l'aube malade. Le Mugwump fourgueur apparaît alors avec des jarres d'albâtre pleines de fluide et les Reptiles se gavent à plus soif.

L'air redevient calme et clair comme de la glycérine.

...Le Matelot aperçut son Reptile. Il se glissa près de lui, commanda un sirop vert. Le Reptile avait une bouche minuscule et ronde faite de cartilage brun, des yeux verts sans expression, à demi recouverts par une paupière de fine membrane. Le Matelot attendit une heure entière, puis le Reptile perçut enfin sa présence.

— Tu as des œufs pour la Bedaine? demanda le Matelot, chacun de ses mots décochant des vibrations dans les poils des éventails du Reptile.

Il lui fallut patienter deux heures encore, puis le Reptile éleva trois doigts roses et diaphanes tapissés de duvet noir.

Plusieurs Mangeurs de Viande gisaient dans leur vomi, trop faibles pour bouger. (La Viande Noire est comme le fromage trop fait, si fabuleusement exquise et écœurante que les Mangeurs s'en gorgent puis la dégorgent et s'en gorgent encore jusqu'à ce qu'ils s'écroulent d'épuisement.)

Un adolescent fardé entra en minaudant et arracha une des grandes pinces noires du Mille-Pattes, noyant le bistro sous des volutes d'arôme sucré et nauséeux.

L'hôpital

Carnets du désintoxiqué. Paranoïa du début de privation...
tout paraît bleu... la chair morte, pâteuse, atone...

Cauchemars du sevrage... un café aux murs disparaissant
sous les miroirs. La salle est vide... on attend quelque chose...
un homme entre par une porte latérale... c'est un Arabe
fluet en djellaba brune, la barbe et le visage gris... je tiens à
la main un pichet d'acide bouillonnant... saisi d'un besoin
convulsif, je le jette au visage de l'Arabe...

Tout le monde a l'air camé...

Quelques pas dans la cour de l'hôpital... en mon absence
quelqu'un s'est servi de mes ciseaux, ils sont couverts d'un
jus brun-rouge poisseux... ça doit être cette petite garce de
bonniche qui a voulu se retailler la fourrure.

Des Européens patibulaires se pressent dans l'escalier,
interceptent l'infirmière au moment où j'attends ma potion,
vident les pots de chambre dans la cuvette quand je fais
ma toilette, s'enferment dans les cabinets pendant des heures
entières (probablement pour récupérer le doigtier de caoutchouc plein de diamants qu'ils se sont glissé au troufignon)...

Tout d'un coup, le clan des Européens est installé à côté
de moi... on est en train d'opérer la vieille maman, et sa
fille vient s'assurer qu'on s'occupe d'elle comme il faut... des
visiteurs étranges, sans doute des parents... l'un d'eux porte
en guise de lunettes ces instruments que les bijoutiers se

vissent dans l'orbite pour examiner les pierres précieuses. C'est peut-être un tailleur de diamant en cavale, le type qui a saboté le diamant Throckmorton et que la corporation a inscrit en tête de sa liste noire. Tous les bijoutiers en jaquette, plantés autour du diame, attendant le Ponte. Une erreur d'un centième de millimètre et voilà le caillou amoché, il faut appeler un spécialiste d'Amsterdam pour faire le boulot. Le zig arrive saoul perdu, traînant avec lui un énorme marteau à air comprimé, et il réduit le diamant en poussière...

Je ne peux situer ces citoyens... Trafiquants de drogue d'Alep? Revendeurs de secondines de Buenos Aires? Diamantaires véreux de Johannesburg? Marchands d'esclaves de Somalie? Des collaborateurs, au minimum...

Rêves continus de la drogue : je cherche un champ de pavots... des bouilleurs de cru en panamas noirs m'indiquent le chemin d'un café du Proche-Orient où l'un des garçons vend de l'opium yougoslave...

J'achète un sachet d'héroïne à une lesbienne malaise en imperméable blanc trop serré à la taille... on traite l'affaire dans la salle tibétaine du musée... la fille essaye par tous les moyens de me refaucher le paquet... je cherche un endroit discret pour me farcir la dose...

Le point critique de la privation se situe non pas pendant la phase initiale de la crise mais en fin de parcours, juste avant que tu sois libéré du besoin. C'est alors un interlude cauchemardant de panique cellulaire, ta vie suspendue entre deux voies divergentes. A ce point, le besoin de drogue se concentre en une ultime et terrible fringale qui fait belle la part du rêve : le hasard te met au contact à tous les coins de rue — tu tombes sur un schnoufard de la vieille roche, sur un infirmier chapardeur, sur un toubib à l'ordonnance facile...

Un gardien en uniforme de peau humaine — vareuse en négrillon tanné avec boutons de dents cariées, fine chemisepolo de Peau-Rouge, culotte en jeune Scandinave bronzé, sandales en cuir de pied calleux de paysan malais, écharpe brun cendré nouée autour du cou et glissée dans la chemise. (La teinte brun cendré est en fait un gris plaqué sur une peau sépia; on la trouve parfois chez les nègres mâtinés de blanc : le mélange s'est mal fait et les couleurs se sont séparées comme l'huile à la surface de l'eau.) Le gardien est toujours tiré à quatre épingles, il n'a rien d'autre à faire. Sa paye tout entière passe en fringues de luxe et il se change trois fois par jour devant un miroir grossissant. Il a un visage latin, lisse et bien dessiné, avec une moustache en trait de crayon, de minuscules yeux noirs, ahuris et cupides, des yeux d'insecte qui ne rêve jamais.

Quand j'arrive au poste frontière, il se précipite hors de sa guérite, un miroir encadré de bois pendu à son cou. Il s'évertue à dégager sa tête. C'est la première fois que quiconque se présente à cette frontière, ça ne s'était jamais vu. Le gardien s'écorche le larynx mais il parvient à se débarrasser du miroir. Il en a perdu la voix. Il ouvre la bouche et j'aperçois sa langue qui frétille à fond de glotte. Ce visage lisse et hébété, cette bouche bée et cette langue barattante — c'est un spectacle inimaginable, hideux. Le gardien lève la main, son corps se trémousse en un refus convulsif. Je passe devant lui et décroche la chaîne qui barre la route, elle tombe sur les pavés avec un fracas métallique. Je franchis la frontière. Le gardien reste immobile, me regarde partir dans le brouillard, puis il remet la chaîne en place, regagne sa guérite et entreprend de s'épiler la moustache...

On vient d'apporter ce qui est censé être le déjeuner... un œuf dur dont la coquille abrite un objet que je n'ai jamais vu jusqu'ici, une miniature d'œuf d'un jaune brunâtre — sans doute pondu par un ornithorynque... l'orange renfermait un ver de bonne taille et pas grand-chose d'autre... premier arrivé premier servi... on signale en Égypte l'existence d'un ver qui s'insinue dans les reins et s'y développe démesurément, jusqu'au jour où le rein logeur n'est plus qu'une mince coquille autour de son hôte. Les gourmets intrépides prisent la chair du Ver au-delà de toute autre friandise, elle est paraît-il d'une saveur ineffable. Un magistrat d'Interzone surnommé Ahmed l'Autopsie a fait fortune dans le commerce du Ver...

L'école française est juste en face de ma fenêtre et je lorgne les gamins avec mes jumelles *(gross. x 8)*... ils paraissent si proches que je pourrais les toucher en tendant la main... ils sont en shorts... je discerne la chair de poule sur leurs mollets dans le froid piquant de ce matin de printemps... je me projette à travers mes jumelles, à travers la rue, fantôme dans le soleil pâle, torturé par un désir désincarné...

Je ne vous ai jamais raconté ça? La fois où Marvie et moi on a donné un demi-dollar à deux petits Arabes pour qu'ils s'entubent devant nous? Donc je demande à Marvie : « Tu crois qu'ils vont marcher? » Et il me dit : « Je pense bien. Ils crèvent de faim. » Et moi je dis : « C'est comme ça que ça me plaît le mieux. » J'avais un peu l'impression d'être un vieux voyeur vicieux, mais « *Son cosas de la vida!* » comme a dit Soberba de la Flor le jour où les bourres lui ont fait la morale sous prétexte que non seulement il avait descendu une poule mais qu'il avait ensuite coltiné le cadavre dans un motel pour se l'envoyer... « Elle jouait les dures à cuire, a-t-il expliqué. Moi j'aime pas ce genre de salades. » (Soberba de la Flor était un truand mexicain, on l'a condamné pour une poignée d'assassinats sans raison.)

Ça fait trois bonnes heures que les waters sont bouclés... je parie qu'ils les ont transformés en salle d'opération...

L'Infirmière : Adrénaline, docteur?

Le docteur Benway : Le portier de nuit s'est tapé tout le stock pour faire une blague.

(Il cherche autour de lui, ramasse un débouche-tinette,

une tulipe-ventouse en caoutchouc fixée au bout d'un bâton. Il s'approche de la patiente sous les regards affolés de ses assistants.)

Le docteur Benway : Faites une incision, docteur Limpf... Je vais pratiquer un massage cardiaque.

(Le docteur Limpf hausse les épaules et commence l'incision. Le docteur Benway lave la ventouse dans la cuvette des W.-C.)

L'Infirmière : Vaudrait peut-être mieux la stériliser, docteur!

Le docteur Benway : Sans doute, sans doute, mais le temps nous manque.

(Il s'assied sur la ventouse comme sur une canne-siège, observe son assistant qui pratique l'incision.)

Le docteur Benway : Vous autres jeunots!... Vous ne seriez pas fichus d'ouvrir un furoncle sans un scalpel électrique à vibrations avec prise de drainage et suture automatique... On en viendra bientôt à faire des opérations télécommandées sur des patients qu'on ne pourra même pas voir! Ce sera le règne des presse-boutons. Chirurgie, ton artisanat fout le camp! C'est la fin de la bricole, la mort du système D... Je ne vous ai jamais parlé de l'appendicectomie que j'ai pratiquée un jour avec un couvercle de boîte de sardines? Et le jour où j'avais oublié mes instruments si bien qu'il m'a fallu découper une tumeur utérine avec les dents? Cela se passait dans le Haut Effendi et de plus...

Le docteur Limpf : L'incision est prête, Monsieur.

(Le docteur Benway introduit la ventouse dans la plaie et commence à pomper en cadence. Le sang gicle sur les médecins, sur l'infirmière, sur les murs. La ventouse produit un épouvantable bruit de succion.)

L'Infirmière : Je crois que la patiente est morte.

Le docteur Benway : Allons, à chaque jour suffit sa peine...
(Il se dirige vers le placard à pharmacie.)

Le docteur Benway : On a coupé ma cocaïne avec du détergent à waters! C'est encore un de ces salauds de camés qui a fait le coup... Nurse! Envoyez le garçon de salle au triple galop pour faire remplir cette ordonnance.

(... Le docteur Benway est en train d'opérer dans un amphithéâtre bondé d'étudiants.)

Le docteur Benway : Jeunes gens, vous n'aurez pas souvent l'occasion d'assister à cette opération, et la raison en est simple... Voyez-vous, elle est inutile sur le plan médical. Pourquoi l'a-t-on inventée? Nul ne le sait. Personnellement, je crois que c'est une création purement artistique... comme le torero montre son art et son adresse en se tirant du danger qu'il a lui-même provoqué, de même, ici, le chirurgien met délibérément son patient en danger de mort puis, avec une promptitude foudroyante, il le sauve du trépas à la dernière fraction de seconde... L'un d'entre vous a-t-il jamais assisté à une des exhibitions du docteur Tetrazzini? Je dis bien *exhibitions*, car ses performances opératoires étaient des exploits véritablement spectaculaires... Il s'arrêtait au seuil de la porte, lançait son scalpel sur le patient à travers la salle puis il faisait une entrée de danseuse de ballet. Il opérait à une vitesse prodigieuse : « Je ne leur laisse même pas le temps de mourir! » disait-il, et il se jetait sur ses patients comme un surineur de bas quartier...

(Soudain, un adolescent bondit dans l'amphithéâtre et, tirant un scalpel de sa veste, il se rue sur le patient.)

Le docteur Benway : Un *espontaneo!* Arrêtez-le! Il va étriper mon malade!

(*Espontaneo* est le terme tauromachique désignant un spectateur qui saute dans l'arène, déploie une *muleta* cachée sous son manteau et esquisse quelques passes devant le taureau avant qu'on puisse l'expulser... Les garçons de salle saisissent l'*espontaneo* au collet et l'éjectent de l'amphithéâtre. L'anesthésiste profite de la confusion pour arracher une dent en or de la bouche du patient...)

Je passe devant la chambre 10 qu'ils m'ont fait quitter hier. Il doit s'agir d'un accouchement... des cuvettes pleines de sang et de Kotex et de substances femelles sans nom, de quoi polluer tout un continent... si un copain vient me rendre visite dans mon ancienne chambre, il croira que j'ai enfanté un monstre et que le gouvernement essaye d'étouffer l'affaire...

... Musique patriotique. Un vieillard en pantalon rayé et jaquette de diplomate monte sur une estrade ornée du drapeau américain. Un ténor blet et corseté — éclatant dans son costume de trappeur d'opérette — chante le *Star Spangled Banner* accompagné au grand orchestre. Il zozote légèrement...

Le Diplomate (déchiffrant une énorme bobine de téléscripteur de bourse dont le ruban croît sans cesse et s'enroule inextricablement autour de ses pieds) : ...et nous démentons catégoriquement qu'aucun citoyen mâle des États-Unis d'Amérique...

Le Ténor : Oh, szay can you szee... (Sa voix se brise dès les premières mesures de l'hymne et vire au fausset sans cesser de zozoter.)

Dans la cabine d'enregistrement, le Régisseur avale un verre de bicarbonate de soude et rote dans le creux de sa main : « Cet enfoiré de ténor est une tante, grommelle-t-il hargneusement. Mike! Broumpf... » (Le cri se mue en une nouvelle éructation.) « Mike! Coupe-lui le micro, et renvoie-moi cette lope à ses ganglions, je veux plus le voir ici... On va le remplacer par la Grande Gouine, celle qui a fait une cure d'hormones... En voilà une qui a une vraie voix de ténor, sinon mieux... *Quel costume?* Nom de Dieu, comment veux-tu que je sache! Faudrait pas me prendre pour une des lopettes du magasin des accessoires!... *Quoi?* Tous les costumiers se sont fait refouler par mesure de sécurité? Et alors! J'ai pas trente-six bras! Voyons voir un peu... Et si on ressortait une pelure de Peau-Rouge, genre Hiawatha ou Œil-de-Con ou... Non, ça va pas : il se trouverait un petit

75

malin pour gueuler qu'il faut rendre l'Amérique aux Indiens...
Ou peut-être un uniforme de la guerre de Sécession, avec
un froc de Sudiste et une vareuse Nordiste pour montrer
qu'on est tous redevenus comme cul et chemise? Ou alors
qu'elle se déguise en Buffalo Bill, ou en artilleur, ou en Soldat
Inconnu — c'est ce qu'il y a de plus sûr! Colle-lui un monument aux morts sur le dos, comme ça personne ne la verra... »

La Lesbienne, cachée à l'intérieur d'un Arc de Triomphe
de papier mâché, gonfle ses poches à air et lâche un barrissement formidable : « *Oh say can you see by the dawn's early
light...* »

Une craquelure s'ouvre brusquement du haut en bas de
l'Arc. Le Diplomate se tient le front à deux mains...

Le Diplomate : ...citoyen mâle des États-Unis d'Amérique
ait enfanté ici ou ailleurs...

La Lesbienne : « *...does that star-spangled banner yet
waaaaaaaaaaaaaaave...* »

Le Diplomate remue les lèvres mais nul ne peut l'entendre.
Le Régisseur se bouche les oreilles : « Marie Mère de Dieu! »
hurle-t-il. Son dentier tressaute dans sa bouche avec un bruit
de crécelle et part soudain comme une flèche à travers la
cabine. Le Régisseur essaye de l'attraper au vol, manque
son coup et se cache rageusement la bouche derrière sa main.

L'Arc de Triomphe s'effondre dans un fracas de carton
déchiré et de bois fendu, dévoilant la Grande Gouine plantée
sur son piédestal, vêtue en tout et pour tout d'un suspensoir
en peau de léopard moulant une pharamineuse doublette
postiche... Elle arbore un sourire abruti et fait jouer ses
muscles survirils... Le Régisseur fouille la cabine à quatre
pattes, cherchant désespérément son dentier tout en crachant des ordres incompréhensibles : « Chlest des uhltchra-
chons! Coupfez-llhui llhmiccrho! »

Le Diplomate (s'épongeant le front) : ...ou ailleurs une créature de quelque catégorie ou espèce vivante que ce soit...

La Lesbienne : « *...the land of the free and the home of the
brave...* »

76

Le visage du Diplomate a tourné au gris de cendres. Il titube, se prend les pieds dans le ruban du téléscripteur et s'écroule contre la balustrade de la tribune, pissant le sang par le nez et la bouche et les yeux, terrassé par une hémorragie cérébrale.

Le Diplomate (d'une voix à peine perceptible) : ...le gouvernement dément... complot antiaméricain... on a d'ailleurs détruit... je veux dire... on n'a jamais... catégoriqu...

(Il meurt.)

Dans la cabine d'enregistrement, appareils et tableaux de contrôle explosent les uns après les autres... Des éclairs électriques zigzaguent et grésillent... Le Régisseur, nu comme un ver, son corps à moité carbonisé, se dandine sur place comme un chasseur du *Crépuscule des Dieux* en bramant : « Uhltchra-chons! Coupez llhmichro! » Une ultime déflagration réduit le Régisseur en un petit tas de braises fumantes...

Sonnerie aux champs. Salut au drapeau...

Notes sur l'intoxication. — Une piqûre d'eucodal toutes les deux heures. Là où je plante, l'aiguille glisse tout droit dans la veine qui reste béante comme une bouche obscène où suinte après la piqûre une goutte de sang mêlé de pus.

L'eucodal est une variante de la codéine — dihydrooxycodéine. Son effet est plus voisin de celui de la coco que de la morphine. Le plaisir de la coco, tu le sais bien à présent, se situe dans la tête et celui de la morphine dans les tripes. Aucun syndrome de privation avec la cocaïne, c'est un besoin purement cérébral qui ne dure qu'aussi longtemps que le circuit est allumé, après quoi tu manges un morceau et tu n'y penses plus. L'eucodal est en quelque sorte la synthèse de la cocaïne et de l'héroïne. Il faut être Allemand pour inventer une saloperie aussi démoniaque. L'eucodal est six fois plus violent que la codéine. L'héroïne six fois plus violente que la morphine. La dihydro-oxyhéroïne devrait être six fois plus violente que l'héroïne. Il serait sans doute possible de fabriquer une drogue si virulente qu'une seule injection suffirait à intoxiquer un homme jusqu'à la fin de ses jours.

Notes sur l'intoxication (suite). — Je saisis l'aiguille et, en même temps, je pose instinctivement la main gauche sur le garrot. Je reconnais à ce signe que je vais pouvoir piquer dans la seule veine encore utilisable de mon bras gauche. (Le processus du garrottage est tel qu'on se lie habituellement le bras avec lequel on a pris le garrot.) L'aiguille s'enfonce comme dans du beurre le long d'un cal. Je fouille ma chair de la pointe. Une fine colonne de sang jaillit soudain dans la seringue, aussi nette et solide qu'un toron de câble rouge.

Le corps sait parfaitement quelles veines on peut piquer et il transmet cette intelligence aux mouvements instinctifs que l'on fait pour préparer la piqûre... Parfois, l'aiguille pointe aussi droit qu'une baguette de sourcier. D'autres fois, il faut attendre le signal — mais quand il arrive le sang jaillit toujours.

... Une orchidée rouge s'épanouit au fond du compte-gouttes. Durant une longue seconde il hésita, puis il pressa le caoutchouc et regarda le liquide disparaître d'un trait dans la veine, comme aspiré par la soif silencieuse de son sang. Il restait une mince pellicule de sang irisé dans le compte-gouttes et la collerette de papier blanc était souillée comme un pansement. Il se pencha, emplit le compte-gouttes d'eau et, au moment où il le vidait à terre, l'impact de la came le frappa à l'estomac, un coup étouffé, onctueux...

...J'abaisse mon regard, vois mon pantalon crasseux, pas changé depuis des mois... les jours passent en glissant, comme enfilés à ma seringue au bout d'une longue aiguillée de sang... j'ai oublié l'amour, l'acuité de tous les plaisirs du corps — je suis un spectre gris cramponné à la drogue. Les copains espagnols m'ont baptisé *El Hombre Invisible*, L'Homme Invisible...

Bordereau date de retour/Due date slip

Bibliothèque de Beaconsfield Library
514-428-4460
16 Mar 2015 04:14PM

Usager / Patron : 23872000272661

Date de retour/Date due: 06 Apr 2015
Le festin nu /

Total : 1

Vingt tractions chaque matin. La drogue élimine la graisse mais les muscles restent à peu près intacts. Il semble que le camé n'ait pas besoin de tant de chair. Peut-être pourrait-on isoler cette molécule antigraisse que contient la drogue ?

Parasites de plus en plus forts au drugstore, chuintements inquisiteurs sur la ligne, comme un téléphone décroché... Cavalé du matin jusqu'à huit heures du soir pour harponner deux malheureuses boîtes d'eucodal... suis à bout d'argent, à bout de veines.

Brusquement réveillé cette nuit, quelqu'un me serrait la main. C'était mon autre main. Je m'endors en lisant et les mots prennent un sens caché, comme un code... J'ai l'obsession des codes... Un homme assailli par une longue série de maladies qui épellent un message en code...

Je m'envoie une dose en présence de D. L. Je cherche la veine sous la crasse de mon pied nu. Les camés n'ont pas d'amour-propre. Ils sont indifférents à la répugnance d'autrui. Je doute que l'amour-propre puisse exister en l'absence de toute vie sexuelle. Il disparaît de l'univers du camé en même temps que le goût et la possibilité de rapports platoniques, qui ne sont eux aussi qu'affaire de libido... Le drogué considère son propre corps de façon tout impersonnelle, comme un instrument destiné à absorber l'élément dans lequel il vit, et il jauge sa chair avec les mains froides d'un maquignon. « Inutile d'essayer de piquer ici... » Des yeux de poisson mort qui glissent sur une veine ravagée...

Je me suis mis à un nouveau somnifère appelé sonéryl : On se sent parfaitement alerte — et puis on s'endort sans transition et on sombre au beau milieu d'un rêve... Il y a des années que je suis dans ce camp de prisonniers, épuisé par la sous-alimentation...

Le Président est un camé, mais il ne peut pas s'envaper en prise directe à cause de sa situation. C'est pourquoi il se regarnit à travers moi. Nous nous mettons au contact de temps à autre et je le recharge. Aux yeux d'un observateur fortuit, ces contacts paraissent sans doute de nature purement pédérastique, mais cette excitation n'est qu'accessoirement sexuelle et la jouissance véritable intervient au moment de la séparation, quand la recharge est terminée. Au début, la méthode consistait à nous placer face à face, pénis bout à bout, mais nous avons dû y renoncer car les points de contact se détériorent tout comme des veines. A présent, je suis quelquefois obligé d'introduire mon sexe sous sa paupière gauche. Certes, je peux toujours lui faire son affaire avec une simple Recharge Osmotique, ce qui équivaut à la seringuette épidermique, mais c'est là une solution de faillite. Une R. O. est fichue de gâcher l'humeur du Président pendant plusieurs semaines, cela pourrait finir par provoquer une catastrophe atomique. Le Président paie très cher sa Dose Diagonale. Il a perdu toute maîtrise de soi, il est aussi fragile et impuissant qu'un fœtus. Le Camé Diagonal est torturé par toute la gamme de l'horreur subjective, du délire protoplasmique à l'agonie paralysante des os. La tension croît, un flux d'énergie libéré de tout esclavage émotionnel fouaille le corps du C. D., qui est agité de soubresauts comme s'il était enchevêtré dans des câbles à haute tension. Si la Recharge est coupée à chaud, le Camé, Diagonal est saisi de convulsions électriques si violentes que ses os se déboîtent à l'intérieur de son corps, et il n'est pas encore mort que son squelette tente déjà de s'arracher à cette chair insupportable pour courir droit au cimetière le plus proche.

Les rapports qui se créent entre le Camé Diagonal et son Rechargeur sont d'une telle intensité qu'ils ne peuvent se tolérer mutuellement qu'à de très rares et brèves occasions (en dehors, bien sûr, des séances de recharge, durant lesquelles les rapports personnels sont éclipsés par le processus de Camage Diagonal).

Lu dans le journal... quelque chose à propos d'un triple meurtre perpétré rue de la M à Paris... « *Un Règlement De Compte* »... tout se brouille, je perds pied... « La police a identifié l'assassin... *Pepe el Culito*... Le Petit Cul, un diminutif familier... » Ai-je vraiment lu cela? J'essaye de déchiffrer les mots... ils sont de plus en plus flous, ils s'émiettent en un puzzle absurde...

Lazare go home

Tâtonnant à travers le chaos indécis du retour en tête, dans un univers gris et gourd secoué par les hiatus miasmatiques de bâillement stupéfiés, Lee apprit que le jeune drogué qui faisait irruption dans sa chambre à dix heures du matin rentrait d'un voyage de deux mois en Corse où il avait fait de la pêche sous-marine et s'était mis en renonce...

« *Il vient exhiber son corps tout neuf !* » songea-t-il en luttant contre le frisson de mal de came du réveil. Malgré lui il revit — ah oui *Miguel* bien sûr — attablé au Métropole trois mois plus tôt, chavirant dans les vapes le menton sur un éclair moisi qui allait empoisonner un chat à deux heures de là, et il estima que l'effort de reconnaître Miguel à dix heures du matin était assez pénible pour ne pas y ajouter la corvée intolérable de corriger une erreur (« Et puis merde je suis pas l'Armée du Salut ! »), ce qui exigerait de replacer le Miguel d'à présent dans un décor déjà trop encombré, telle une énorme masse animale et pesante qui écrase le contenu de la valise.

— Tu as une mine superbe, dit Lee en essuyant d'un coup de torchon désinvolte les traces les plus évidentes de son dégoût.

Il retrouva sur le visage de Miguel le suintement grisâtre de la drogue, sur son corps les anciens stigmates de la pouillerie, comme si l'homme et ses guenilles n'avaient jamais cessé d'errer dans les ruelles du temps, ruelles hors de l'espace, sans relais ni fontaine pour se rafraîchir... « *Trop tard pour rectifier l'erreur... Rentre chez toi Lazare... Paye ton Contact et file à la maison... J'ai franchement pas envie de regarder ta vieille viande d'emprunt...* »

— Ravi de te voir sorti du circuit, dit-il. Tu t'en es tiré comme un chef...

Miguel battait des nageoires dans la pièce, harponnant le poisson.

— Oui, quand on est là-dessous on ne pense plus à la came...

— Tu tiens le bon bout, dit Lee, caressant rêveusement une cicatrice d'aiguille de seringue sur le dos de la main de Miguel, triturant lentement entre ses doigts la peau lisse et violacée.

Miguel se frotta nerveusement la main... Il regarda par la fenêtre... Son corps tressaillait légèrement, comme galvanisé à mesure que le circuit de la drogue s'allumait. Lee attendit, assis sur une chaise.

— C'est pas un petit coup en passant qui te fera repiquer au truc.

— Je sais ce que je fais.

— On dit toujours ça.

Miguel prit la lime à ongle, la tenant comme une spatule... C'était joué. Lee ferma les yeux : « Tout ça est éreintant... »

— Hmm, merci, c'était formidable, marmonna Miguel.

Son pantalon glissa sur ses chevilles et il resta planté sur place dans sa redingote de chair informe, qui vira du brun au vert puis devint presque incolore dans la lumière matinale et s'écoula à grosses gouttes sur le parquet...

Les yeux de Lee brillèrent dans la substance cireuse de son visage, un bref cillement gris et froid.

— Nettoie cette saleté, dit-il. Ma piaule est assez dégueulasse comme ça.

— Oh hmm oui bien sûr...

Miguel empoigna lourdement la pelle à poussière. Lee rangea le sachet d'héroïne...

Lee vivait dans un état permanent de renonce du troisième jour, compte tenu, bien sûr, de certains hmm entractes essentiels pour regarnir les feux qui consumaient la gélatine jaune-brun-rose de sa substance sans attaquer sa chair à l'affût. Les premiers temps, sa chair n'était que molle, mais si molle qu'un courant d'air, une particule de poussière ou le frôlement d'un pardessus suffisaient à l'entailler jusqu'à l'os, alors qu'elle n'était aucunement incommodée par le contact direct d'un siège ou d'une porte. Chair friable, velléitaire, où nulle plaie ne cicatrisait... De longues vrilles fongueuses et diaphanes s'enroulaient autour de ses os à nu. Des relents de testicules atrophiés ouataient son corps d'une buée duveteuse...

Quand vint la première infection sérieuse, le thermomètre en ébullition cracha une balle de mercure qui transperça le crâne de l'infirmière et elle tomba morte avec un cri enroué. Le médecin évalua le danger d'un seul coup d'œil et fit verrouiller les portes d'acier de la dernière chance. Il ordonna l'éviction immédiate du lit embrasé et de son occupant.

— Il est assez pourri pour fabriquer sa propre pénicilline!

Mais l'infection brûla le fongus... Lee vécut dès lors dans un état de transparence variable... Il n'était pas à proprement parler invisible mais du moins très difficile à voir. C'était à peine si l'on remarquait sa présence. On l'assumait comme une vue de l'esprit, ou on le rejetait comme un reflet ou une ombre : « Ça doit être une illusion d'optique ou une enseigne au néon... »

Je fais le poireau devant la pharmacie, elle ouvre à neuf heures du matin. Deux petits Arabes roulent des poubelles jusqu'à une lourde porte de bois qui se découpe en hauteur dans un mur blanchi à la chaux. Au bas de la porte, une couche de poussière sillonnée d'urine. Un des Arabes est plié en deux, arc-bouté à la poubelle chargée, sa culotte tendue sur ses fesses fluettes d'adolescent. Il m'observe d'un regard neutre et paisible d'animal... Je refais surface avec un sursaut, comme si le gamin était réel et que je venais de manquer le rendez-vous qu'il m'avait donné pour cet après-midi...

— Nous attendons un supplément d'équilibrage, déclare l'Inspecteur interviewé par Notre Envoyé Spécial. A défaut de quoi... (L'Inspecteur lève une jambe dans une posture typiquement nordique.) ...de quoi on peut craindre le mal des caissons, vous êtes bien d'accord? Mais nous pourrons peut-être trouver une chambre de décompression adéquate.

L'Inspecteur ouvre sa braguette et entreprend de s'émor-pionner, appliquant un onguent qu'il puise dans un petit pot de grès. Il est évident que l'interview touche à sa fin. « Vous partez déjà? Ma foi, comme disait le juge à son collègue : « Faut savoir être juste ou bien faut savoir être arbitraire! » Navré de ne pouvoir vous offrir les obscénités d'usage. » Il montre sa main droite couverte de pommade jaune et puante.

Notre-Votre-Leur Envoyé Spécial se rue sur lui et empoigne à deux mains ses doigts gluants. « Je suis comblé, Inspecteur, comblé au-delà des mots! » Il ôte ses gants, les roule en boule et les jette dans la corbeille à papier avec un sourire : « N'ayez crainte, j'ai une note de frais. »

La salle de jeux de Hassan

Dorures et peluche vermillon. Un bar rococo devant un mur de coquillages roses. L'air est chargé d'une odeur écœurante et maléfique de miel moisi. Les invités des deux sexes, en tenue de soirée, boivent leurs pousse-café avec des chalumeaux d'albâtre. Un Mugwump levantin se prélasse tout nu sur un tabouret de bar recouvert de soie rose. Il lèche d'une longue langue noire un caillot de miel tiède au fond d'une coupe de cristal. Ses parties génitales sont d'un dessin exquis, sexe bien circoncis, poils noirs et lustrés. Il a des lèvres très minces d'un bleu violet de gland, des yeux vides et calmes d'insecte. Les Mugwumps n'ont pas de foie et se nourrissent exclusivement de sucreries.

Le Mugwump culbute un svelte adolescent blond sur un sofa et le déshabille d'une main experte. « Debout et tourne-toi », lui commande-t-il en langage pictographique télépathique. Il lui attache les mains derrière le dos avec une cordelette de soie rouge.

— Ce soir on fait le grand jeu.

— Non, non! hurle l'adolescent.

Des orgasmes d'approbation jaillissent à la ronde. Le Mugwump tire un rideau de soie, découvrant un gibet de teck dressé sur une plate-forme de dalles aztèques devant un écran lumineux de quartz rouge. L'adolescent tombe agenouillé avec un long « Oooooh » de terreur et se conchie les jarrets. Un flux de sang brûlant lui gonfle la gorge et les lèvres, son corps se pelotonne en position fœtale et le sperme lui gicle chaud au visage. Le Mugwump puise quelques gouttes d'eau parfumée dans un vase d'albâtre, lave rêveusement l'anus et le sexe de l'enfant puis les essuie avec une serviette bleue. Une brise tiède joue sur le corps de l'adolescent, poils et cheveux dansent mollement. Le Mugwump glisse une main sous son torse et l'aide à se relever. Lui tordant les coudes derrière le dos, il le pousse sur la plate-forme, saisit le nœud coulant au passage et se place en face du garçon. Celui-ci fouille du regard ses yeux opaques, double miroir d'obsidienne, puits de sang noir, judas jumelé dans la porte qui se referme sur la Dernière Érection...

Un vieil éboueur au visage buriné et jauni d'ivoire chinois sonne la Charge sur sa trompette de cuivre, et le maquereau espagnol se réveille le sexe en bataille. Une putain trébuche dans la poussière et les sanies et les portées de chats étranglés, traînant à pleins ballots des résidus d'avortement, des Kotex ensanglantés et des étrons empaquetés dans les pages en couleurs de magazines pour enfants.

Un grand port tranquille d'eau iridescente. Des torchères à gaz abandonnées brûlent sous l'horizon noyé de fumée. Puanteur de mazout et de bouches d'égout. Des requins empoisonnés sillonnent l'eau noire, crachant le soufre de leurs foies putréfiés, négligeant un Icare disloqué et sanglant. Monsieur Amérique, nu comme ver, se consume fébrilement d'amour devant son propre reflet en criant : « Le Louvre ne vaut pas mes fesses. Je pète l'ambroisie et chie l'or pur et pisse des diamants scintillants au soleil du matin! » Il plonge en tournoyant du haut du phare aveugle, envoyant des baisers et se travaillant à pleines mains devant le miroir opaque, puis il s'enfonce obliquement à travers la blancheur cryptique des préservatifs, à travers la mosaïque de milliers de journaux, à travers une cité engloutie, pour atteindre enfin un lit de vase fuligineuse constellée de bouteilles de bière et de boîtes de conserve, de truands embétonnés, de pistolets écrasés au marteau pour flouer l'œil prophylactique des voyeurs de la balistique — et là, ceint de fossiles, il attend le lent strip-tease de l'érosion...

...le Mugwump passe le nœud coulant autour de la tête de l'adolescent et serre doucement la boucle sous son oreille gauche. L'autre regarde droit devant lui, respirant profondément, les testicules serrés et le pénis rétracté. Le Mugwump se coule contre lui et le caresse d'une langue aux hiéroglyphes moqueurs, puis il passe à petits bonds derrière lui, l'emmanche jusqu'à la garde et se dandine avec des mouvements giratoires.

Les invités gloussent et se poussent du coude, on entend des « chut ».

Soudain le Mugwump projette l'adolescent dans le vide, s'arrachant à lui d'un coup de reins. Il le rattrape par les hanches pour freiner le balancement, fait remonter ses mains stylisées de la taille jusqu'aux épaules et lui brise net la nuque. Un long soubresaut agite le gamin. Son sexe se dresse en une triple saccade qui lui soulève le bassin et il éjacule... Des étincelles d'émeraude crépitent derrière ses yeux. Une douleur sourde, comme un mal de dent, descend de sa nuque à son dos et jusqu'au creux de ses reins. Son corps secoué de plaisir s'échappe par l'entonnoir de son pénis. Un spasme ultime, et une grande giclée blanche strie l'écran de quartz comme une étoile filante.

Tendre succion viscérale... L'enfant est aspiré dans un labyrinthe de machines à sous et de films pornographiques. Son jeune corps se cabre, pétarade, décoche un étron précis... Des feux de Bengale explosent en grappes vertes de l'autre côté d'un fleuve immense... Il entend le faible halètement d'un moteur de bateau dans le crépuscule de la jungle, il devine le vol silencieux de l'anophèle...

Le Mugwump se plaque contre lui et l'enfourne de nouveau. Le cadavre oscille comme un squale au bout d'un harpon. Le Mugwump se balance, accroché à ses épaules, et son corps se contracte en longues vagues molles. De la bouche entrouverte du garçon, tendre et boudeuse dans la mort, un filet de sang coule et dégoutte du menton. Le Mugwump se laisse choir avec un clapotement liquide de satiété...

Un satyre et un éphèbe grec équipés de bouteilles de plongée sous-marine ébauchent un ballet-poursuite dans un aquarium d'albâtre transparent. Le satyre agrippe l'éphèbe aux épaules et le retourne. Ils nagent avec des ondulations saccadées de poissons. Un chapelet de bulles d'argent s'échappe de la bouche du jeune homme. Du foutre blanc jaillit dans l'eau verte et flotte paresseusement autour des deux corps tourbillonnants.

Nègre couche petit Chinois dans hamac. Lui lève jambes par-dessus tête. Enfourche hamac. Braque du Noir glisse dans étui froncé du Jaune. Hamac tangue doucement. Chinois crie — bizarre strident hurlement extase intolérable...

Un danseur javanais assis dans un fauteuil de teck ouvragé pivotant sur un socle de calcaire callipyge, tire à lui un jeune Américain — cheveux roux, yeux verts brillants — et le plante sur son sexe avec des gestes rituels. Le Yankee empalé reste immobile tandis que le danseur se démène en girations hélicoïdales qui animent le fauteuil d'un bercement fluide. « Hiiiiiiiii! » piaille le rouquin en éjaculant sur le torse maigre et bronzé de son vis-à-vis. Une longue goutte atterrit à la commissure des lèvres du Javanais et l'autre la lui pousse dans la bouche du bout du doigt en riant : « Vieux, ça c'est de la succion ou je n'y connais rien! »

Deux Mauresques aux gueules bestiales viennent d'arracher sa culotte à un petit Français tout blond. Elles le fouillent tour à tour avec des queues de caoutchouc rouge. Le gosse grogne, mordille et s'effondre en larmes au moment où son petit bras bande et crache.

Le visage de Hassan enfle et se congestionne, ses lèvres deviennent violettes. Il ôte son costume tissé en billets de banque et le lance dans un coffre-fort dont la porte se referme sans bruit.

— C'est le salon de la Liberté, les amis! crie-t-il en singeant l'accent du Texas.

Sombrero en tête et bottes aux pieds, il se met à danser la Gigue Liquéfiante, qu'il termine en cancan grotesque sur un air 1900.

— *Allez-y!* braille-t-il. Tous les trous sont permis!

Des couples harnachés d'ailes artificielles de style baroque copulent en plein ciel en poussant des jacassements de pies.

Des trapézistes sillonnent l'air en se masturbant réciproquement au vol avec un doigté sans pareil.

Des antipodistes juchés sur des mats oscillants et des chaises en équilibre au-dessus du vide se sucent l'un l'autre avec maestria. Un vent tiède apporte une odeur de fleuve et de jungle venue de brumeuses profondeurs.

Des adolescents pleuvent de la verrière par centaines, piaffant et se trémoussant au bout de leurs cordes. Ils sont suspendus à des hauteurs diverses, les uns presque collés au plafond, les autres à quelques centimètres du plancher. Balinais et Malais exquis, Indiens du Mexique aux gencives écarlates qui tranchent sur ces visages d'une farouche innocence, Nègres (les dents, les doigts, les ongles des pieds et la toison pubienne dorés délicatement), Japonais d'une blancheur polie de porcelaine de Chine, Italiens aux cheveux blond vénitien, Américains aux bouclettes brunes ou blondes que les invités recoiffent tendrement, Polaks boudeurs aux yeux bruns de biches, voyous arabes et espagnols, Autrichiens fragiles avec une ombre de duvet sur leurs pubis roses, Allemands aux yeux bleu vif et aux traits grimaçants qui hurlent « *Heil Hitler!* » au moment où la trappe s'ouvre sous leurs pieds, parias Sollubis qui font sous eux en geignant...

M. Richard Trivial, pouacre et vicieux, mâchonne son

Havane, affalé sur une plage de Floride au milieu d'un cercle de gitons minaudiers :

— Cet olibrius que je vous parle avait importé un Latah d'Indochine. Et voilà qu'il imagine de le pendre et d'en faire un court métrage de télé pour envoyer à ses copains en guise de carte de Noël. Il prépare donc deux cordes, une vraie et l'autre truquée qui fait élastique. Mais son Latah se réveille de mauvais poil, il se déguise en courant d'air et va intervertir les cordes. Vient le matin, l'olibrius se colle la boucle autour du cou, le Latah joue son rôle de Latah et l'imite avec l'autre nœud coulant. Quand on ouvre les deux trappes, l'olibe se retrouve pendu pour de bon et le Latah tombe sur le baba avec la corde en chewing-gum qui fait des plis. Eh bien, figurez-vous que le Latah a continué de singer l'autre spasme pour spasme. Total, il s'est envoyé en l'air trois fois de suite... Moi je me suis dit que ce petit malin avait pas les yeux dans sa poche, je l'ai engagé comme emballeur dans une de mes usines!

Des prêtres aztèques dépouillent le Héros Nu de sa robe de plumes bleues. Ils le couchent à la renverse sur un autel de granit, le coiffent d'un crâne de cristal dont ils fixent les deux lobes à l'aide de vis dorées. Une cataracte se déverse alors sur cette couronne, brisant la nuque du Héros. Il éjacule en arc-en-ciel sous le soleil levant...

L'âcre odeur protéinique du sperme plane dans la salle. Les invités caressent longuement les adolescents qui se tortillent à bout de corde, se pendant à leurs dos comme des vampires pour les sucer.

De grands maîtres nageurs nus charrient des poumons d'acier bourrés de jeunes paralytiques. Des gamins aveugles affleurent comme des taupes à la surface d'énormes gâteaux, des schizophrènes décatis jaillissent d'une vulve de caoutchouc, des garçonnets pourris d'eczéma émergent d'un bassin noir où des poissons grignotent nonchalamment les étrons jaunes qui flottent entre deux eaux.

Un homme en plastron et cravate blanche, nu de la taille

91

aux pieds à l'exception de ses fixe-chaussettes de soie noire, devise d'une voix précieuse avec la Reine des Abeilles. (Ces Reines sont de vieilles femmes qui s'entourent de pédérastes pour former un essaim. C'est une sinistre coutume mexicaine.) « Mais où est donc le statuaire? » demande-t-il du coin gauche de la bouche. L'autre moitié de son visage est tordue par la Torture des Mille Miroirs. Il se masturbe avec frénésie. La Reine des Abeilles ne remarque rien et poursuit la conversation.

Divans, fauteuils, chaises, le parquet lui-même — tout vibre, changeant les invités en fantômes tremblotants et flous qui hurlent à l'agonie du pal-en-cul.

Deux vauriens se manipulent l'un l'autre sous un pont de chemin de fer. Le train qui passe trépide à travers leurs corps, leur arrache l'orgasme et disparaît en sifflant dans le lointain. Les grenouilles coassent. Les deux vauriens essuient le sperme qui miroite sur leurs estomacs hâlés.

Dans un compartiment de train : deux jeunes camés souffreteux en route pour une cure de renonce à l'hôpital de Lexington se déculottent mutuellement avec des convulsions lubriques. L'un des deux se savonne à pleine mousse et sodomise son copain en vrille. « Doux Jésuuuuuus! » Ils explosent ensemble tout debout, se décollent l'un de l'autre et relèvent culottes.

— Je connais un toubib à Marshall qui a l'ordonnance facile pour la teinture d'opium.

— Aïe, docteur, c'est pour ma pauvre manman, elle a les hémorroïdes qui sortent toutes saignantes pour mendier une miette de noire... Allons, docteur, supposez que ce soye votre vieille mère en train de danser la salope avec des sangsues qui la gouinent par l'intérieur... Manman, arrête de tortiller du bassin, c'est trop dégoûtant...

— Descendons ici, on va lui tirer un bon pour un litre.

Le train déchiquette la nuit de juin aux brumes pailletées de néon...

Images d'hommes et de femmes, d'adolescents et de fillettes, de quadrupèdes et de poissons et d'oiseaux — le rythme de la fornication universelle se répand dans la salle comme une grande vague bleue de vie. Ondes bruissantes et silencieuses au fond de la forêt, calme subit des villes quand le coude-creux touche son sachet. Un interlude de paix émerveillée. Jusqu'aux camés de banlieue qui sonnent des numéros empoissés de cholestérol pour se regarnir...

Hassan lance un cri de rage : « C'est votre faute, A. J.! Ma soirée est foutue à cause de vous! » A. J. le dévisage, les yeux d'une froideur de pierre : « Va te faire liquéfier, macaque. »

Une horde de matrones américaines en chaleur fait irruption. L'entrecuisse en nage, elles débusquent de leurs antres multiples, ferme ou ranch à touristes, usine, club de golf ou bordel, faubourg ou studio avec terrasse sur le parc, motel et bar et yacht — elles s'épluchent en courant, jodhpurs et fuseaux de ski, robes du soir, blue-jeans, ensembles de cocktail et corsages imprimés, corsaires et bikinis et kimonos. Tout cela corne et miaule et glapit, bondit sur les invités comme autant de chiennes enragées de rut, griffe et lacère les jeunes pendus en vociférant : « Salaud! Pédé! Baise! Baise donc! Vas-tu baiser! »

Les invités s'enfuient avec des cris de terreur, louvoyant entre les pendus et culbutant à terre les poumons d'acier.

A. J. : A moi mes Suisses! A la hallebarde, nom de Dieu! Qu'on me débarrasse de ces louves!

Son secrétaire, M. Hyslop, lève les yeux de ses bandes dessinées : « Vos Suisses sont déjà liquéfiés. » (*N. B.* — Le Processus de Liquéfaction implique la séparation et la fusion des protéines, le liquide subséquent étant alors absorbé par l'organisme protoplasmique d'une tierce personne. En l'occurrence, c'est probablement Hassan, un Liquéfactioniste notoire, qui a tiré les marrons du feu.)

A. J. : Tire-au-cul! Simulateurs! Je suis fait... Sans Suisses ne vaux... Messieurs, nous sommes acculés! L'honneur de nos verges est en jeu... Branle-bas de combat! Allons, monsieur Hyslop, flamberge au vent, nous repousserons l'abordelage!

A. J. dégaine un grand coutelas et décapite les Girls en série en braillant une chanson de pirates d'une voix avinée :

Fifteen men on the dead man's chest
Yo ho ho and a bottle of rum...

M. Hyslop (avec un soupir de résignation) : Misère! Voilà que ça le reprend... (Il agite d'une main lasse le pavillon noir à tête de mort.)

Encerclé, combattant seul contre vingt, A. J. rejette le front en arrière et sonne éperdument la Soupe aux Cochons. Aussitôt, mille Esquimaux bandards tombent en avalanche, grognant et couinant comme verrats affamés, trognes tumescentes, yeux congestionnés et brûlants, babines purpurines, et se précipitent sur les Girls. (Chez les Esquimaux, la saison du rut se situe pendant le bref été polaire, quand les tribus se réunissent pour une orgie collective. On a observé que leurs visages tendent alors à enfler et leurs lèvres à bleuir.

Le flic-maison, un cigare double barreau de chaise entre les dents, passe la tête à travers le mur : « C'est-y que vous auriez acheté une ménagerie des fois? »

Hassan se tord les mains : « Un cataclysme! C'est un épouvantable cataclysme! Par Allah, je n'ai jamais rien vu d'aussi désagréable! » Il fait volte-face et aperçoit A. J. qui chevauche un coffre de marin, perroquet sur l'épaule, bandeau sur l'œil, buvant du ratafia dans une chope d'étain et scrutant l'horizon avec une longue-vue de cuivre.

Hassan : Gagne-petit! Fourrier du positivisme! Fous-moi le camp et que je ne te revoie jamais plus dans ma salle de jeux!

La cour de l'université d'Interzone

Des ânes et des chameaux, des lamas, des pousse-pousse, des charrettes de marchandises halées par des enfants arc-boutés, les yeux saillants comme des langues de pendus, palpitants, rouges de haine animale. Des troupeaux de moutons, de chèvres et de bétail à longues cornes passent entre les étudiants et l'estrade du professeur. Les étudiants sont installés sur des bancs de square rouillés, sur des blocs de calcaire coquillier et des tinettes de jardin, sur des caisses et des fûts de pétrole, sur des souches d'arbres et des poufs de cuir poussiéreux et des tapis de gymnastique. Ils portent djellabas, blue-jeans, hauts-de-chausses et pourpoints, boivent de l'alcool de maïs dans des bocaux à confiture et du café dans des boîtes de conserve, fument de la marijuana roulée dans du papier d'emballage et des tickets de loterie, se piquent à l'héroïne avec compte-gouttes et épingles de nourrice, étudient journaux hippiques, romans-photos et grimoires mayas...

Le Professeur arrive à bicyclette portant une brochette de têtards. Il gravit l'estrade en se tenant le dos (une vache meuglante pendue à un câble de treuil se balance au-dessus de lui).

Le Professeur : Je me suis fait baiser toute la nuit par l'armée du Sultan. Me suis disloqué l'échine à servir le giron de mon girond... Rien à faire pour me débarrasser de cette vieille tante. Il me faudrait un électricien du cerveau pour la débrancher synapse par synapse et un huissier chirurgical pour jeter ses tripes à la rue. Quand ma Vieille s'installe chez un coquin avec ses malles et ses maux il doit cracher un maximum pour expulser cette salope qui joue à la maman du Troufignon Inconnu...

Il contemple ses têtards en fredonnant un charleston...

— J'ai un coup de cafard, jeunes gens, faut que le passé remonte quoi qu'il en coûte... Ces gamins qui musardent à la foire en mangeant de la barbe à papa... qui se tripotent en rond au Palais de la Danse du Ventre... qui jouent au poignet mécanique sur la Grande Roue, éclaboussant de foutre la lune qui se lève de l'autre côté du fleuve, rouge et vaporeuse au-dessus des fonderies. Un nègre pendu à un peuplier devant un Palais de Justice Sudiste... des viragos geignardes l'aspirent jusqu'à la dernière goutte entre leurs mâchoires vaginales (et on devine déjà le mari penché sur le poupard, le scrutant de ses yeux plissés couleur flanelle délavée... « Docteur, y a substitution, j'ai idée que c'est un négro! » Le toubib hausse les épaules : « C'est le bonneteau, mec, un jeu vieux comme le monde... Un coup je te vois un coup je te vois plus... »).

« ...et le docteur Parker planqué dans son arrière-boutique, qui se soigne à l'héroïne vétérinaire pour chevaux, deux milligrammes la piquouse : « Rien de plus tonique, « avec ça le printemps ne finit jamais. »

« Benson la Paluche le vicieux du village s'est mis en *querencia* dans les goguenots de l'école. (*N. B.* — *Querencia* est un terme du jargon tauromachique : il y a *querencia* quand le taureau prend racine dans un endroit de l'arène et refuse d'en bouger, si bien que le *torero* n'a que deux solutions, soit l'affronter sur son terrain soit lui tendre une carotte pour l'en faire sortir.) Le shérif A. Q. Larsen, dit la Limande, proclame tout net : « Faut trouver un truc « quelconque pour qu'il sorte de là. » Et Mémé Lottie, qui roupille depuis dix ans à côté du cadavre de sa fille qu'elle a curé et boucané de ses propres mains, s'éveille en tremblant dans le petit matin gris du Texas, vautours à l'affût au-dessus des marais noirs et des souches de cyprès...

« Et maintenant, Messieurs... voyons où en étais-je? Ah, oui, Mémé Lottie... Elle s'éveille donc toute tremblante dans le rose tendre de l'aurore, rose comme les bougies sur le gâteau d'anniversaire d'une fillette, rose comme la barbe à papa, comme un coquillage, comme un gland piaffant sous le rouge baisard du plafonnier... Mémé Lottie... broumpf... si je ne tords son cou à mon éloquence Mémé va succomber aux infirmités du grand âge et rejoindre sa fifille dans le bocal de formaldéhyde...

« Nous en venons à la *Ballade du Vieux Marin*, chef-d'œuvre du poète Coleridge... J'aimerais attirer votre attention sur le symbolisme du Vieux Marin *soi-même...* »

Les Étudiants : Soi-même, excusez du peu.

Le Professeur : ...et votre attention toute particulière sur ce personnage si peu appétissant.

Les Étudiants : C'est pas chic de votre part, M'sieur.

(Une centaine de jeunes délinquants... cent lames de couteaux à cran d'arrêt claquent comme des dents et pointent sur le professeur.)

Le Professeur : Voyons, pour l'amour du Ciel! (Il tente désespérément de se travestir en vieille femme avec ombrelle et bottines noires.) Si mon lumbago ne m'empêchait de me pencher correctement je leur offrirais mon baba au sucre à la mode babouine... Quand un babouin chafouin est attaqué par un babouin vaillant le bachafouin devra soit *a)* lui présenter son broumpf tutu, je crois bien que c'est le mot n'est-ce pas Messieurs, soit *b)* s'il s'agit d'un babouin d'une autre pâte, de type extroverti et bien équilibré, se lancer à l'assaut d'un babouin plus chafouin encore s'il s'en trouve un...

(Une Diseuse Décatie en guenilles à la mode de 1920, à croire qu'elle couche avec depuis ce temps béni, ondule sous le néon blafard d'une rue de Chicago. Le poids mort du Bon

Vieux Temps Passé pèse dans l'air comme un revenant. La Discuse (d'une voix de ténor qui s'envaperait au méta de réchaud) : « Cherchez le moins chafouin des babouins... » Un *saloon* de l'Ouest : un babouinverti en petite robe bleue de gamine chante d'une voix lasse sur l'air de *La Robe d'Alice* : « C'est moi qui gouine la babouine superchafouine... » Un train de marchandises sépare le Professeur des délinquants... quand il est passé ils ont tous des brioches et des situations d'avenir...)

Les Étudiants : Nous voulons Mémé Lottie!

Le Professeur : Cela se passait dans un autre pays, Messieurs... Ainsi que je le disais avant cette fâcheuse intirruption de l'une de mes multiples personnalités — sales petites bêtes — considérons le Vieux Marin qui parvient sans lasso ni curare, ni bulbocapnine ou camisole de force, à capturer et maintenir captif un public bien vivant... Il faut qu'il ait une broumpf une ficelle, hé hé hé! Il ne s'abaisse point, à l'instar de nos pseudo-poètes d'aujourd'hui, à aborder n'importe qui pour lui scier le dos et lui rebattre les oreilles à l'aveuglette... Non, il n'aborde en quelque sorte que ceux qui qui ne peuvent que que que l'écouter à cause des rapports qui existent déjà de longue date entre le Marin, quelque Vieux qu'il soit, et le euh disons l'Invité de la Noce à qui l'autre déballe sa ballade... Les propos textuels du Marin importent peu. Peut-être bien, me direz-vous Messieurs, radote-t-il ou digresse-t-il ou se montre-t-il inhabile ou fébrile ou sénile... Mais il arrive à l'Invité ce qui arrive en psychanalyse quand arrive ce qui risque d'arriver... Ainsi — si vous voulez bien me permettre, Messieurs, d'entrouvrir ici une parenthèse — un psychiatre de mes amis a imaginé de tenir lui-même le crachoir, questions et réponses et tout, les patients n'ont qu'à écouter plus ou moins patiemment... Il exhume ses souvenirs, raconte des histoires cochonnes éculées, compose un contrepoint d'insanités qui ferait rêver un spécialiste du pas de clerc. Il explique par le menu que rien n'est jamais accompli au niveau du Verbe... Sa méthode lui est apparue grâce à la constatation que Celui-qui-Écoute (le psychanalyste) ne lit aucunement les pensées du patient, mais que c'est le patient lui-même (Celui-qui-Parle) qui lit les siennes. En d'autres termes le patient a conscience — par un phénomène de perception extra-sensorielle — des rêves et des schèmes du psychanalyste alors que celui-ci ne peut pénétrer au-delà du cerveau antérieur de son patient. Nombre d'agents secrets utilisent cette méthode d'approche, mais ce sont des raseurs outrancièrement verbeux et incapables d'écouter...

« Messieurs, permettez-moi ici d'enfiler une perle : *On en apprend beaucoup plus sur son prochain en lui parlant qu'en l'écoutant.* »

Des verrats font soudain intirruption, le Professeur se détend comme un colosse et verse des perles à pleins seaux dans l'auge du bauge...

— Je suis pas digne de lui croquer les pieds! grognonne le leader des cochons.

— Laisse tomber, chef, ils sont en argile.

Grande fête chez A. J.

A. J. tourné vers ses invités : « ...l'honneur de vous présenter ce soir l'imprésario mondialement connu des courts mais bons métrages pour cinés de salon et télés à mauvaise fréquence, le seul et unique, le Grand Slashtabitch! »

Il tend la main vers un rideau de velours rouge haut de vingt mètres. Un éclair déchire l'étoffe du haut en bas et le Grand Slashtabitch apparaît en majesté. Son visage est démesuré, immobile et froid comme une urne funéraire des Gran-Chimus péruviens. Il est en habit bleu, cape bleue et monocle bleu. Grands yeux gris aux minuscules pupilles noires crachant des aiguilles (seul un Positiviste Coordamné pourrait soutenir leur regard). Quand il est en colère, il lui suffit d'un coup d'œil pour projeter son monocle à vingt pas. Maint coureur de cachet mal inspiré a senti le souffle glacial de son déplaisir : « Fiche le camp du plateau, cabotin! Tu crois que tu vas me faire avaler ces orgasmes en toc? Moi le Grand Slashtabitch! Moi qui pressens l'éjacule rien qu'en regardant l'orteil de l'artiste! Crétin!! Écervelé!!! Utilité!!!! Va te faire voir ailleurs et sache qu'il faut de la sincérité et du talent et du loyalisme pour travailler chez moi. Point de faux-semblant minable, point de soupirs en surimpression, point d'étrons de plastique ni de fioles de lait cachées dans l'oreille ni de décoctions de yohimbine dans les coulisses. » (*N. B.* — La yohimbine, dérivée de l'écorce du yohimbé d'Afrique tropicale, ou corynanthe, est un aphrodisiaque aussi efficace qu'inoffensif. Elle agit par dilatation des vaisseaux capillaires de l'épiderme, notamment dans la région génitale.) Slashtabitch éjecte son monocle qui disparaît à l'autre bout du studio et revient comme un boomerang se ficher dans son orbite. Le Grand S fait demi-tour et s'estompe dans une nuée bleutée, froide comme l'air liquide... *Fondu...*

Sur l'écran. Un rouquin aux yeux verts, à la peau blanche piquetée de taches de son... Il embrasse une petite brune en pantalons. Coiffure et vêtements évoquent les bars existentialistes de toutes les capitales du monde. Ils sont assis sur un lit bas recouvert de soie blanche. La fille déboutonne la braguette du rouquin avec des doigts câlins et en extirpe son sexe menu mais dur comme du bois, couronné d'une perle de lubrifiant qui scintille. Elle le caresse tendrement. « Déshabille-toi, Johnny. » Il obéit prestement et se poste devant elle, pointant au ciel. Elle lui fait signe de se retourner et il pirouette de-ci de-là, main sur la hanche à la façon d'un mannequin... Elle ôte son chemisier. Ses seins sont petits et plantés haut, le bout durci et palpitant. Elle fait glisser son slip. Sa toison est d'un noir brillant. Il s'assied à côté d'elle et tend la main vers ses seins, mais elle retient son poignet.

— Je veux te plumer, mon chéri, souffle-t-elle.

— Non, pas maintenant.

— Je t'en prie, j'en ai si envie... Viens...

Elle l'entraîne dans la chambre. Il s'allonge jambes en l'air, les bras croisés autour des tibias. Elle, à genoux, lui caresse la face interne des cuisses, suit du doigt le tracé périnéal, puis se penche, lui écarte les joues et darde la langue, de plus en plus profond, avec un lent mouvement circulaire de la tête, et de nouveau le périnée, ses petites bourses tendues... Il ferme les yeux, se tortille. Elle referme la bouche sur la goutte qui perle à son gland circoncis, va et vient en cadence, pausant un instant en haut de course, la

101

tête remuant toujours en cercles lents. De la main elle joue doucement avec ses bourses, puis glisse plus bas et le sodomise du majeur, lui taquinant la prostate. Il sourit, pète moqueusement. Elle le tient englouti presque jusqu'à la garde, suce avec une frénésie croissante. Le corps de Johnny se contracte vers son menton, les contractions sont de plus en plus longues. « Aïiiiiiiiiie! » crie-t-il, les muscles bandés, et son corps tout entier tente de s'échapper par la queue. Mary avale les grandes giclées brûlantes qui lui emplissent la bouche. Il laisse retomber ses jambes sur le lit, creuse les reins et bâille...

Mary se harnache avec un godemiché : « Danny Bras-de-Fer le champion de Yokohama », dit-elle en flattant le caoutchouc. (Un jet de lait pisse à travers la chambre.)

— Tu es sûre que ce lait est pasteurisé? Va surtout pas me filer une maladie de vache, comme le charbon ou la morve ou la fièvre aphteuse...

Il contemple le plafond, mains jointes sous la nuque, le dard au vent. « Je me demande si on peut rigoler et s'envoyer en l'air en même temps? Je me souviens... c'était pendant la guerre, au Jockey-Club du Caire, moi et mon copain de tranchette, Lou qu'il s'appelait, deux vrais gentlemen nommés par Acte spécial du Congrès... fallait rien moins que ça pour que ce scandale arrive : on se met à rigoler si fort qu'on se compisse de la tête aux orteils et le barman rouspète : « Foutez le camp d'ici, sales pisse-kif! » Eh bien, si j'arrive à pisser de rire je devrais être capable de jouir *idem*. Dis-moi une blague, quelque chose de franchement rigolo au moment où ça vient — tu devineras quand à certains frétillements prémonitoires de la glande prostatique... »

Elle met un disque, be-bop grinçant à la cocaïne. Elle lubrifie le gode, lève au ciel les jambes de Johnny et le plante en tirebouchonnant des hanches. Elle pivote lentement sur l'axe de la godille, frotte ses seins durcis contre la poitrine du garçon, lui embrasse le cou et le menton et les yeux. Il lui caresse le dos, laisse courir ses mains jusqu'aux fesses, presse Mary contre lui. Elle s'agite plus vite, plus vite encore. Il se crispe et se tord en spasmes convulsifs. « S'il te plaît, dit-elle, dépêche-toi, le lait refroidit. » Il ne l'entend pas. Elle écrase sa bouche contre celle de Johnny, leurs deux visages chevauchent ensemble. Le sperme gicle sur les seins de Mary, chaud comme des petits coups de langue.

... Mark apparaît sur le seuil de la porte. Chandail noir à col roulé. Visage fin, froid, narcissique, cheveux noirs et yeux verts. Il regarde Johnny avec un sourire railleur, la tête légèrement penchée, les mains dans les poches de son blouson. Le ballet du truand. Il hoche brusquement la tête et Johnny le précède dans la chambre voisine, Mary sur leurs talons. « Assez bavardé, dit-elle, allez-y. » Elle s'assied nue sur une estrade tapissée de soie rose qui domine le lit.

Mark se déshabille avec des mouvements fluides, de gracieux roulements de hanches, il se contorsionne pour ôter son chandail, dévoilant son torse blanc en une parodie de danse du ventre. Johnny impassible, les traits figés, le souffle court, les lèvres sèches. Mark fait glisser son caleçon sur sa cheville gauche, puis il lance la jambe comme une girl de cabaret et expédie le chiffon à travers la pièce. A présent il est nu, la verge battant l'air. Il coule un long regard sur le corps de Johnny, sourit et se pourlèche les lèvres. Il se laisse tomber sur un genou, attire Johnny contre lui et le plaque sur son dos d'un seul bras, se relève et le projette sur le lit. Johnny décrit une trajectoire de deux mètres, atterrit sur le dos et rebondit. Mark saute sur lui, l'attrape par les chevilles et lui lève les jambes au menton. « Au travail, Johnny! » souffle-t-il, les dents serrées sur un demi-sourire menaçant. Il bande son corps, calmement, sans à-coups, une machine bien huilée, et s'enfouit entre les fesses de Johnny qui soupire et se convulse d'extase. Mark noue les mains sous ses épaules et le presse contre lui, l'empalant jusqu'au diaphragme. L'air siffle bruyamment entre ses dents. Johnny

103

piaille comme un oiseau. Mark se frotte à lui, joue contre joue, rictus effacé, son visage soudain innocent, presque enfantin, et il se liquéfie, s'écoule tout entier aux tréfonds frémissants de Johnny.

Un train gronde à travers son corps... sifflet de la locomotive auquel répondent une sirène de navire et une corne de brume, le crépitement de fusées éclairantes au-dessus de marais pétrolifères... une salve d'honneur qui tonne dans le port... un long hurlement éraillant la blancheur d'un couloir d'hôpital... le sifflement s'amplifie tout au long d'une grande rue poussiéreuse bordée de palmiers, traverse le désert comme une balle de fusil (froissement végétal des ailes de vautours dans l'air torride), souffle sifflant des milliers d'adolescents qui jouissent à la fois dans leurs antres secrets — cabane de jardin, morne pissoir d'école communale, grenier ou cave, cachette de branches, Grande Roue de manège, villa abandonnée, grotte de dolomite, barque et hangar et garage, derrière le mur de torchis d'un terrain vague cinglé par le vent (relents d'excréments desséchés)... poussière fuligineuse sur de jeunes corps sveltes et cuivrés... culottes en guenilles tombant sur des pieds nus écorchés (non loin les charognards se disputent des têtes de poissons)... aux bords de mares tropicales où des poissons happent férocement les traînées de sperme blanc flottant sur l'eau noire, les mouches des sables piquent les chairs bronzées, les singes hurleurs filent comme le vent entre les feuilles (toujours cet univers de grands fleuves boueux charriant des arbres entiers aux branches chargées de serpents d'eau bariolés et de lémuriens pensifs qui contemplent tristement la rive)... un petit avion rouge trace des arabesques dans la substance trop bleue du ciel, un serpent à sonnettes frappe sa proie, un cobra se cabre, se détend, crache son venin blanc, perles d'opale et de nacre qui retombent en pluie silencieuse dans l'air calme et transparent, comme glycériné. Le temps tressaute — machine à écrire disloquée — les gamins sont changés en vieillards, leurs jeunes hanches qui palpitaient hier au rythme de spasmes à peine nubiles s'affaissent et se distendent, retombent flasques sur la tinette du jardin, sur un banc de square, sur une murette de pierre dans l'éclat du soleil espagnol, sur un lit défoncé de garni (dehors, un mur de taudis, briques rouges dans le pâle soleil d'hiver), ils frissonnent de froid et de souffrance dans leurs sous-vêtements crasseux, fouillent leurs veines dans l'aube malade de la drogue, bavent et gémissent au fond d'un café maure. Les Arabes murmurent « Madjoub! » et s'esquivent dans l'ombre (le Madjoub est une sorte de fanatique de l'Islam, un peu simple d'esprit et souvent, entre autres, épileptique). « Le Musulman a besoin de sang et de foutre... Voyez... voyez le sang du Christ ruisseler dans le spirmament! » hurle le Madjoub. Il se redresse avec un cri d'épouvante (une érection ultime crachant un jet de sang noir et coagulé), s'immobilise enfin — statue blême, reposant après un long voyage, après avoir franchi la Grande Barrière, aussi candide qu'un gamin escaladant une clôture pour aller pêcher dans la mare interdite... Quelques secondes à peine et il attrape un poisson-chat, le Vieux surgit de sa masure noire, jurant et brandissant une fourche, et le gamin détale en riant à travers le champ du Missouri, il ramasse au passage une jolie pointe de flèche rose, se baissant en pleine course, souplesse fluide de ses muscles, de ses jeunes os — ces os qui se mêleront à la terre du champ, futur cadavre gisant au pied de la palissade une carabine à son côté, son sang coulant goutte à goutte sur l'argile gelée, peignant de carmin le chaume de l'hiver de Géorgie. Le poisson-chat ondule habilement à sa suite. Le garçon arrive devant la clôture, saisit le poisson-chat et le jette par-dessus, dans l'herbe striée de sang, saute à son tour, ramasse le petit corps agité de soubresauts et disparaît sur le chemin d'argile rouge piquetée de silex, entre une double muraille de chênes et de plaqueminiers aux feuilles rouge-brun voletant au vent de ce crépuscule d'automne, vertes et brillantes de rosée à l'aube de l'été, se découpant noires et précises sous le ciel

105

d'hiver. Le Vieux le pourchasse en vociférant des jurons son dentier s'échappe de sa bouche, siffle au-dessus de la tête du gamin. Le Vieux court plié en avant, les tendons de son cou bandés comme des torons d'acier. Une grande giclée de sang noir au passage de la clôture et il retombe dans l'herbe, momie décharnée, des ronces poussent entre ses côtes, les fenêtres de sa cahute volent en éclats (barbes de verre poussiéreux fichées dans le mastic noirci), les rats sillonnent le plancher et, les après-midi d'été, les voyous viennent se masturber dans cette pénombre suffocante, cueillent les baies qui fleurissent sur les os de son cadavre et se barbouillent de jus violacé...

Le vieux camé a trouvé la veine... le sang s'épanouit dans le compte-gouttes comme une fleur chinoise... l'héroïne court en lui et soudain l'enfant qui jouissait au creux de sa main il y a un demi-siècle resplendit, immaculé, à travers la chair délabrée, embaumant la cabane d'un parfum sucré de noisettes, l'odeur des adolescents en rut...

Combien, combien d'années ainsi enfilées sur cette aiguillée de sang? Il est assis, les mains éployées sans force sur ses genoux, contemplant le matin d'hiver avec les yeux abolis de la drogue... Un pédé chenu vibre confusément sur un banc de pierre du parc de Chapultepec, de jeunes Indiens passent devant lui en se tenant par la taille et le cou, et il raidit sa chair agonisante, violant du regard ces jeunes cuisses, ces bourses gonflées, ces verges cascadantes...

... Mark et Johnny, de nouveau, assis face à face dans un fauteuil à vibreur, Johnny planté sur la queue de Mark.

— Prêt, Johnny?

— Mets la sauce.

Mark pousse la manette et le fauteuil commence à trépider... Mark lève la tête pour regarder Johnny, le visage calme, distant, scrutant l'autre d'un œil ironique... Johnny gémit, hurle, ses traits se dissolvent peu à peu, comme liquéfiés de l'intérieur...

Une grande salle, un gymnase, le sol tapissé de caoutchouc mousse recouvert de soie blanche, un mur entièrement vitré... Le soleil levant peint la salle d'une lueur rosée. Johnny apparaît, les mains liées, entre Mark et Mary. Il aperçoit le gibet et s'écroule avec un grand cri, le menton pointant sur le ventre, les jambes repliées sous lui, et il éjacule, flèche blanche filant à la verticale devant son visage. Mark et Mary paraissent soudain excités, impatients... Ils poussent Johnny sur l'estrade jonchée de vieux maillots et de suspensoirs tachés de moisissure. Mark ajuste le nœud coulant.

— Bonne route, dit-il, s'arc-boutant pour précipiter Johnny dans le vide.

— Non, laisse-moi faire, dit Mary.

Elle noue ses doigts sous les fesses de Johnny, appuie le front contre le sien, le sourire aux yeux, recule d'un pas et l'entraîne avec elle... Ils s'envolent de l'estrade. Le visage de Johnny se gonfle de sang... Mark tend vivement le bras et lui brise la nuque, bruit de branche morte rompue entre des serviettes mouillées. Un long soubresaut parcourt le corps de Johnny, un de ses pieds palpite comme un oiseau pris au lacet... Mark, vautré sur une balançoire, singe ses saccades affolées, les yeux fermés et la langue pendante... Le pénis de Johnny se détend comme un ressort, et Mary le guide des doigts jusqu'au fond de son ventre, elle se love contre lui avec des gestes liquides de danseuse berbère, geignant et hurlant son plaisir, le corps dégoulinant de sueur, le front encollé de mèches moites. « Coupe la corde, Mark! » crie-t-elle. Mark se penche en avant et tranche la corde avec un couteau à cran d'arrêt. Il attrape Johnny au vol, l'allonge tendrement sur le dos, Mary toujours agrippée à lui et frétillant à bout de harpon. De ses dents, elle déchiquette les lèvres et le nez de Johnny, aspire ses yeux avec un bruit de succion, arrache les joues par lambeaux... Puis elle s'attaque à la pine, déjeune... Mark s'approche et elle lève la tête du sexe à demi dévoré, son visage couvert de sang, les yeux phosphorescents. Mark pose le pied sur son épaule et la retourne brutalement sur le dos, se jette sur elle et l'enfourne avec une violence insane... ils roulent d'un bout à l'autre de la salle, décrivent des soleils, bondissent comme d'énormes poissons embrochés.

— Laisse-moi te pendre, Mark... Laisse-moi te pendre... Mark, je t'en prie, laisse-moi te pendre...

— Bien sûr, ma jolie.

Il la remet debout d'un geste brusque et lui croise les mains derrière le dos.

— Non, Mark! Non! Non! crie-t-elle, giclant de terreur tandis qu'il l'entraîne sur l'estrade.

Il la ligote et la couche sur un lit de préservatifs usagés, s'éloigne pour préparer la corde. Il revient, portant la boucle sur un plateau d'argent. Il relève Mary, lui passe le nœud coulant autour du cou, serre légèrement, puis il lui enfonce sa queue à plein ventre. Il presse Mary contre lui, esquisse avec elle un pas de valse et se lance dans le vide. Leurs deux corps dessinent un grand arc de cercle dans l'espace. « Aïiiiïe! » crie-t-il et soudain il se métamorphose en Johnny. On entend le claquement sec du cou de Mary qui se brise, une grande vague souple fait tanguer son corps. Johnny se laisse choir à terre en souplesse, les muscles bandés, comme un jeune animal à l'affût.

Il saisit une grande jarre de jade Chimu à la forme obscène et arrose d'essence le corps de Mary... il s'asperge à son tour, prend Mary dans ses bras et roule avec elle sous une loupe gigantesque encastrée dans la verrière de la salle... une flamme jaillit... un cri strident fait éclater le mur de verre, les deux corps empalés roulent dans l'espace, jouissant et hurlant toujours, puis se désintègrent en flammes et en sang et en traînées de suie sur les rochers d'un désert écrasé de soleil...

...Dans la grande salle de gymnastique, Johnny fait des bonds de requin à l'agonie. Avec un cri strident qui fait éclater le mur de verre, il se dresse les bras en croix devant le soleil levant, éjaculant des torrents de sang... Dieu de marbre blanc, il sombre dans le vide, éclaboussant l'air d'explosions épileptiques, redevient le vieux Madjoub qui se convulse dans les ordures au pied d'un mur de torchis, sous un soleil brûlant qui taraude son corps et hérisse sa peau de chair de poule... il est redevenu un enfant assoupi contre le mur de la mosquée, polluant de ses rêves lubriques des milliers de vulves roses et lisses comme des conques marines, éprouvant l'exquis chatouillement de poils drus courant le long de son sexe raidi dans le sommeil...

John et Mary dans une chambre d'hôtel (bribes de *Bye Bye Saint-Louis la itou*). Devant la fenêtre ouverte les rideaux d'un rose délavé flottent à la brise printanière... Coassements de grenouilles en bordure des terrains vagues où poussent des épis de maïs sauvage, où des bambins attrapent des couleuvres sous les ruines de stèles tavelées d'excréments et cernées de barbelés brunis de rouille...

(*Néon* clignotant — éclairs orange, violets, vert chlorophylle...)

Johnny extirpe avec un forceps un candirou du con de Mary et le jette dans un flacon de mescal où il se transforme en ver d'Agave... il prépare un lavement d'émollient tropical et canule Mary... elle ouvre les cuisses, expulse son dentier vaginal dans un flot de sang et de kystes... sa toison luit doucement, fraîche et tendre comme un gazon de printemps... Johnny lui lèche le sexe à petits coups... bientôt plus vite... il écarte les lèvres avec une excitation grandissante, sentant le picotement des poils sur sa langue turgide... les bras rejetés en arrière, les seins pointés, Mary gît à la renverse, percée de clous de néon... Johnny remonte le long de son corps, darde son pénis perlant d'une guttule de lubrifiant opalin devant

109

la faille entrebâillée, franchit le rideau de poils et s'enfonce jusqu'à bout de course, aspiré par la succion des muqueuses affamées... son visage se congestionne, des lueurs émeraude brûlent derrière ses yeux, il dévale d'un trait la rampe du scenic railway, s'abîme dans un essaim de jeunes filles terrorisées... une dernière explosion lacère leurs corps... la masure s'effondre... l'homme s'est changé en statue de calcaire coquillier, une longue fleur germant au bout de son sexe, les lèvres ouvertes sur un demi-sourire de camé stupéfié...

La Mouche a planqué son héroïne dans un billet de loterie. Seringuette ultime — demain la cure.

La route est longue. Érections et dépressions se succèdent sans discontinuer.

De longues heures à travers la caillasse du reg pour atteindre la palmeraie (les petits Arabes font caca dans le puits, dansent le rock ' n ' roll sur les plages pour athlètes du dimanche, se gavent de hot dogs et recrachent des dents en or à pleines pépites).

Édentés, rongés par la longue faim, les côtes en planche à laver leurs propres haillons, ils débarquent en titubant de la barge à balancier, arpentent la plage de l'île de Pâques, les jambes raides et cassantes comme des échasses... Ils dodelinent du chef à la fenêtre du club, empâtés par la fausse graisse des corps privés-sevrés qui n'ont plus de jeunesse à vendre...

Le planeur glisse dans l'air, silencieux comme une érection, comme une vitre enduite de graisse qui se brise sous les doigts fripés d'un jeune voleur aux yeux dissous par la came... explosion ultrasonique du verre... il se faufile dans la maison violée, évitant les éclats de carreaux graisseux... tic-tac sonore d'une pendule dans la cuisine... soudain, un souffle brûlant ébouriffe ses cheveux et une charge de chevrotine lui fait jaillir la cervelle... le Vieux éjecte la douille vermillon, fait une pirouette en brandissant son fusil de chasse...

— Merde, les gars, c'était facile comme tout... pareil que de pêcher un poisson rouge dans un aquarium... Quand même! Un môme bien sapé, compte en banque et tout... Là-dessus un pruneau bien graissé et flac! salut ma tête, il s'affale le cul ouvert... Hé le môme, tu m'entends bien là où tu es?

« Faut dire que j'ai été jeune moi aussi, j'ai entendu l'appel des sirènes... le fric facile et les femmes et les petits gitons au cul serré, et nom de Dieu m'échauffez pas le sang ou je vous en raconte une si raide qu'elle va vous mettre le paf au garde-à-vous et vous partirez à japper après la coquillette rose du con tout neuf ou la jolie chansonnette gicleuse d'un petit cul brun d'écolier qui vous joue sur la bite comme sur un pipeau... Désolé, môme, je voulais pas te tuer... On peut pas être et avoir été... si je veux garder mon public, faut que ça pète et tant pis si ça craque... tout comme un vieux lion qu'aurait les dents cariées, il lui faut la vraie bonne pâte machin qui vous fait mordre la vie à belles dents... ces vieux bâtards deviennent tous des mangeurs d'hommes et de garçonnets... et c'est pas étonnant vu que les morgues sont pleines à craquer de jolis gitons crevés... Allons môme, me fais pas le coup de la rigor mortis je connais pas le latin. Un peu de respect devant les rides de ma queue... le jour viendra où tu seras tout décati de la braguette toi aussi... hum, peut-être pas après tout... Bah, il y a des mômes qu'on peut pas tuer... on les a pendus si souvent qu'ils résistent comme un gonocoque à moitié châtré par la pénicilline et qui retrouve assez de santé pour se multiplier en style géométrique... C'est pourquoi je propose de voter l'acquittement légal et de mettre fin à ces exhibitions dégoûtantes pour lesquelles le shérif perçoit sa livre de chair... »

Le môme tape du pied sur la trappe, nœud coulant au cou : « Bon sang, qu'est-ce qu'il faut pas supporter dans ce métier! Y a toujours un vieux cochon vicieux pour faire des discours. »

La trappe s'ouvre, la corde hante comme un fil télégraphique dans le vent, le cou se brise avec un fracas clair et sonore de gong chinois.

Le pendu coupe la corde avec son couteau de poche et galope à travers la foire à la poursuite d'un pédé piauleur. Le pédé plonge à travers le carreau d'une visionneuse à films pornos et fait une pipe à un vieux nègre qui se la fend...

Fondu...

(Mary, Johnny et Mark viennent saluer. Ils ont tous trois la corde au cou. Ils n'ont pas l'air aussi jeune que dans le film, ils paraissent épuisés et à bout de nerfs.)

Le Congrès International
de Psychiatrie Technologique

Le Professeur Schafer, dit Doigts de Fée ou le Mozart de la Lobotomie, se lève et décoche sur les congressistes les foudres de son regard bleu de glace :

— Messieurs, on peut réduire tout le système nerveux de l'homme à une sorte de compendium de colonne vertébrale. Le cerveau — antérieur, moyen et postérieur — doit subir le même sort que l'appendice, les végétations adénoïdes et les dents de sagesse... Je vous renvoie à mon œuvre majeure : *Le Manuel du Super-Américain Désangoissé...*

Fanfare... Le Suryankee fait son entrée, nu, porté par deux Esclaves Noirs qui le jettent sur l'estrade avec des grimaces sauvages... Le Surhomme se trémousse... Sa chair se change en une gelée visqueuse et translucide qui se volatilise en fumée verdâtre, dévoilant un monstrueux mille-pattes noir. Des ondes pestilentielles emplissent la salle, rongent les poumons des congressistes, leur vrillent l'estomac... Schafer se tord les mains en sanglotant :

— Clarence! Clarence!! Comment peux-tu me faire ça?? Ingrat!! Tous des ingrats!!

Les congressistes reculent avec des murmures chagrins : « Je crains que Doigts de Fée ne dépasse les bornes... » « Je l'avais pourtant mis en garde... » « Ce Schafer est un brillant chercheur mais... » « Il ne pense qu'à soigner sa publicité... »

113

— Messieurs, dit un orateur, ce rejeton innommable et illégitime — dans toutes les acceptions du terme — du cerveau perverti du Professeur Schafer ne doit pas voir le jour... Notre devoir envers l'humanité n'est que trop clair...

— Gouand chef blanc a montoué la vouaie lumiè'e! crie l'un des Esclaves Noirs.

— Il faut supprimer ce bâtard antiaméricain, dit un médecin Sudiste à la trogne de crapaud obèse. (Il boit de l'alcool de maïs à même un bocal à confiture depuis le début de la séance... Il avance d'un pas titubant et se fige soudain sur place, épouvanté par le centipède.) Apportez de l'essence! Il faut brûler cet enfant de putain comme un sale nègre!

— Je ne veux pas être mêlé à cette histoire, dit un jeune toubib à la coule et complètement envapé. Suffit que l'enquête soit menée par un procureur un peu futé et...

Fondu. « Messieurs, la Cour! »

Le Procureur : Messieurs les Jurés, des « savants éminents » prétendent que cette innocente créature née de la femme, cet être humain qu'ils ont assassiné de façon si odieuse, s'est métamorphosé en un mille-pattes gigantesque... Ils prétendent que leur « devoir envers l'humanité souffrante » leur commande de « détruire » ce « monstre » avant qu'il puisse se « perpétrer » par « quelque moyen que ce soit »... Messieurs, Messieurs! plaise à la Cour qu'on ne tente pas de nous faire avaler ces conneries! Plaise, plaise à la Cour que ces tissus de mensonges grossiers ne torchent point le cul rationnel de la Logique... Et où est-il donc, ce fabuleux mille-pattes? « Nous l'avons détruit! » proclament-ils béatement... Permettez-moi de vous rappeler, Messieurs les Jurés, que ce Grand Fauve (il désigne le Professeur Schafer) a déjà été traduit à plusieurs reprises devant ce Tribunal pour y répondre du crime indicible de viol cérébral. C'est-à-dire, en langage populaire (il martèle du poing la balustrade du box des jurés), en langage vulgaire, Messieurs : du crime de *lobectomie cervicale sous contrainte*...

Les jurés hoquettent de stupeur... l'un d'eux succombe à une crise cardiaque... trois autres se convulsent sur le plancher, en proie à des orgasmes de volupté bestiale...

Le Procureur (avec un geste théâtral) : C'est lui, Messieurs, c'est lui, lui et nul autre que lui qui a réduit des provinces entières de notre beau pays à un état d'insanité sans bornes... Lui qui a rempli d'immenses entrepôts, rangée par rangée, couche sur couche, d'êtres sans défense et incapables de satisfaire seuls le plus petit besoin... Et savez-vous comment il les a baptisés, avec son ricanement cynique d'intellectuel dépravé? Les « Parasites », Messieurs! Plaise au Tribunal que le meurtre de Clarence Cowie ne reste pas impuni : tel un giton violé criant vengeance, ce crime infâme exige que justice soit faite!

Le centipède claque des pattes avec une bruyante nervosité.

— Pauv' con couève de faim! crie l'un des Esclaves Noirs.

— Je préfère m'en aller, murmure un congressiste.

Une vague d'horreur électrise la salle du Congrès... Tous les délégués se ruent vers la sortie en jouant de la gueule et du coude...

Le marché

Panorama de la cité d'Interzone. Premières mesures de *Bye Bye Saint-Louis la iti...* bribes tantôt nettes, tantôt floues, intermittentes, comme un orphéon à un carrefour balayé par le vent...

La pièce semble agitée de secousses et de vibrations. Le sang et la chair de races innombrables — Nègres, Polynésiens, Mongols des Hauts-Plateaux, Nomades du Désert, Polyglottes Levantins, Indiens, et d'autres races qui ne sont pas encore nées, pas même conçues, des combinaisons que l'on n'imagine pas encore — traversent ton corps. Migrations, voyages fantastiques à travers le désert et la jungle et la montagne (stase et mort lente au fond de vallées fermées où le fumier génital donne naissance à des plantes couvant d'étranges crustacés qui briseront leur enveloppe humaine comme une coquille), à travers le Pacifique dans des praos accostant à l'île de Pâques... Cité composite où tous les humains en puissance sont disséminés dans le silence d'un marché qui s'étend à perte de vue.

Minarets, palmiers, montagnes, jungle... Un fleuve nonchalant grouillant de poissons féroces, de grands parcs noyés de ronces (des enfants couchés sur l'herbe s'amusent à des jeux énigmatiques). Nul dans la Cité ne peut verrouiller sa porte et quiconque le veut peut entrer n'importe où n'importe quand. La police est dirigée par un Chinois qui se cure les dents en écoutant patiemment les dénonciations que des aliénés viennent sans cesse susurrer à son oreille; de temps à autre, il ôte le cure-dent de sa bouche et en étùdie la pointe émoussée. Des mouchards, le visage lisse, hâlé et impassible, musardent aux portes cochères, jouant avec des têtes miniaturisées pendues à leurs chaînes de gilet, contemplant le vide avec une sérénité d'insecte aveugle. Derrière eux, on voit à travers les portes ouvertes des comptoirs d'acajou et des guéridons nappés, des cuisines et des salles de bains, des couples qui forniquent côte à côte sur des rangées de lits de cuivre, des milliers de hamacs enchevêtrés, des camés qui se garrottent le bras, des fumeurs d'opium ou de hachisch, des gens qui se lavent et mangent et bavardent dans un nuage de fumée et de vapeur.

On voit aussi des tables de jeux où l'on mise des sommes inouïes. De temps à autre, on entend le cri de désespoir d'un joueur malheureux qui doit payer sa dette en offrant sa jeunesse à un requin septuagénaire ou en devenant le Latah de son adversaire. Ailleurs, on mise infiniment plus que quelques années de jeunesse ou un esclavage de Latah, et des parties s'engagent dont seuls deux joueurs au monde connaissent l'enjeu.

Toutes les maisons de la Cité sont accolées l'une à l'autre. Cahutes de boue séchée (des montagnards mongols accroupis sur le seuil plissent les yeux dans la fumée), cabanes de bambou ou de teck, maisonnettes de torchis, de pierre ou de briques, huttes maoris et polynésiennes, abris de branchages à la fourche des arbres, roufs des bateaux à roues amarrés au bord du fleuve, grands baraquements abritant des tribus entières, galetas de planches et de tôle ondulée dans lesquels des vieillards dépenaillés préparent leur bouillon de méta, gigantesques plates-formes de poutrelles rouillées, dressées cinquante mètres au-dessus des marécages et des fosses à ordures, portant des cages accrochées à différents niveaux et des hamacs oscillant dans le vide.

Des expéditions partent vers des destinations inconnues

avec des objectifs inconnus. Des étrangers débarquent de radeaux de fortune faits de vieilles caisses liées avec des cordages pourris, d'autres surgissent en titubant de la jungle, les yeux disparaissant sous leurs chairs boursouflées de piqûres de moustiques, d'autres encore descendent des sentiers de montagne, leurs pieds ensanglantés invisibles dans la poussière des faubourgs de la Cité (miséreux qui défèquent en rang d'oignons au pied des murs de torchis, vautours qui se disputent des têtes de poissons). Ceux-là tombent du ciel, suspendus à des parachutes rapiécés, atterrissent dans un jardin public... un flic en ribote les emmène dans un chalet d'aisance pour les faire enregistrer... les questionnaires dûment remplis sont piqués à des clous en guise de papier hygiénique.

Les graillons de toutes les cuisines du globe flottent sur la Cité, mêlés à des nuages d'opium et de hachisch, à la fumée résineuse et rougeâtre du yage, aux remugles de la jungle, du goémon marin, des fleuves croupis, d'excréments desséchés et de sueur et d'entrecuisses.

Flûtes montagnardes, jazz et be-bop, monocordes mongols, xylophones gitans, tam-tams africains, cornemuses arabes...

Des épidémies de meurtres ravagent la Cité et les cadavres à l'abandon dans les rues sont déchiquetés par les charognards...

Des albinos clignotent des yeux dans le soleil. Des vauriens perchés sur des branches d'arbres se masturbent paresseusement. Des malades rongés par des plaies mystérieuses observent les passants d'un regard lucide et démoniaque.

Le Café des Omophages est situé sur la place du Marché. Là, on le sait, se retrouvent les amateurs de Viande Noire, les fonctionnaires de disciplines anachroniques et inintelligibles qui griffonnent des grimoires étrusques, les adeptes de stupéfiants encore à l'état de projet, les fourgueurs de drogues insolites (harmaline trafiquée, produits synthétiques réduits à un principe d'intoxication purement cérébral n'offrant qu'une éphémère extase végétale, décoctions destinées à conditionner les victimes promises au Latah, sérums de longévité portant la griffe de Tithon...), et les trafiquants de marché noir de la Troisième Guerre Mondiale, les exciseurs d'émotions télépathiques, les ostéopathes de l'esprit, les flics acharnés à suivre des fausses pistes sur les indications fielleuses de joueurs d'échecs paranoïdes, les fonctionnaires de services fantomatiques, les suivantes d'une lesbienne lilliputienne qui a réussi l'Opération Bang-Utot en suscitant une érection des poumons capable d'étrangler un ennemi assoupi, les vendeurs de machines à relaxer et d'orgone en bouteille (c'est l'unité de vie sous forme de décharge électrique, base de la thérapeutique « par accumulation » de Wilhelm Reich), les briseurs des rêves et nostalgies exquises des cellules sensibilisées par le mal de came, que l'on remplace par le matériau brut de la volonté de puissance, les médecins spécialistes de maux spécieux : épidémies couvant sous la poussière de cités en ruine, nourrissant leur virulence du sang blême des vers aveugles qui percent peu à peu l'écorce du sol et la peau de leurs hôtes humains; maladies de la stratosphère et des bas-fonds de l'Océan; maladies cultivées en laboratoire; maladies de la guerre atomique... Là se retrouvent aussi dans un silence bruissant le passé inconnu et le futur qui affleure déjà... entités larvaires guettant l'apparition de la Vie...

(*N. B. 1. — Bang-Utot* signifie littéralement « geindre en essayant de se lever »... Ce mal frappe les indigènes mâles du Sud-Est Asiatique et la mort survient au cours d'un cauchemar... On enregistre chaque année à Manille une douzaine de morts attribuables au Bang-Utot... Un miraculé du mal raconta qu'« un petit homme » assis sur son torse avait tenté de l'étrangler... Les victimes pressentent souvent leur fin prochaine. Les malades expriment la crainte de voir leur pénis pénétrer à l'intérieur du corps comme un poignard, et on les voit l'empoigner avec frénésie en appelant les voisins à la rescousse pour l'empêcher de se retourner et de leur crever le bas-ventre. On considère comme extrêmement dangereuses les érections qui surviennent pendant le sommeil car elles risquent de déclencher à l'improviste une crise fatale... Un indigène avait fabriqué une sorte de carcan destiné à prévenir la moindre tendance érectile durant son sommeil, mais son ingéniosité a été déjouée et il est mort du Bang-Utot à peu de là... L'autopsie des victimes du Bang-Utot n'a révélé aucune défaillance organique. On a cependant observé dans nombre de cas des traces de strangulation dont l'origine est inexplicable, et parfois de brèves hémorragies des poumons et du pancréas, inexplicables elles aussi et, en tout état de cause, trop insignifiantes pour entraîner la mort... Il est apparu à l'auteur que la mort pourrait être due à un transfert de l'énergie sexuelle des parties génitales jusqu'aux poumons, dont l'érection jumelée provoquerait la mort par asphyxie... Voir à ce sujet l'article du docteur Nils Larsen, *The Men with the Deadly Dream*, dans *The Saturday Evening Post* du 3 décembre 1955, et un essai du romancier Erle Stanley Gardner publié dans *True Magazine*.)

(*N. B. 2.* — Le passage décrivant la Cité et le Rendez-Vous des Omophages a été rédigé sous l'empire du yage... Yage, Ayuahasca, Pildé, Natima, c'est ainsi que les Indiens d'Amérique du Sud désignent la banistérie *(Banisteria caapi)*, une liane à croissance très rapide de l'Amazonie... On lira avec profit sur ce sujet cet extrait d'un article publié par l'auteur dans le *British Journal of Addiction* de janvier 1957 :

« ...Le principe actif se situe apparemment dans le bois et l'écorce de cette liane fraîchement coupée, et notamment dans l'écorce interne. Les feuilles ne sont pas utilisées. Il faut préparer une grande quantité de banistérie pour pouvoir éprouver le plein effet de la drogue, environ cinq longueurs de vingt centimètres chacune par personne. La liane est coupée, broyée et portée à ébullition pendant deux heures ou plus avec les feuilles d'une plante indigène connue sous le nom technique de *Palicourea sp. rubiaceœ* et que les Indiens de l'Amazonie péruvienne appellent Cawé.

« Le yage est un narcotique hallucigène qui provoque un grave bouleversement des facultés sensorielles. Absorbé à trop forte dose, c'est un poison à effet convulsivant dont l'antidote est un barbiturique ou tout autre sédatif puissant. Quand on absorbe du yage pour la première fois, il est prudent d'avoir un anticonvulsif à portée de main...

« Les sorciers indigènes tirent parti des propriétés hallucinatoires du yage pour renforcer leurs pouvoirs. Ils l'emploient également comme panacée contre les maladies les plus diverses. De fait, le yage abaisse la température du corps et présente donc quelque utilité dans les cas de fièvres malignes; c'est aussi un helminthicide puissant, dont l'usage est indiqué pour le traitement des maladies parasitaires de l'estomac et de l'intestin. Le yage crée un état d'anesthésie consciente et joue ainsi un rôle important dans les cérémonies rituelles au cours desquelles les initiés doivent subir des épreuves pénibles, telles que la flagellation avec des faisceaux de lianes ou l'exposition aux piqûres de fourmis...

« Pour autant que je sache, le yage n'est actif que lorsqu'il est frais coupé. Je n'ai pu trouver le moyen de sécher, extraire ou conserver l'élément actif de cette liane. Les teintures sont inefficaces et la plante perd toute virulence une fois séchée. Des études en laboratoire permettraient de définir ses principes pharmacologiques. Étant donné la puissance hallucinatoire de l'extrait brut, on pourrait sans doute obtenir des résultats beaucoup plus impressionnants avec des dérivés synthétiques. Ce sujet mérite à coup sûr d'être approfondi... » (Depuis la publication de cet article, j'ai appris que les alcaloïdes de la banistérie sont très voisins de l'acide lysergique, ou Lsd 6, que l'on utilise pour créer des psychoses expérimentales; leur formule serait équivalente à Lsd 25.)

« Selon mes observations, le yage n'exerce aucun effet nocif lorsqu'il est pris en quantité raisonnable. Les sorciers, que leur « art » conduit à en faire usage continuellement, paraissent jouir d'une santé normale. La tolérance s'acquiert rapidement, supprimant nausées et malaises au moment de l'absorption.

« L'intoxication par le yage rappelle par plusieurs points les effets du hachisch. L'un et l'autre déterminent une altération de l'optique mentale et une extension de la conscience au-delà de ses limites ordinaires. Cependant, le yage entraîne un bouleversement beaucoup plus grave des sens, doublé d'hallucinations caractérisées (notamment la vision d'éclairs bleutés).

« Les avis sont très partagés en ce qui concerne la philosophie du yage. La plupart des Blancs qui en font usage et nombre d'Indiens le considèrent apparemment comme un simple excitant au même titre que l'alcool. Pour d'autres, il a des vertus magiques et doit être réservé exclusivement aux cérémonies rituelles. Chez les Jivaros, les adolescents boivent le yage (appelé Natima en dialecte indien) pour entrer en communication avec les esprits des ancêtres et recevoir leurs conseils. On l'utilise aussi comme anesthésique lors des rites de la puberté et autres épreuves particulièrement douloureuses. Tous les sorciers recourent au yage pour prédire l'avenir, retrouver les objets perdus ou volés, expliquer et guérir les maladies, identifier l'auteur d'un crime... »

Digressons : sachant que les Indiens (voilà bien la croix que doivent porter les anthropologistes — rien n'est plus exaspérant à leurs yeux que l'Homme Primitif) ne considèrent jamais la mort comme un accident, qu'ils ignorent leurs propres tendances autodestructrices (une moue dédaigneuse : « Nos frères inférieurs! ») ou estiment peut-être que ces tendances sont essentiellement dues aux machinations

122

d'esprits hostiles — toute mort est un meurtre à leurs yeux. Donc, que le sorcier se saoule au yage et l'identité du meurtrier lui sera révélée. Comme on peut l'imaginer, ses délibérations et investigations à la mode tropicale suscitent quelque malaise parmi ses électeurs :

— Espérons que le vieux Xiuptutol va pas perdre les pédales et donner un de nos gars.

— Prends un coup de curare et te fais pas de mouron. Il a touché son enveloppe...

— Mais supposez qu'il perde la boule, hein? A force de s'envoyer en l'air au Natima, ça fait bien vingt ans qu'il a pas touché terre... Je vous le dis, patron, trop c'est trop, c'est un truc qui bousille le cerveau...

— Si y a du pet, on le fera récuser comme incompétent...

Mais Xiuptutol sort de la forêt complètement envapé et annonce que le coup a été fait par les truands du Bas-Tzpino, ce qui n'est une surprise pour personne... et personne n'aime les surprises chez nous, mon chou...

Revenons à notre article :

« L'alcaloïde de la banistérie a été isolé en 1923 par un certain Fisher Cardenas, qui le baptisa télépathine (il est également connu sous les noms de banistérine et de yagéine). Rumpf a établi que la télépathine est semblable à l'harmaline, l'alcaloïde du *Perganum harmala*... » (Je signale au passage l'affinité chimique de la mescaline et de la télépathine, qui créent des états d'intoxication très voisins, bien que techniquement distincts.)

Le yage (carnets d'un intoxiqué). Images qui passent devant les yeux, silencieuses et lentes comme des flocons de neige... sérénité... toutes les barrières défensives disparaissent... tout et tous sont libres d'entrer ou de sortir... l'angoisse est tout bonnement inconcevable... une ravissante substance bleue m'imprègne... je vois un visage souriant,

123

aux traits archaïques, comme un masque polynésien, bleu violacé avec de fines mouchetures d'or...

...la pièce prend l'aspect d'un bordel proche-oriental avec des murs tapissés de bleu et des lampes aux abat-jour frangés de rouge... je devine que je me métamorphose en négresse, mon corps est secrètement envahi de noir... frissons de concupscence... mes jambes s'enrobent de chair moelleuse, d'une texture asiatique... une vie furtive et frémissante anime out ce qui m'entoure... la pièce est de style levantin, nègre, polynésien, je suis dans un endroit familier que je ne parviens pas à localiser... yage : randonnée dans l'espace-temps... la pièce vibre, s'agite de mouvements mystérieux... le sang et la chair de races innombrables (Nègres, Polynésiens, Mongols des Hauts-Plateaux, Bédouins, Polyglottes du Proche-Orient, Indiens, d'autres races encore inexistantes, inconcevables) pénètrent mon corps... migrations, voyages fantastiques à travers le désert et la jungle et la montagne (mort lente au fond de hautes vallées où des plantes rares jaillissent des sexes, couvant d'énormes crustacés qui briseront leurs coquilles de chair), à travers le Pacifique dans des bateaux à balanciers abordant à l'île de Pâques...

(Il m'apparaît soudain que la nausée suivant immédiatement l'absorption de yage est un peu comme le mal de mer — embarquement pour l'univers du yage...)

Un cortège funèbre traverse la place du Marché. Quatre hommes portent le cercueil (inscriptions arabes en argent filigrané). Procession de pleureurs psalmodiant l'hymne funéraire. Clem et Jody emboîtent le pas aux porteurs. Un cadavre de verrat jaillit subitement du cercueil, drapé dans une djellaba et pipe de kif au groin, un mezuzoth pendant au cou, un jeu de photos cochonnes fiché dans le pied. L'inscription du cercueil signifie : « Oncques ne vécut en terre d'Islam si haut et puissant seigneur. »

Clem et Jody entonnent une ignoble parodie d'hymne des

morts en arabe de cuisine. Jody connaît un numéro en chinois à se pisser de rire — du genre crise d'hystérie d'une marionnette de ventriloque. A tout dire, il a réussi à provoquer une émeute xénophobe à Shanghaï qui fit près de trois mille victimes.

— Debout, Gertie, un peu de respect pour ces pauvres crouilles!

— Tu as raison.

— Mon trésor, je suis en train de mettre au point une invention tout à fait extraordinaire... un bonhomme qui disparaît au moment où tu viens, si tu vois ce que je veux dire, avec une odeur de feuilles brûlées et un effet sonore de train sifflant dans le lointain.

— Tu n'as jamais fait l'amour dans l'apesanteur? Le foutre flotte dans l'air comme un ectoplasme gracieux, et les invitées du beau sexe risquent la conception indirecte sinon immaculée... Ça me rappelle un vieux copain, un des plus beaux garçons que j'aie connus, un des plus cinglés aussi et absolument pourri de fric. Il se baladait dans les soirées mondaines avec un pistolet à eau plein de foutre qu'il déchargeait sous les jupes des dames, en visant surtout les intellectuelles, les directrices d'usines et autres femmes de tête. Et il gagnait haut la main tous ses procès en reconnaissance de paternité. Il faut dire que ce n'était jamais son propre foutre...

Fondu... « Messieurs, la Cour! » La parole à l'avocat d'A. J. :

— Des expériences conclusives ont établi que mon client n'a aucun rapport, hum, intime avec le petit, hum, incident survenu à l'aimable demanderesse... Aurait-elle décidé d'imiter la Vierge Marie et de renouveler le miracle de l'Immaculée Conception en accusant mon client de jouer le rôle de, hum hum, de divin entremetteur?... Je me permets d'évoquer une affaire qui fut jugée en Hollande au XVe siècle, quand une jeune femme accusa un sorcier chenu et vénérable d'avoir suscité un succube qui aurait aussitôt connu, hum, charnellement ladite jeune femme, provoquant par voie de conséquence fort regrettable un état de grossesse caractérisée. Le sorcier fut inculpé de complicité — on alla jusqu'à dire qu'il s'était conduit comme un voyeur infâme avant, pendant et après le délit. Toutefois, Messieurs les Jurés, notre siècle de lumière n'accorde plus aucun crédit à de telles, hum hum, légendes, et toute jeune femme qui attribuerait son, hum, état intéressant à la fougue d'un succube passerait pour une âme quelque peu romantique ou, en langage clair, pour une sale putain de menteuse héhé hé hé...

Et voici L'Heure du Prophète :

— Ils sont morts par millions dans les marais. Il ne restait qu'une seule bouffée d'air et il n'y a eu qu'un seul rescapé. « Avsordres Commandant! m'a-t-il dit en coulant un regard pisseux sur le pont. « Sûr que c'est pas une nuit à mettre les chaînes... Il serait prudentiel de bien observer les précautions d'usage quand on navigue vent debout, le vent arrière n'ayant rien amené qui vaille un cent de clous... Les Señoritas sont justement le clou de cette saison en enfer, mais j'en ai marre de faire l'ascension de ces monts de Vésuve grouillants de pines étrangères. »

Il est temps de m'orient-expresser direction la mine de rien le néant ne manque pas dans la région... pioche un peu tous les jours, pic et tamis ça passe le temps...

Fantômes jaillissant à bout de poignet qui te trompent tout chaud dans le trou de l'oreille...

La seringuette nous ouvre la barrière...

— Le *Christ?* ricane le vieux Saint pédouillard en se barbouillant les joues d'un fond de teint ignoble qu'il puise dans une coupe d'albâtre. Ce cabotin à la manque? Tu crois que je m'abaisserais comme lui à faire des miracles? Il sort du rayon des farces et attrapes... Non, mais écoute-moi ça... « Entrez entrez, trouducs et trouduchesses, et amenez tous vos petits trous. Un spectacle pour les jeunes et les vieux et les belles et les bêtes... Seul et unique au monde, le sen-sa-tion-nel Fils de l'Homme vous guérira une vérole de gamin d'une seule main, par simple contact, Mesdames et Messieurs, et il vous fabriquera de l'herbe à Marie de l'autre, le tout en marchant sur l'eau et en pissant du vin de l'année par le cul... Vous approchez pas trop, Messieurs-dames, vous risqueriez d'être irradiés par l'intensité de l'artiste... » Tu parles!...

« Ce gars-là, mon chou, c'est pas d'hier que je le connais... Ça remonte au temps qu'on donnait un numéro d'Imitation à deux voix, un truc tout ce qu'il y avait de chouette... On faisait un gala à Sodome, un bled qu'on n'en fait pas des plus tartes, à rayer de la carte... Bref mon type, cet enfoiré de Philistin que je te parlais, voilà qu'il débarque de sa cambrousse, Bécon-lès-Baal ou va savoir, et il me traite d'enculé en pleine salle. Ni une ni deux je lui dis : « Trois « mille ans que je suis dans le music-hall et j'ai toujours « gardé le nez propre. Et je vais pas me laisser insulter par « un lèche-cul qu'il a même pas le bout coupé! » Aussi sec... Plus tard, il est venu s'excuser dans ma loge... Paraît que c'est un médecin de première. Et un type épatant avec ça...

« *Bouddha?* Un camé métabolique, tout le monde te le dira... Il fabrique sa blanche lui-même, vois-tu? Aux Indes, ils ont pas la notion du temps, le Camelot a des fois un mois de retard et plus... « Voyons voir, c'est-il la deuxième ou la « troisième mousson? C'est que j'ai rancart à Ketchupore à peu près plus ou moins dans ces eaux-là. » Tu vois tous les camés qui poireautent dans la position du lotus, ils bavent par terre en guettant l'arrivée du Camelot... Et Bouddha part en bombe :

« — J'en ai plein les sandales... Nom de Dieu, je vais métaboliser ma propre came.

« — Fais pas ça, camarade, tu vas avoir le fisc sur le dos.

« — Mon cul, oui! J'ai trouvé le joint, vise un peu : me voilà passé Saint Homme à partir de tout de suite.

« — Merde alors, ça c'est la belle combine!

127

« — Oui, mais voilà, sur tous les citoyens qui viennent s'inscrire à la Nouvelle Religion, il y en a qui déconnent que c'est à peine croyable. Des frénétiques, ils savent pas se tenir. Ils ont pas de classe, quoi... Du reste, ils se feraient lyncher que ça m'étonnerait pas, le public aime pas voir des types la ramener avec des airs d'être plus vertueux que les autres... « Et alors quoi, Boubou, on emmerde le monde? » Tu vois le topo... C'est pourquoi il faut y aller mollo, tu m'entends, mollo-mollo... « Voilà ce qu'on vous offre, Messieurs-dames, c'est à prendre ou à laisser. On vous l'enfonce pas dans l'âme comme un lavement, vu qu'on n'emploie point les méthodes de certains va-de-la-gueule qui méritent pas leurs noms et que je vois pas beaux d'ici peu... Videz-moi la grotte, il me faut du champ pour mettre mon métabolisme en route, je vais fabriquer une dose-canon et après ça je vous balance recta le Sermon du Feu... »

« *Mahomet?* Tu veux rire ou quoi? Il a été fabriqué de toutes pièces par le Syndicat d'Initiative de La Mecque, et c'est un agent de publicité égyptien, un pauvre mec paumé par la picole, qui a torché le scénario.

« — Remets-moi la même chose, Gus, et puis je rentre à la maison, c'est l'heure de ma sourate... Par Allah, attends les journaux du matin, ça va faire du bruit dans les souks. Je vais dénoncer le scandale des Desseins Animistes!

« Le barman lève la tête de sa feuille de P. M. U. : « Ouais! « il dit. Leur châtiment sera terrible. »

« — Hein?... hum... tu l'as dit. Alors c'est d'accord, Gus, je te fais un chèque?

« — Vous signez assez de chèques pour tapisser tous les murs de La Mecque, c'est bien connu. Je suis pas un mur, moi, M'sieur Mahomet.

« — Écoute voir, Gus, j'ai deux échantillons de publicité, la bonne et puis l'autre. C'est pas des fois de l'autre que tu cherches, non? Je risque de me faire révéler une sourate au sujet des loufiats qui point ne dispensent la charité aux infortunés qu'Allah élit...

« — Ouais, et leur châtiment sera terrible... L'Arabie aux Arabes... (Gus saute par-dessus son comptoir.) J'en ai ma claque, Maho. Ramasse tes sourates et taille la route. Attends que je te donne le coup d'envoi. Et que je te revoye plus!

« — Ça va être la fête à ton bistro, figure de con sans foi ni loi. Je vais le faire boucler d'autor, tu vas te retrouver aussi sec qu'un intestin de camé. S'il le faut, par Allah, je ferai interdire l'alcool dans toute la péninsule!

« — M'en fous, c'est déjà un continent...

« *Confucius?* Tu peux ranger ses boniments sur le même rayon que *Les Deux Orphelines* et les bandes dessinées. *Lao-Tseu?* Ça fait beau temps qu'on l'a mis à la poubelle... Et puis assez causé de ces faux saints tout poisseux, avec leur air d'innocence ahurie comme s'ils se faisaient enculer tout en pensant à autre chose. Je vois pas pourquoi on permettrait à ces vieux cabots ratés de nous enseigner la Sagesse! Trois mille ans que je suis dans le music-hall et j'ai toujours gardé le nez propre...

« Ça commence toujours pareil, toutes les Vérités sont en cabane avec les pédés de trottoir et les salauds qui profanent la sainteté du commerce en glandant au coin des rues, et voilà qu'arrive un vieux broute-cul à cheveux blancs qui profite de la situation pour te refiler les sous-produits de sa connerie sénile. Sera-t-on jamais débarrassé de cet enfoiré à la barbe de neige qui joue les ermites sur tous les hauts sommets du Tibet ou que tu vois débarquer de sa cahute de l'Amazonie pour racoler les passants en pleine rue? « Je « t'attendais, mon fils! » Et là-dessus, il te balance un plein potager de salades : « La vie est une école où chaque élève « apprend une leçon différente. Voici que j'ouvre devant toi « le Trésor du Verbe! »

« — Maître, la crainte m'étreint.

« — Nenni, mon fils, rien n'endiguera le flot qui monte.

« — Au secours, les copains, je peux pas l'endiguer. Sauve qui peut!

« Ma parole, chaque fois que je quitte le Vieux Sage j'ai

129

l'impression de ne plus être humain et en vie. A force de déconner il me change les orgones en pisse de chat.

« Si c'est comme ça, diras-tu, pourquoi est-ce que je ne crache pas le Verbe de Vie ? Eh bien, je te le donne en exclusivité, c'est parce que le verbe ne peut pas s'exprimer *directement*... On pourrait peut-être le suggérer par un canevas de juxtapositions, comme des objets oubliés dans un tiroir de chambre d'hôtel que l'on ne définit que par l'élimination et l'absence...

« Je crois que je vais me faire retendre le ventre... Je suis plus aussi jeune qu'autrefois mais je suis encore désirable. »

(*N. B.* — Il s'agit d'une opération chirurgicale destinée à supprimer partiellement la couche de graisse qui recouvre le ventre en repliant la paroi abdominale, ce qui revient à créer un Corset de Chair, ou C. C. — lequel, d'ailleurs, risque d'éclater et de cracher ses vieilles tripes sur le parquet... Plus ces corsets sont serrés et moulants, plus ils sont dangereux, et certains modèles extrêmes sont connus dans l'industrie sous le sigle D. N. A. : (Dernière Nuit d'Amour).)

Le docteur Rindfest, dit Sucre-Fraises, déclare sans ambages : « Le lit est la tombe du porteur de C. C.! »

L'indicatif des porteurs de C. C. est un hymne folklorique, *L'Appas de Damoclès* — mais attention! Au lit, ces malheureux sont enclins, comme a dit le poète, à vous « couler entre les doigts tel un nectar précieux »...

Une grande salle blanche de musée inondée de soleil, statues hautes de soixante pieds, lisses, nues et roses. Brouhaha de murmures juvéniles.

Garde-fou d'argent... gouffre abrupt... trois cents mètres plus bas, sous le soleil éclatant, des petits carrés de choux et de laitues émeraude. Des adolescents bronzés manient la serfouette, épiés par une vieille tante postée de l'autre côté du canal d'épandage.

— Doux Jésus, je me demande s'ils se servent d'excrément humain comme engrais. On va peut-être les voir en action...

La tapette dégaine ses jumelles de théâtre, incrustées de nacre et scintillant sous le soleil comme une mosaïque aztèque.

Apparaît une longue théorie d'éphèbes grecs portant des jarres d'albâtre pleines de merde qu'ils déversent sur la caillasse calcaire.

Peupliers poussiéreux qui palpitent dans la brise du soir devant la façade de briques rouges de la Plaza de Toros.

Cabanons de planches autour d'une source chaude... éboulis de ruines dans un petit bois de trembles... bancs polis comme de l'aluminium par des millions de masturbateurs en culottes courtes.

Des jeunes Grecs couleur de marbre s'enfilent en levrette sous le portique d'un grand temple doré... un Mugwump nu pince les cordes de son luth...

En balade le long du ballast son chandail rouge sur l'épaule il tomba sur Sammy, le fils du gardien des docks, en compagnie de deux petits Mexicains.

— Eh, Fil de Fer, dit Sammy, tu veux te faire mettre?

— Euh... d'accord.

Un des Mexicains le jeta à quatre pattes sur une paillasse crevée, un négrillon se mit à danser autour d'eux en scandant les coups de boutoir... un rayon de soleil filtrait à travers une planche noueuse, jouant comme un projecteur sur sa queue.

Une grande flamme rouge de honte crue éclaboussa le bleu pastel de l'horizon, où de colossales *mesas* ferrugineuses défonçaient le ciel...

— *Ne crains point...*

A travers ton corps résonne le cri du Dieu, décharge rouillée par trois mille ans d'attente...

Une grêle de crânes cristallins s'abattent sur la serre, les vitres volent en éclats sous la lune de l'hiver...

A Saint-Louis, une mégère Yankee quitte une garden-party, lâchant derrière elle un relent de poison dans l'air humide...

Un bassin tapissé de limon verdâtre au milieu d'un jardin à la française laissé à l'abandon. Une grosse grenouille grise et pathétique émerge lentement de l'eau, s'accroupit sur une estrade de vase et joue du clavecin.

Un Sollubi se rue dans le bar et entreprend de cirer les chaussures du Saint avec la graisse de son nez... Le Saint lui décoche un coup de pied dans les dents. Le Sollubi hurle, fait volte-face, chie sur le pantalon du Saint et puis s'enfuit dans la rue. Un souteneur le regarde passer, la mine étonnée. Le Saint appelle le patron du bar :

— Nom de Dieu, Al, qu'est-ce que c'est que ce troquet? Tu devrais avoir honte! Regarde-moi ce travail, mon complet croco tout neuf...

— Faites excuse, M'sieur Saint, je l'ai pas vu entrer.

(*N. B.* — Les Sollubis sont une caste d'intouchables d'Arabie que leur ignominie a rendus tristement célèbres. Les brasseries de luxe engagent des Sollubis brouteurs chargés de flatter le paf des dîneurs à travers des œilletons spécialement aménagés dans les banquettes. Certains citoyens, amateurs de dépravations en tout genre — ils sont aujourd'hui légion qui ardent de brûler les feux rouges — font le siège des campements de Sollubis pour s'offrir passivement à leurs assauts pédérastiques. Rien de comparable, me dit-on... De nos jours, hélas, il n'est pas rare de voir des Sollubis enrichis, qui sont enclins à l'arrogance et perdent leur infamie d'origine... D'où viennent les intouchables? Peut-être d'une caste de prêtres déchus — et, à y bien regarder, ces parias assument une fonction véritablement sacerdotale en se chargeant de toute l'horreur du monde...)

A. J. flâne sur la place du Marché. Il porte une cape noire. Un faucon est perché sur son épaule. Il s'arrête devant une tablée d'indics.

— Écoutez celle-là... C'est un môme de Los Angeles qui vient d'avoir ses quinze ans. Son père décide qu'il a l'âge de trancher les gonzesses. Le môme est en train de lire les mickeys sur la pelouse quand son vieux arrive et lui dit : « Fiston, voilà vingt tickets, on va te chercher une bonne pute pour que tu te payes ta première tranche de cul. » Ils prennent la bagnole, le père arrête devant un claque à la mode et il dit : « Allez, fiston, à toi de jouer. Sonne à la porte et quand la gonzesse t'ouvrira donne-lui les vingt sacs et explique-lui que tu veux une tranche de cul.

« — C'est dans la poche, papa, dit le môme.

« Il revient quinze-vingt minutes après et son vieux lui demande :

« — Et alors, fiston, tu l'as tranchée?

« — Je veux, dit le môme, et voilà comme : la pute s'amène à la porte, je lui dis que je veux une tranche de cul et j'y refile les biftons. On monte dans sa piaule et elle tombe ses fringues. Aussi sec je sors mon surin à cran d'arrêt et je me découpe un bon bistèque de cul comme demandé. Du coup elle pousse une goualante à la sauvage, l'a fallu que je me déchausse pour lui faire taire sa gueule à coups de pompe. Après quoi je l'ai tringlée en prime. »

Seul subsiste un squelette de rire, la chair est partie, envolée par-dessus les moulins avec le vent du matin et un sifflet de locomotive dans le lointain... Ce problème n'échappe nullement à notre attention et les besoins de nos mandants nous sont toujours présents à l'esprit, c'est leur résidence principale, le foyer des synapses, et qui oserait dénoncer un bail de quatre-vingt-dix-neuf ans?

... Iris — mi-Chinoise mi-Négresse — se défonce à la dihydro-oxyhéroïne, une seringuette tous les quarts d'heure, aussi laisse-t-elle aiguilles et compte-gouttes piqués en permanence un peu partout dans sa chair. Les aiguilles ont fini par rouiller sous sa peau desséchée qui, çà et là, a complètement remblayé l'outil et formé une sorte de kyste tout lisse d'une teinte brun-vert. Sur la table, à portée de sa main, un samovar et une provision de dix kilos de sucre de canne. On n'a jamais vu Iris manger autre chose. Elle ne parle ou n'entend ce qu'on lui dit qu'au moment de sa piqûre. Elle fait alors une brève remarque, d'une froideur et d'une objectivité totales, relative à sa propre personne : « J'ai le trou du cul bouché... » ou : « Regarde cet horrible jus vert qui me dégouline du chat... »

Iris est un des cas favoris de Benway. « Nom de Dieu, l'organisme humain peut tenir le coup en se nourrissant exclusivement de sucre de canne... Je n'ignore pas que certains de mes éminents collègues, qui s'évertuent à minimiser tout ce que mon œuvre a de génial, insinuent que j'ajoute en cachette des vitamines et des protéines au sucre d'Iris... Je défie ces culs de s'arracher à leurs tinettes pour venir analyser le sucre et le thé de ma patiente. Cette andouille est en pleine santé, c'est la fierté de l'Amérique. Je démens catégoriquement les bruits selon lesquels elle se nourrirait de sperme, et je me permets de saisir cette occasion pour réaffirmer que je suis un savant de réputation honorable, et non pas un charlatan, un lunatique et même, comme il a été dit, un thaumaturge... Je n'ai jamais prétendu qu'Iris subsiste uniquement par un phénomène de photosynthèse... Je n'ai pas dit qu'elle peut respirer de l'anhydride carbonique et restituer de l'oxygène... J'avoue que j'ai été tenté de risquer l'expérience... mais le serment d'Hippocrate m'a retenu... En bref, les viles et lâches calomnies de mes détracteurs se retourneront inexorablement contre eux-mêmes — comme un indicateur qu'on fait passer sous le train dont il a dénoncé le passage... »

Des gens comme vous et moi

Le banquet du Parti Nationaliste, sur une terrasse domi·
nant le Marché. Cigares, whisky, rots discrets... Le Chef du
Parti se pavane en burnous, havane au bec et scotch en
main. Il porte des chaussures anglaises faites main, des
chaussettes criardes et des fixe-chaussettes moulant ses
jambes musclées et velues : il présente l'aspect général
d'une lope enrichie.

Le Chef du Parti (avec un geste théâtral) : Regardez là-
bas. Que voyez-vous?

Le Lieutenant Fidèle : Hein? Ben, je vois le Marché...

Le Chef du Parti : C'est faux. Vous voyez des hommes et
des femmes. Des gens comme vous et moi qui vaquent à
leurs occupations quotidiennes, ordinaires. Des gens ordinaires qui mènent une vie ordinaire. C'est de cela que nous
avons besoin...

(Un gamin des rues escalade le mur et franchit le garde-
fou.)

Le Lieutenant Fidèle : Non, remballe tes capotes, on veut
rien acheter. Décampe!

Le Chef du Parti : Une minute! Viens ici, petit, assieds-
toi... Prends un cigare... Prends un verre.

(Il tourne autour du gamin comme un chien en chaleur.)

Le Chef du Parti : Que penses-tu des Français?

— De quoi?

Le Chef du Parti : Des Français. Ces colonialistes dégueulasses qui te sucent les globules du sang.

— Entention, patron! Ça coûte deux cents francs pour me sucer le globule. J'ai pas baissé les prix depuis l'année de la peste du bétail, l'année que tous les touristes ils sont morts et même les Scandinaves...

Le Chef du Parti : Vous voyez, cher ami? Une pierre brute, un vrai gamin des rues, rien de frelaté.

Le Lieutenant Fidèle : Ça alors, on peut dire que vous avez le nez, chef.

Le Chef du Parti : Mon Deuxième Bureau est à la hauteur... Voyons, petit, je vais te présenter ça autrement : les Français t'ont spolié de ton patrimoine... le droit du sang...

— Comme la société « Au Crédit des Amis »? C'est un Égyptien qui fait le sale boulot, un eunuque qu'il a même plus de dents... Il est si moche à voir que le patron-chef il se dit que les clients peuvent pas lui en vouloir de les esproprier... Ce type-là il est toujours à tomber la culotte pour montrer son état... « Aïe! il dit, je suis qu'un pauvre eunuque tout foutu qu'essaye de gagner sa blanche. *Ya* Madame, je voudrais bien te donner une prolongation de crédit pour ton rein artificiel, ma pauvre, mais service service... Allez les hommes, débranchez-moi ça... » Et puis il te fait un bout de sourire avec ses gencives pourries... Quand ils ont débranché ma pauvre maman, ma sainte connasse de mère, elle s'est mise à enfler et elle est devenue toute noire et ça puait la pisse jusqu'au fond du souk et les voisins ont porté le pet aux Services de l'Hygiène et mon père il a dit : « C'est la volonté d'Allah. Elle pissera plus mon fric par la fenêtre. » Les malades ça me dégoûte que c'est pas croyable. Quand un type commence à me parler de son cancer de la prostate ou de son trou de balle qui crache le pus moi je lui dis : « Tu crois que ça m'intresse d'entendre parler de ces cochonneries? Eh bien, ça m'intresse pas mais pas du tout. » Et puis...

Le Chef du Parti : Bon bon, suffit... Tu détestes les **Français**, hein?

— Patron, je déteste tout le monde. Le docteur **Benway**, il dit que c'est rapport à mon métabolisme, j'ai quelque chose dans le sang... C'est un truc spécial, une maladie d'Arabes et de Caméricains... Le docteur Benway il fabrique un sérum pour.

Le Chef du Parti : Benway est un espion capitaliste infiltré parmi nous...

Le 1er Lieutenant : Un Juif lubrique français...

Le 2e Lieutenant : Un sale cochon de communiste de youpin nègre à cul rouge et...

Le Chef du Parti : Taisez-vous, malheureux!

Le 2e Lieutenant : Excusez, patron. Je viens de suivre mes cours d'Intoxe.

Le Chef du Parti : Ne vous approchez pas de Benway. (*En aparté :* « Je me demande s'ils vont avaler ça, on ne se rend pas compte à quel point ils sont primitifs... ») Je vous dis ça en confidence, il pratique la magie noire.

Le 1er Lieutenant : Il a un djinn dans la tête?

— Aouatt... Eh bien, moi j'ai rendez-vous avec un client, un Caméricain de la haute. Un type de première bourré.

Le Chef du Parti : Ne t'a-t-on pas appris qu'il est honteux de vendre son cul à des queues d'infidèles?

— C'est un point de vue. Amusez-vous bien.

Le Chef du Parti : La même chose chez toi.

(*Exit* le gamin.)

Le Chef du Parti : Ils sont désespérants, je vous dis. Désespérants.

Le 1er Lieutenant : Qu'est-ce que c'est que cette histoire de sérum?

Le Chef du Parti : Je n'en sais rien mais ce n'est pas rassurant. On ferait bien de brancher la tête chercheuse sur Benway. Il ne m'inspire aucune confiance, il est capable de tout ou presque... Il serait fichu de transformer une tuerie en partouse...

137

Le 1er Lieutenant : Ou en canular.

Le Chef du Parti : Exactement. C'est un intellectuel... pas de principes...

Une Ménagère Américaine (ouvrant un paquet de Lux) : Pourquoi ils ont pas inventé un œil électronique que le paquet s'ouvrirait tout seul en me voyant et sauterait dans les mains du Robot A-Tout-Faire qu'il l'aurait déjà vidé dans l'eau?... Mon A-Tout-Faire déraille complètement depuis jeudi dernier, parce qu'il m'a fait du gringue et que j'ai pas voulu lui tripoter les manettes... et le Vide-Ordures qui me répond avec insolence, et ce vieux dégoûtant de Mixer qui essaye de se faufiler sous mes jupons... moi qui ai un rhume terrible et les intestins tout constipés... si j'acceptais de lui caresser les manettes peut-être bien que mon A-Tout-Faire me donnerait un lavement...

Le Représentant de Commerce (à mi-chemin entre un Latah acrimonieux et un Émissioniste timide) : Ça me rappelle l'époque où je voyageais avec K. E., le type le plus fortiche de l'industrie du gadget.

« — Pense donc, qu'il disait, une écrémeuse dans chaque cuisine!

« — K. E., je lui répondais, la tête me tourne rien que d'y penser.

« — Ce sera peut-être dans cinq ans, ou dans dix, oui, peut-être bien même dans vingt ans... Mais ça va venir.

« — J'attendrai, K. E. Dix ans ou dix siècles, j'attendrai. Le jour qu'on commencera à appeler les numéros à la porte du paradis, je serai encore ici fidèle au poste.

« C'est lui, c'est K. E. qui a lancé la trousse « Bras-de-Pieuvre » pour Studios de Massage, Salons de Coiffure et Bains Turcs — idéale pour administrer lavements, massages du gros cochon et shampooings tout en coupant les ongles

138

du client et en lui faisant sauter les points noirs... Et la trousse du « Petit Médecin » pour les toubibs pressés, qui t'enlève l'appendice ou résorbe ta hernie ou arrache ta dent de sagesse ou te cisaille les hémorroïdes ou te circoncit le nœud... Eh bien, vois-tu, K. E. est si ficelle que s'il manque de « Bras-de-Pieuvre » il est capable de vendre au flan une « Petit Médecin » à un coiffeur et le gars qui vient pour une taille se retrouve avec les hémorroïdes rasées au double zéro...

« — Merde, Raymond, qu'est-ce que c'est que ce salon à la mords-moi-le? Je me suis fait sabrer c'est pas fair play.

« — Parole d'honneur, vieux, je voulais seulement t'offrir notre lavement maison à l'œil et gratis à l'occasion des Fêtes. Je parie que K. E. m'a encore fourgué la mauvaise trousse... »

Le Pédé Tapineur : Qu'est-ce qu'il faut pas supporter dans ce métier! Un garçon comme moi! Les propositions qu'on me fait, c'est à ne pas croire... Ça veut jouer au Latah, ça veut se mélanger avec mon protoplasme, ça veut m'épingler comme une poupée de cire, ça veut me lécher les orgones, ça veut troquer mon passé contre des vieux souvenirs dégueulasses... Exemple, je ramone un client et je me dis : « Enfin un type normal! » et vlan, au moment de jouir voilà qu'il se change en une sorte de crabe épouvantable... Je lui dis : « Écoute, mec, tu crois tout de même pas que je vais avaler ce numéro-là... Va présenter ça dans un caf' conc' de péquenots! » Y a des gens qui manquent franchement de classe... Je connais un autre vieux cochon, il reste assis sans bouger et il me fait le coup de la télépathie jusqu'à ce qu'il lâche la purée dans son froc. C'est pas agréable, quoi...

Dans la confusion la plus totale, les Tapineurs battent en retraite jusqu'à la frontière du réseau de trottoirs soviétiques, où les Cosaques pendent les partisans au son des cornemuses et nos héros défilent le long de la Cinquième Avenue sous les bravos de Jimmy Walkover l'édile baladeur qui leur remet les clefs du royaume et t'en fais pas y a pas de chaîne au bout trimbale-les en vrac au fond de ta poche...

Pourquoi cette pâleur ô mon bel enculeur? Une odeur de sangsues mortes dans une gamelle rouillée plaquée en ventouse sur la plaie à vif, suçant la chair et le sang et les os de Nottseigneur, le laissant paralysé de la taille aux talons.

Fais-moi voir ton pronostic, gamin, le bon papa gâteau a passé l'oral trois ans d'avance, il va te remplir le pointillé et c'est les Championnats du Monde les doigts dans le nez...

Des trafiquants de Veaux de Couveuse filent le train à une génisse sur le point de vêler. Le fermier sonne l'alerte aux Secondines et se roule dans la bouse en hurlant de rage. Le vétérinaire se collette avec un squelette de vache. Les clans de trafiquants se canardent à la mitraillette dans une étable rouge, embusqués entre silos et tracteurs, coffres à grain et meules de paille et râteliers à fourrage. Le veau nous est né. Les forces de la mort fondent au petit matin. Un garçon de ferme s'agenouille dévotement, sa gorge palpite au soleil levant.

Des camés assis sur le perron du Palais de Justice attendent le Contact. Des Sudistes en panama noir et blue-jeans délavés ligotent un jeune Noir à un vieux bec de gaz et l'aspergent d'essence enflammée... Les camés se précipitent et aspirent à pleins poumons la fumée de chair brûlée... se rasseyent soulagés...

Le Greffier du Palais : ...j'étais donc assis à rien faire devant la boutique du vieux Jed à Leshbitt avec le polard aussi raide qu'un pin parasol sous mon bleu que ça me sautillait comme poussin au soleil... Bon, et voilà pas que je vois passer le docteur Scranton, un bien brave homme et tout, y en a point de meilleur dans toute la vallée. Le pauvre a une descente du troufignon au point que si l'idée lui vient de tirer sa crampe, il n'a qu'à te tendre son cul au bout d'un mètre d'intestin... Quand il veut blaguer il est capable de t'expédier une longueur de tripe tout droit de son cabinet jusqu'au bistro à Roy, et tu vois son boudin qui renifle à droite à gauche à la recherche d'un polard des fois qu'il en traînerait un par là, il renifle tout partout comme une couleuvre aveugle... J'étais donc là assis à rien faire et le vieux Scranton qui passe au loin il repère mon polard alors il s'arrête comme un chien de chasse et il me dit : « Luke, je pourrais te prendre le pouls de là où je suis. »

Browbeck et le Jeune Seward se bagarrent avec des châtreuses à cochon à travers granges, poulaillers et chenils affolés... chevaux qui hennissent, la gueule retroussée sur leurs grandes dents jaunes, vaches qui meuglent, chiens qui hurlent, chats empalés qui piaillent comme des nouveaunés, troupeau de verrats aux soies hérissées qui pètent du groin... Browbeck l'Instable est tombé sous l'estoc du Jeune Seward, il empoigne ses intestins qui jaillissent tout bleus de la plaie large de huit pouces. L'infant Seward coupe la verge de Browbeck et la brandit frémissante dans la tendre buée rose du soleil matinal...

Browbeck pousse un cri... les freins du métro crachent un jet d'ozone...

— Reculez, Messieurs-dames... Reculez.

— Il dit qu'on l'a poussé.

— Il marchait tout de travers comme quelqu'un qui verrait pas clair.

— Justement, devait être plein jusqu'aux yeux si vous voulez mon avis.

Marie la Goussevernante a dérapé sur un Kotex plein de sang et s'affale dans la sciure du café... Un pédé pesant facile cent cinquante kilos la foule aux pieds avec des hennissements. Il chante une marche patriotique d'une horrible voix de fausset, dégaine un sabre de bois doré et fend l'air à grands moulinets. Son corset éclate, traverse la salle en sifflant et va se perdre dans le paillasson du jeu de fléchettes.

L'épée du vieux torero se cabre sur l'os et plonge en sifflant à travers le cœur de l'espontaneo, piquant à la barrera ses dons encore vierges.

141

— Cette tantouse tirée à quatre épingles débarque donc à New York de son bled du Texas, Leshbitt ou quelque chose comme ça. C'est le pédé le mieux fringué de la corporation et il devient le chéri des vieilles... tu sais, le genre de vieilles peaux qui se nourrissent de petites lopettes, les tigresses ravagées et sans dents qui n'ont plus assez de souffle pour courir d'autre gibier. Rien à faire, ces salopes bouffées aux mites virent toujours aux bouffe-lopes... La tante que je te disais, qui est du type artiste et bricoleur, s'établit fabricant de bijouterie de théâtre et de parures en tout genre. Toutes les duègnes à pognon du Grand New York se disputent bientôt pour qu'il leur fasse des colifichettes, le fric arrive à pleines valises, il court les boîtes de nuit à la mode et tout, mais pas une minute pour faire le don Juan et il se ronge les sangs rapport à sa répute... Alors, il se met à jouer aux courses, paraît que flamber donne l'air viril, va savoir pourquoi, et il imagine que ça va le remettre en selle d'être vu aux courtines. On y voit jamais beaucoup de pédés, et ceux qui jouent perdent encore plus que les autres, ils ont aucun sens de la chose, ils insistent quand ils ont la poisse et ils mettent les pouces au moment où ils entament une série en or... c'est toute l'image de leur vie... et pourtant n'importe quel môme pourrait t'expliquer qu'il y a une seule loi au jeu : que tu gagnes ou que tu perdes, ça vient toujours en série... faut foncer si tu gagnes, tirer le trait si tu paumes... (Dans le temps, j'ai connu une pédale qui piochait dans le tiroir-caisse — mais c'était pas le gars à piquer le gros paquet et tout miser sur une narine d'avance, c'est l'or en barre ou c'est la tôle. Non, non, pas notre Gertie... oh non, il raflait petit, ce con, un deux dollars à la fois pas plus...)

« Donc, il se met à perdre, il perd encore il perd toujours. Un matin qu'il va sertir un diame dans une parure, ce qui devait arriver arrive. « Sûr que je le remplacerai dans quelques jours. » Air connu... Et ça défile comme ça tout au long de l'hiver, les diamants, les émeraudes, les perles, les rubis et les saphirs du beau monde, il envoie tout au clou et monte à la place des copies en toc...

« Voilà qu'un soir de première au Metropolitan une vieille guenon s'amène en triomphe à ce qu'elle croit avec son diadème de diame, et une autre vieille pute vient lui dire : « Oh, « madame Miggles, vous êtes maline comme pas deux... « Quelle bonne idée de laisser les vrais à la maison... Nous « autres on est vraiment folles de tenter le destin de la sorte. »

« — Vous faisez erreur, chère amie. Ce sont mes vrais diamants.

« — Voyons, chérie, voyons, vous voulez rire... Demandez à votre bijoutier, que dis-je, demandez à n'importe qui. Ha ha haaa. »

« Là-dessus il y a un vrai sabbat de sorcières. (Lucie Bradshinkl, gare à tes émeraudes!) Toutes les vieilles commencent à éplucher leurs cailloux comme un type qui se trouverait la lèpre sur le corps.

« — Mon beau rubis oriental!

« — *Mi opales di fuogo!* (Une vieille morue qui a épousé tant de Ritals et d'Espingouins qu'on sait plus si elle parle ou si elle pète.)

« — Mon saphirrr impérrrial! trille une poule de luxe. C'est trrrop affrrreux!

« — Livré tout chaud du Monoprix...

« — Il ne reste qu'une chose à faire, je vais appeler la police! coupe une vieille matrone forte en gueule et en jambes qui démarre comme un torpilleur à travers le foyer de l'Opéra et va porter le deuil aux poulets.

« Bref la tante en prend pour deux ans, et il atterrit en cabane avec un mec qui est du genre tapineur à deux ronds, l'amour s'installe ou du moins un fac-similé assez bien torché pour convaincre dudit les deux parties demanderesses. Et puis — comme le scénario l'exigeait — les deux tourtereaux sont libérés à peu près plus ou moins en même temps et ils vont se nicher dans un petit appartement de l'East

Side... La dînette à la maison, des petits boulots modestes mais propres... Brad et Jim connaissent enfin le bonheur...

« Entrent les Forces du Mal... Lucie Bradshinkl vient dire que tout est pardonné. Elle a foi en l'étoile de Brad et veut l'installer dans un coquet atelier qu'on va choisir dans les beaux quartiers bien sûr... « Cet endroit est impossible, « mon chéri, et puis ton ami... » D'ailleurs, elle connaît des messieurs tout ce qu'il y a de gentils qui cherchent un type comme Jim pour conduire la voiture. Pas de risques, et c'est une occasion unique, un échelon au-dessus... grâce à ces messieurs qu'elle connaît à peine...

« Jim sombrera-t-il de nouveau dans la turpitude? Brad succombera-t-il aux charmes empoisonnés du Vampire, de cette Goule dévorante?... Non, cela va de soi, les Forces du Mal seront mises en déroute dans un tohu-bohu de jurons et de malédictions...

« — Le patron va pas trouver ça à son goût.

« — Dieu sait pourquoi j'ai perdu tant de temps avec toi, voyou, grossier, pédale...

« On retrouve les deux jeunes gens enlacés devant la fenêtre de leur garni, contemplant le pont de Brooklyn. La brise tiède du printemps taquine les bouclettes brunes de Jim et joue dans les reflets de henné qui cascadent sur les tempes de Brad.

« — Et alors, Brad, que nous as-tu mitonné pour le dîner?

« — Va m'attendre dans la chambre, chou, c'est une surprise.

« Brad le chasse gaiement de la main, s'enferme dans la cuisine et noue son tablier brodé...

« Au menu du dîner : la chatte de Lucie Bradshinkl cuite en Kotex papillote et tendre à souhait. Les deux jeunes gens dévorent à belles dents, avec des petits soupirs de bonheur, les yeux dans les yeux, le menton dégoulinant de sang chaud...

144

Que la flamme bleue de l'aube consume la cité! Dans les vergers les fruits sont cueillis, les puits de cendres ont vomi leurs spectres encagoulés...

— Pour Tipperary, Madame, est-ce encore très loin?

Loin, loin derrière les collines, loin derrière les plaines d'herbe bleue du Kentucky... au-delà des prairies blanches d'engrais d'os, au-delà du lac gelé où les poissons rouges guettent le printemps, guettent les pas du guerrier Squaw.

Le crâne remonte en claquetant l'escalier de service et arrache la queue du mari, profite sans vergogne de l'otite de son épouse pour lui faire un désavantage. Le jeune cul-terreux enfile un suroît, emmène sa femme sous la douche et la tabasse à mort...

Benway : Allons, petit, ne prenez pas ça trop à cœur... *Jeder macht eine kleine Dummheit...* et on trouve toujours plus crétin que soi.

Schafer : Je vous répète que je ne peux pas me défaire de l'impression qu'il y a dans tout ça quelque chose de broumpf... de diabolique.

Benway : Sornettes, mon vieux... Nous sommes des savants... La science pure, la recherche désintéressée — et au diable ceux qui crient : « Halte-là! » ou Dieu sait quoi. Ce ne sont que des rabat-joie sans foi...

Schafer : Oui, oui, bien sûr... et pourtant je ne peux chasser cette odeur affreuse de mes poumons...

Benway (d'un ton irrité) : Nous en sommes tous là, je ne connais aucune odeur comparable, même approximativement... Où en étais-je? Ah, oui... qu'obtiendrait-on en traitant un accès d'aliénation aiguë par des injections de curare sous poumon d'acier? Il est vraisemblable que le sujet, incapable d'éliminer sa tension sous forme d'activités motrices, mourrait sur le coup comme un rat de jungle. Voilà une mort intressante, non?

Schafer (il n'a pas écouté) : Vous savez, je crois que je

vais revenir à la chirurgie pure et simple, la bonne vieille chirurgie de papa. L'organisme humain est d'une inefficacité scandaleuse. Au lieu d'une bouche *et* d'un anus qui risquent tous deux de se détraquer, pourquoi n'aurait-on pas un seul orifice polyvalent pour l'alimentation et la défécation? On pourrait murer la bouche et le nez, combler l'estomac et creuser un trou d'aération directement dans les poumons — ce qui aurait dû être fait dès l'origine...

Benway : Et pourquoi pas un trou de néant tous usages?... Je ne vous ai jamais raconté l'histoire du type qui avait dressé son trou du cul à parler? Son abdomen se trémoussait de haut en bas, lâchant les mots comme des pets, vous voyez la coupure? Je n'ai jamais rien entendu d'aussi étrange.. Ce cul avait une sorte de basse fréquence viscérale, on captait ça de plein fouet, comme une envie de vous savez quoi... comprenez-moi, comme quand le gros côlon vous flanque des coups de coude, ça vous fait tout froid à l'intérieur, il ne vous reste qu'à ôter la bonde... Eh bien, ce boniment culier vous tapait au même endroit — une sorte de gargouillement gras et collant, un bruit qu'on pouvait *sentir...*

« Ce type-là faisait les foires et marchés, vous me suivez, et au début c'était un numéro de ventriloque, d'un genre nouveau mais rien de plus. Marrant comme tout, d'ailleurs. Il avait une scène en costume du Moyen Age intitulée « Le Trou Vert » qui était à se rouler par terre, je vous dis. Je ne m'en souviens plus très bien mais c'était bourré de gags à gogues. Du genre : « Hé là-dessous, tu es toujours là? J'ai besoin de toi pour m'asseoir! » et son cul répondait : « Me fais pas chier, faut que j'aille au trou... »

« Mais après quelque temps le cul s'est mis à parler de son propre chief, plus besoin qu'on lui tende la perche. Le type entrait en scène sans avoir rien préparé, il lançait une blague quelconque et son cul l'attrapait à la volée et la lui renvoyait en pleine poire, tout ça en improvisant, des vannes pas croyables qui mouchaient l'autre à tout coup.

146

« Peu à peu le cul a changé, il lui est poussé des espèces
de petites dents, comme des hameçons mal limés, et il a
réclamé à manger. Les premiers jours, le type trouvait ça
drôle et il a monté un numéro gastronomique... Mais le trou
du cul prenait ça au sérieux, il se grignotait une ouverture
dans le fond de culotte du type pour faire des discours dans
la rue, il haranguait la foule et réclamait à tue-fesses l'égalité
des droits... Bientôt, il s'est mis à boire et il piquait des
crises de larmes sous prétexte que personne ne l'aimait, il
sanglotait qu'il avait envie d'être embrassé comme n'importe
quelle autre bouche. En fin de compte, il déblatérait jour et
nuit, de l'autre bout de la ville on entendait le type qui
gueulait comme un sourd pour qu'il la boucle, il lui tapait
dessus à coups de poing, il lui enfonçait des bougies jusqu'au
trognon... Mais tout ça ne servait à rien et un beau matin
son cul lui a dit : « C'est toi qui finiras par la boucler. Pas
« moi. Parce qu'on n'a plus besoin de toi ici, de nous deux
« n'y a que moi qui puisse parler *et* manger *et* chier! »
    « A partir de ce moment-là, le type se réveillait chaque
matin avec une sorte de gélatine translucide qui lui collait
la bouche, une matière curieuse, un peu comme de la chair
de têtard. C'est ce que les biologistes appellent du T. N. D.,
du Tissu Non Différencié, qu'on peut greffer sur n'importe
quelle partie du corps humain. Quand le type arrachait ça
de sa bouche, des lambeaux de T. N. D. se collaient sur ses
mains comme du napalm enflammé et commençaient à proli-
férer, la moindre éclaboussure de cette bouillie se mettait à
pousser... Finalement, sa bouche a été proprement scellée,
et sa tête tout entière serait tombée d'elle-même comme
une orange mûre... (à propos, saviez-vous qu'il existe une
maladie spécifique des Noirs de certaines régions d'Afrique
qui se traduit par une chute spontanée du petit orteil, une
espèce d'auto-amputation magique?)... comme une poire
mûre, dis-je, s'il n'y avait pas eu le problème des yeux. La
seule chose que le trou du cul fût incapable de faire, voyez-
vous, c'était justement de *voir*. Il avait besoin des yeux du

type. Mais le circuit nerveux était bloqué, envahi, atrophié, et le cerveau ne pouvait plus transmettre d'ordres — il était muré dans le crâne, pieds et poings liés... Pendant un temps, après ça, on discernait encore derrière les yeux la souffrance muette et sans espoir du cerveau, et puis le malheureux a dû mourir dans le cachot de son crâne parce que ses yeux se sont brusquement éteints, on n'y voyait pas plus de vie que dans un œil de crabe piqué au bout d'un bâton...

« C'est ce genre de pornographie qui échappe à la censure, qui se faufile entre les différents bureaux — car il y a toujours un *interstice* entre les officines, comme entre les séquences d'un film de série B ou entre les vers d'une chanson d'amour, dans lequel on voit apparaître la pourriture fondamentale de l'Amérique : ça gicle comme un furoncle crevé, projetant à la ronde des lambeaux de T. N. D. qui retombent un peu partout et repoussent sous forme de dégénérescences cancéreuses, un horrible simulacre de vie, une mauvaise copie bâclée à la va-vite. C'est parfois une sorte de tissu érectile, comme de la chair de paf, d'autres fois c'est un viscère à peine recouvert de peau, ou des grappes d'yeux, trois ou quatre à la fois, ou des assemblages de bouches et de trous du cul, ou des fragments humains qu'on dirait brassés dans un chapeau et greffés au petit bonheur...

« La prolifération cellulaire totale débouche sur le cancer. La démocratie est cancérigène par essence, et les bureaux sont ses cancers vivants. Bureaux, services, offices, sections... Un bureau prend racine au hasard dans l'État, se mue bientôt en tumeur maligne, comme la Brigade des Stupéfiants, et commence à se reproduire sans relâche, multipliant sa propre souche à des dizaines d'exemplaires, et il finira par asphyxier son hôte, au sens biologique du terme, si on ne réussit pas à le neutraliser ou à l'éliminer à temps. Les bureaux, qui sont de nature purement parasitaire, ne peuvent subsister sans leur hôte, sans leur organisme nourricier... (En revanche, les coopératives peuvent parfaitement subsister sans l'État. Elles offrent une solution rationnelle, c'est-à-dire l'instauration d'unités indépendantes répondant aux besoins de ceux qui contribuent au bon fonctionnement de chacune d'elles. Les bureaux opèrent selon le principe opposé, qui consiste à inventer des besoins pour justifier leur existence...) La bureaucratie est aussi néfaste que le cancer, elle détourne le cours normal de l'évolution humaine — l'élargissement jusqu'à l'infini des virtualités de l'Homme, la différenciation, le choix libre et spontané de l'action — au profit d'un parasitisme de virus... (On pense que le virus est une sorte de dégénérescence née d'une forme de vie plus complexe; il se peut même qu'il ait eu à un certain stade une existence autonome et qu'il soit maintenant déchu, refoulé à la limite qui sépare la matière vivante de la matière morte. Il n'est vivant que dans la mesure où son hôte l'est aussi, il s'approprie l'existence d'autrui — ce qui est une façon de renoncer à la vie elle-même, c'est une démission, un glissement vers l'inorganisme inflexible de la machine, vers l'anéantissement de la matière vivante...) Les bureaux meurent quand l'infrastructure de l'État s'effondre. Ils sont aussi impuissants, aussi inaptes à mener une existence autonome qu'un ver solitaire expulsé de son antre ou qu'un virus qui a tué son hôte nourricier...

« ...j'ai connu un petit Arabe de Tombouctou qui pouvait jouer de la flûte avec son cul, et les pédés de l'endroit m'ont affirmé qu'il n'avait pas son pareil au lit. Selon eux, il pouvait jouer un air du haut en bas de la chichette du client en pinçant les cordes les plus sensitives, les plus érogènes — qui, comme chacun sait, varient d'un individu à l'autre. Chacun de ses amants avait sa petite mélodie personnelle qui était synchronisée au quart de poil et s'achevait en point d'orgue sur l'orgasme. Ce gamin était un artiste accompli, il avait le don d'improviser des variations d'orgasme éblouissantes, il lançait des accords inouïs, des fausses dissonances en contrepoint qui se rejoignaient soudain en un fracas de feu d'artifice sonore et fluide et chaud...

Le gros Terminus, dit La Bedaine, a organisé une partie de chasse au babouin à cul violet, les babouins étant montés à motocyclette pour corser la difficulté.

Les Nemrod se retrouvent pour le petit déjeuner de chasse au Bar de l'Essaim, qui est le rendez-vous des pédales de l'élite. Avec un narcissisme de campagnards frustrés, les Chasseurs se pavanent en blousons de cuir et ceintures incrustées de motifs d'argent, jouent des épaules et font tâter leurs biceps aux habitués du troisième sexe. Ils portent tous des trompe-madame rembourrés d'énormes balloches postiches. De temps à autre, l'un d'eux jette une pédale à terre et lui urine sur le ventre.

Ils boivent le Punch de la Victoire, composé d'élixir parégorique, d'extrait de cantharide, de ratafia, de fine Napoléon et de méta, servi dans un grand babouin d'or, tout recroquevillé de terreur et tentant d'arracher le javelot qui lui traverse le flanc. Quand on lui tord les cerises, le babouin d'or pisse du punch dans la coupe tendue. De temps en temps, des amuse-gueule fumants lui sortent du cul avec un bruit foireux et on voit les Chasseurs éclater d'un rire bestial et les pédés se tortiller avec des gloussements de joie.

Le Maître de Chasse est le capitaine Bandseck qui a été chassé du 69e Régiment de la Reine pour avoir chapardé un suspensoir pendant une partie de strip-poker... Carrousel de motos, virages, dérapages et culbutes en série... Des babouins hurlant et crachant luttent à mains nues avec les Chasseurs. Des motos sans cavaliers divaguent dans la poussière comme des araignées à l'agonie, renversant babouins et Chasseurs...

Le Chef du Parti arrive en triomphe, debout dans sa voiture découverte qui fend la foule vociférante. Un vieux monsieur distingué baisse culotte à sa vue puis, voulant offrir sa vie en sacrifice, fait mine de se jeter sous les roues.

Le Chef du Parti : O vieillard, ne sacrifie point ton corps desséché sous les roues de ma belle Buick Roadmaster décapotable flambant neuve avec pneus flancs blancs et glaces à remontée hydraulique et tous les accessoires optionnels...

Vieux fumier, si tu veux jouer au *kamikazé* flanque-toi sous un tracteur, ça fera de l'engrais... Adresse ta noble requête à mes services de l'Agriculture...

On abaisse les planches à laver et les draps sortent en rangs pour laver leurs coupables souillures au Lavomatic du coin... Le prophète Emmanuel annonce l'avènement du petit Jouisus...

J'ai vu sur la rivière un gentil garçonnet... avec un cul tout rond comme une mandarine... hélas hélas nager ne sais et j'ai perdu ma clémentine...

Le camé s'assied l'aiguille pointée pour capter le message du sang, le fourgueur fouille la veine du cave avec des doigts d'ectoplasme ranci...

L'Heure d'Hygiène Mentale, une Émission du docteur Berger... *Fondu enchaîné.*

Le Régisseur : Écoute bien, petit, je vais le dire encore une fois, tout doucement : « *Oui...* » (Il secoue la tête de haut en bas.) N'oublie pas le sourire... *le sourire!* (Il montre son dentier en une horrible parodie de réclame pour dentifrice.) Je répète: « *Oui, j'aime le boudin!!! J'aime aussi mon prochain!!! J'ai le goût simple et sain!!!* » Il faut que ça sonne simple et sain, simple comme bonjour, simple comme un vacher... Prends un air bovin... Allons, fais un effort! Tu veux pas refaire un tour au Standard Téléphonique, hein? Ni au Baquet, hein?

Le Sujet (un psychopathe criminel à demi réhabilité) : Non... Non... Ça veut dire quoi, bovin?

Le Régisseur : Ça veut dire avoir l'air con comme une vache.

Le Sujet (prenant un faciès de vache) : Meuh... meuuuuuh...

Le Régisseur (sursautant) : Tu en fais trop! Non, contente-toi d'avoir l'air con, tu comprends, con comme un gode...

Le Sujet : Comme un miché?

Le Régisseur : Euh... non, pas tout à fait. Les michés,

151

c'est encore pire que les caves, c'est beaucoup trop honnête...
ça va même pas jusqu'au pot-de-vin, un dé à coudre et ça
prend peur. Tu vois ce qu'il me faut? Le genre télépathique
avec l'émetteur-récepteur coupé... Le genre militaire au
garde-à-vous... Attention, silence... moteur!

Le Sujet : « *Oui, j'aime le boudin...* »

(Son estomac commence à gargouiller... clapotement
bruyant et interminable... Un filet de salive pendille à son
menton... Le docteur Berger lève le nez de ses notes. On
dirait un hibou juif avec de grosses lunettes noires — la
lumière lui irrite les yeux.)

Le docteur Berger : Je crains que le sujet ne fasse pas
l'affaire... Dites-lui d'aller se présenter au Service d'Élimination.

Le Régisseur : Bah, on pourrait effacer le gargouillis de la
bande magnétique, lui enfiler un drain de plastique dans
l'œsophage et...

Le docteur Berger : J'ai dit non! Il ne fait pas l'affaire...

(Il bornoye le sujet avec répugnance, à croire que l'autre
a commis une gaffe impardonnable comme de se chercher
les morpions dans le boudoir d'une princesse.)

Le Régisseur (mi-résigné mi-exaspéré) : Amenez la lopette
guérie...

(On fait entrer la tapette retapée... Il a l'air de marcher à
travers d'invisibles barrières de métal en fusion. Il s'installe
devant la caméra, arrange les plis de son corps dans une posture rustique stylisée. Les muscles se mettent en place tout
seuls, comme les tronçons d'un ver de terre guillotiné. Une
expression de crétinisme hébété se peint sur son visage mou
et flou.)

La Tapette (secouant la tête du haut en bas avec un grand
sourire) : « *Oui-j'aime-le-boudin-j'aime-aussi-mon-prochain-
j'ai-le-goût-simple-et-sain...* »

(Il hoche la tête et sourit et hoche la tête et sourit et hoche
la tête et sourit et hoche la...)

Le Régisseur : Coupez!

(On emmène la tapette retapée qui continue de hocher la tête en souriant.)

Le Régisseur : Repassez la bande...

(Le Conseiller Artistique écoute en hochant la tête sans sourire.)

Le Conseiller Artistique : Il manque un je ne sais quoi. Pour être précis, je trouve que ça manque de santé.

Le docteur Berger (bondissant sur ses pieds) : Allons donc! C'est la santé personnifiée...

Le Conseiller Artistique (d'un ton pincé) : Eh bien, si vous pouvez éclairer ma lanterne sur ce sujet je serai ravi de vous entendre, *docteur* Berger... Si vous êtes assez brillant pour mener cette opération sans aide, je ne vois pas pourquoi vous vous embarrassez d'un Conseiller Artistique...

(Il quitte la salle, un poing sur la hanche, en fredonnant d'une voix fielleuse : « Nous reviendrons dans la carrière quand les pédés n'y seront plus... »)

Le Régisseur : Faites entrer l'écrivain guéri... Il a une crise de *quoi*? De nudisme?... Ah, il ne peut plus parler... Vous auriez pu le dire plus tôt! (Il se tourne vers le docteur Berger.) L'écrivain peut pas causer... Il a été surlibéré, si j'ose dire. On pourrait le faire doubler...

Le docteur Berger (sèchement) : Non, ça n'irait plus du tout... Envoyez-moi quelqu'un d'autre.

Le Régisseur : Ces deux-là sont mes poulains. J'ai fait au moins cent heures supplémentaires pour les dresser et on ne m'a pas encore payé le rabe...

Le docteur Berger : Formulaire n° 6090... triple exemplaire.

Le Régisseur : Vous allez pas m'apprendre ce qu'il faut faire pour réclamer mon dû, des fois? Écoutez voir, patron, vous m'avez expliqué un jour : « Dire qu'un pédéraste est en parfaite santé c'est comme si l'on disait qu'on peut être en parfaite santé avec le foie bouffé aux neuf dixièmes par la cirrhose. » Vous vous en souvenez?

Le docteur Berger : Hum... oui... et très bien dit avec ça... (Aboyant.) Je ne prétends pas être un *écrivain*, moi! (Il

153

crache le mot avec une haine si venimeuse que le Régisseur fait un pas en arrière, la mine écœurée.)

Le Régisseur (à part) : Je ne peux pas encaisser l'odeur de ce type. Il a une puanteur de bouillon de culture moisi... de pet de fleur carnivore... l'odeur du broumpf de Schafer... (Tout haut, parodiant le langage scientifique :) Pour qui sont ces savants qui sifflent sur ma tête?... Ce que j'aimerais savoir, docteur, c'est comment vous pouvez concilier un cerveau lavé avec un esprit sain... En d'autres termes, comment pouvez-vous juger sain un type qui a le cerveau en cavale et l'esprit en contumace? Voulez-vous me dire où est la santé là-dedans?

Le docteur Berger (bondissant) : La santé? J'ai toute la santé qu'il faut! Assez de santé pour tout le monde, pour tous les cons du monde entier! Je guéris l'univers!

(Le Régisseur lui jette un regard furibond. Il se prépare un verre de bicarbonate, le boit et rote dans le creux de sa main.)

Le Régisseur : Voilà vingt ans que je suis un martyr de la dyspepsie.

Ainsi parlait Loulou le Charmeur, le marlou martyr du lavage de cerveau :

— Remballez vos oignons, je suis amateur de dames... Entre nous, mes mignonnes, je travaille avec Gode Bras-de-Fer le champion de Yokohama, vous feriez tout pareil à ma place... Bras-de-Fer vous laisse jamais en carafe. Qui plus, c'est bien plus hygiénique, ça évite toutes sortes de contacts dégoûtants qui risquent de laisser un gonze paralysé au-dessous de la ceinture. Les nanas sont pleines de jus empoisonnés...

— Alors je lui ai dit comme ça j'ai dit : « *Docteur* Berger, allez pas croire que vous pourrez me refiler toutes vos vieilles nunuches qui se sont fait lessiver la cafetière. Je suis le plus ancien pédé du territoire de Kudbabwinn...

154

Rhabille ta peau dans l'hôtel des Chancres à Louer où les fraudeuses allongent toute la comptée à la maison passe-vérole, c'est du même, rien de sain dans ces chtouilleuses pourries jusqu'au trognon de ton vide-pomme tout neuf. Qui a tiré la pomme? Tell que je te dis, pomme de reinette et pomme d'api, tapis tapis rouge... Le rouge-gorge tombe sous le trait de ma fidèle arbalète, une goutte de sang rougit sa gorge...

Et Lord Jim qu'on radoube couleur jaune vif sous le croissant de lune rassis et délavé dans le ciel du matin, buée blanche dans le bleu du tout, le vent froid du petit printemps cingle les chemises sur les falaises crayeuses au bout de la rivière, ô Marie, et l'aube est hachée en deux comme Dillinger le truand courant vers sa biographie. Odeur de néon et de gangsters atrophiés, le voyou du dimanche s'arme de courage pour faire un casse dans une toilette payante, respire de l'ammoniac dans un seau... « Facile comme tout, se dit-il. C'est dans la couille je veux dire dans la fouille... »

Le Chef du Parti (se servant un autre whisky) : La prochaine émeute va se dérouler comme un match de rugby. Nous avons fait venir d'Indochine mille Latahs nourris à l'engrais d'os, du premier choix... Il ne nous manque qu'un leader pour mettre toute la troupe en branle.

Le Lieutenant : Dites voir, patron, il suffirait peut-être d'en faire démarrer un seul, ça déclencherait une réaction en chaîne et les autres se singeraient mutuellement comme un seul homme...

La Diseuse (se frayant un chemin la hanche onduleuse à travers le Marché) : Que font les Latahs quand ils sont tout seuls?

Le Chef du Parti : C'est un détail technique, il faudra

consulter Benway... Personnellement, j'estime que quelqu'un devrait suivre les opérations de bout en bout.

. — Je ne sais pas trop, dit X (manquant des titres et qualifications requis pour obtenir sa nomination).

— Ils n'ont pas ça de sensibilité, dit le docteur Benway tout en tailladant son patient en pièces. Ils n'ont que des réflexes... Je préconise un dérivatif.

— Ce qu'ils appellent atteindre l'âge nubile, c'est avoir appris à parler...

— Quand ils commencent à essayer vos costumes, mon cher, c'est mauvais signe... Comme si votre double s'avisait de vous botter le train...

Une tante délirante s'acharne bec et ongles sur la veste de sport d'un adolescent qui file à l'anglaise.

— C'est à moi! piaule la tante. Du cachemire à deux cents dollars!

— Alors le type se met en ménage avec un Latah, ce pauvre bougre rêve de dominer quelqu'un corps et âme... Bon, mais à force d'imiter chacun de ses tics et de ses expressions, le Latah finit par lui sucer toute sa personnalité, comme un mannequin de ventriloque, c'était affreux... « Tu m'as donné tout ce que tu avais... Maintenant, il me faut un nouvel *amigo!* » Résultat, ce pauvre Bubu ne peut plus prendre sur soi vu qu'il n'a même plus de soi.

Le Camé : Nous voilà donc à fond de câme, paumés dans ce patelin de vapes maigres et réduits à carburer au sirop pour la toux...

Le Professeur : La coprophilie... Messieurs... pourrait être rebaptisée le broumpf... le péché de pléonasme...

— Vingt ans que je suis une vedette des films pornos et je me suis jamais abaissé à simuler un orgasme...

— Cette vieille salope de camée qu'était enceinte jusqu'aux yeux a branché son moutard sur la blanche avant même qu'il soit né... Crois-moi, gamin, les julies valent pas cher.

— Je te dis que j'aime pas analyser ce qui se passe quand

je fais l'amour... Faire ça à la scientifique c'est comme si on apportait son linge sale au Lavomatic...

— Et en pleine partie de jambes en l'air il me demande : « Tu aurais pas un embauchoir de rabiot des fois ? »

— Alors elle me raconte que quarante Arabes l'ont traînée dans la mosquée pour la violer, vraisemblablement à la queue leu leu... Mais c'est des gars sans discipline, on peut pas les tenir... allez, Ali, remets-toi au bout de la queue... Je vous assure, mes chéris, j'ai trouvé cette histoire de très très mauvais goût, moi qui venais justement de me faire violer par un escadron de goujats...

Des Nationalistes hargneux sont plantés devant les Sargasses, ils jabotent en arabe et guignent les pédés d'un air méprisant... Entrée triomphale de Clem et Jody sapés comme les Capitalistes des affiches communistes.

Clem : Nous venons nous repaître de votre niaiserie d'arriérés.

Jody : Comme disait à peu près le Barde Immortel, gorgeons-nous de Mores...

Un Nationaliste : Cochon ! Pourriture ! Fils de chien ! Ne vois-tu pas que mon peuple a faim ?

Clem : C'est comme ça qu'il me plaît.

Le Nationaliste tombe mort, empoisonné par la haine... Le docteur Benway accourt aussitôt : « De l'air, de l'air, reculez tous. » Il fait une prise de sang. « Ma foi, c'est tout ce que je peux faire. Quand c'est fini c'est fini. »

Le sapin phallique de Noël scintille sur le tas d'ordures du village, les voyous se tripotent dans les cabinets de la communale — combien de jeunes spasmes sur cette lunette de chêne polie comme l'or fin ?...

La longue, longue nuit dans la vallée Sudiste de Red River, fenêtres noires et squelettes d'enfants pendus aux toiles blanches d'araignée...

Deux gitons nègres se prennent aux cheveux.

Le Giton Ier : Tais-toi donc, catin de banlieue, marchande d'abcès... Tu sais comment on t'appelle dans le métier ? Lulu la Dégoûteuse...

La Diseuse : V'là la Lulu qui passe, la fillette au bouquet garni.

Le Giton II (enfilant une peau de léopard et des griffes d'acier) : Miaou miaou.

Le Giton Ier : Ho ho! Une chatte de la haute...

Il s'enfuit à travers le Marché, poursuivi par le G. II qui miaule et halète sous son travesti...

Clem fait un croc-en-jambe à un infirme convulsif et lui chipe ses béquilles... il mime gaiement le vieillard, bavant et se trémoussant de façon éhontée...

Brouhaha d'émeute dans le lointain — des milliers de Poméraniens hystériques.

Les rideaux de fer des magasins tombent avec un claquement de couperet de guillotine. Dans les bars, verres et plateaux restent suspendus dans l'air, la succion de la panique entasse les clients en un magma confus.

Le Chœur des Gitons : Nous allons être violés jusqu'au dernier, je le sens, je le sais... (Ils courent dans une pharmacie et achètent une pleine caisse de vaseline.)

Le Chef du Parti (levant la main dans un geste théâtral) : La Voix du Peuple!

Le Champi Changeur tombe sur l'écu dans le gazon ras sitôt fauché par l'extorsionnaire commandant du Karma à l'affût dans un terrain vague, flairé parmi les couleuvres par le clébard *scrutable*...

Le Marché est vide à l'exception d'un vieux poivrot de nationalité indéterminée qui cuve sa cuite la tête dans un urinoir. Les émeutiers font irruption en chantant : « Mort aux Français! » Ils mettent l'ivrogne en pièces.

Salvador Hassan (se tortillant devant le trou de la serrure) : Mmm, regardez-moi ces expressions! Cette unité protoplasmique est superbe — tous exactement semblables!!

Il danse la Gigue Liquéfiante... Une pédale sanglotante tombe les quatre fers en l'air, l'orgasme au ventre : « Dieu Dieu Dieu c'est si excitant! Des millions de pines brûlantes... »

Benway : Regardez tous ces jeunes gens! J'aimerais faire une analyse de sang collective.

Un individu scabreusement anonyme — barbe grise et peau grise et djellaba brune guenilleuse — fredonne entre ses lèvres serrées, avec une pointe d'accent indéfinissable : « *Mes popées, joulies popées, mes grandes popées d'amor...* »

Des escouades de flics, lèvres en lames de couteau, gros nez rouges et yeux gris, apparaissent à toutes les issues de la place du Marché. Ils s'attaquent aux émeutiers à coups de pieds et de matraques, avec une brutalité froide et méthodique. On emmène les émeutiers par pleins camions.

On relève les rideaux de fer, les citoyens de l'Interzone se retrouvent sur la place jonchée de dents et de godillots et de flaques de sang noir et glissant...

Le coffre du Marin mort a été transporté à l'Ambassade et le vice-consul annonce son trépas à maman.

Il n'y a plus de... soleil levant voilà l'aurore... ça n'existe plus, *nada*... je répondrais volontiers si je savais quoi que ce soit... c'est de toute façon une erreur d'entrer dans l'Aile Droite, l'Aile de l'Orient... il est passé au travers d'une porte invisible... n'est plus là... pouvez fouiller partout... à quoi bon... c'est moche... *no bueno*... moi aussi je fais la retape... *leviens vendledi*...

Islam & Cie et les partis de l'Interzone

Je travaillais alors pour une boîte connue sous le nom d'Islam & Cie et commanditée par A. J., le célèbre Marchand d'Amour, celui-là même qui scandalisa la haute société internationale quand il se présenta au bal du duc de Ventre déguisé en pénis ambulant et coiffé d'une énorme capote anglaise peinte à ses armes et portant sa devise : *Ils Ne Passeront Pas.*

— C'est d'un goût très douteux, cher ami, avait dit le duc.

A quoi A. J. avait répondu : « Eh bien, filez-vous-le au derche avec une ration de vaseline d'Interzone! » C'était là une allusion au scandale de la vaseline qui couvait à cette époque. Les reparties d'A. J. sont souvent prémonitoires. C'est un maître de la mise en boîte à retardement.

Salvador Hassan O'Leary, le Magnat des Secondines, est également impliqué dans l'affaire. Une de ses entreprises annexes a offert des « contributions » mal spécifiées, et l'une de ses personnalités annexes est liée à Islam & Cie à titre de conseiller (et cela sans qu'il soit personnellement compromis ni associé en aucune manière à la politique, aux objectifs et aux activités de cet organisme). On doit mentionner encore les frères Ergot (Clem et Jody, qui ont empoisonné la république de Hassan avec du blé frelaté), Ahmed l'Autopsie et Hal l'Hépatite, le courtier en fruits et légumes.

Une armée de Mollahs, de Muftis et de Mokkadems, de

160

Caïds et de Glaouis, de Cheiks et de Sultans et de Marabouts et de représentants de tous les partis et schismes arabes imaginables constitue la piétaille d'Islam & Cie; ce sont eux qui assistent aux séances de travail dont les gros bonnets se tiennent prudemment à l'écart. Si soigneusement que l'on fouille les délégués à l'entrée, ces réunions s'achèvent invariablement en émeutes. Il arrive fréquemment que les orateurs soient arrosés d'essence et mis à feu, ou que quelque Cheik mal léché ouvre le feu sur ses contradicteurs avec une mitrailleuse cachée dans la toison du bouc qu'il tient en laisse. Des martyrs du nationalisme se mêlent, grenade au cul, à l'assistance et explosent tout à trac, occasionnant de lourdes pertes. Et nul n'a oublié le jour où le président Ra jeta à terre le Premier Ministre de Sa Majesté Britannique et le sodomisa de force, coup d'éclat qui fut télévisé en direct d'un bout à l'autre du Monde Arabe. On entendit des hurlements de joie jusqu'à Stockholm... Depuis lors, une ordonnance du gouvernement de l'Interzone interdit toute réunion d'Islam & Cie à moins de dix kilomètres des limites de la Cité.

A. J., qui est en réalité d'obscure extraction levantine, joua pendant un temps les gentlemen, mais son accent anglais s'étiola avec l'Empire britannique et, au lendemain de la Seconde Guerre Mondiale, il obtint la nationalité américaine par Acte du Congrès. A. J. est un agent tout comme moi, mais nul n'a pu encore découvrir au profit de qui ou de quoi. On chuchote qu'il représenterait un brain-trust d'insectes géants d'une autre galaxie... Je crois qu'il est dans le camp Factualiste (que je représente moi-même). Je ne serais pas étonné qu'il soit aussi un agent Liquéfactioniste (le programme de ce groupe comporte un plan de fusion de tous les êtres vivants en un Homme Unique grâce à un processus d'absorption protoplasmique). Dans notre partie on ne peut être sûr de personne.

161

La couverture d'A. J.? Il se fait passer pour un play-boy international doublé d'un amateur inoffensif de farces et attrapes. C'est lui qui a jeté des piranhas carnivores dans la piscine de Lady Sutton-Smith; lui qui, lors de la réception donnée par l'ambassadeur des États-Unis à l'occasion de la fête nationale américaine, a assaisonné le punch d'une décoction de yage, de hachisch et de yohimbine, provoquant une véritable orgie, au sortir de laquelle dix notables en vue — américains, bien sûr — moururent de honte. Mourir de honte est une spécialité des Indiens Kwakiutl et des Américains du Nord — ailleurs, on se contente de dire : « *Zut alors!* » ou : « *Son cosas de la vida!* » ou encore : « *Allah le Tout-Puissant m'a couillonné une fois de plus!* »

...et quand les délégués de la Société Anti-Fluorure de Cincinnati ont levé leurs coupes de pure eau de source pour fêter la victoire, toutes leurs dents sont tombées inopinément.

— Je vous le dis en vérité, mes chers frères et mes chères sœurs de la Croisade Anti-Fluorure, la bataille que nous avons emportée aujourd'hui au nom de la pureté ne sera jamais remise en question... A bas, à bas, dis-je, l'immonde fluor étranger! Balayons devant notre maison... Que notre cher pays retrouve enfin la douceur immaculée d'un flanc de garçonnet gentil... Et maintenant tous ensemble entonnons notre marche *Le Vieux Seau de Bois*.

Une margelle de puits apparaît soudain, illuminée par des projecteurs fluorescents qui peignent la vieille pierre de couleurs criardes de juke-box. Les Anti-Fluoruristes défilent devant le puits en chantant, chacun puise au passage un verre d'eau dans le seau de bois...

> *Le vieux seau d' bois, le pieux seau d' poix*
> *Le yeuchlodchloipp...*

Las! A. J. a trafiqué l'eau du puits en y jetant une plante de Camérique du Sud qui transforme les gencives en bouillie innommable.

(J'ai appris l'existence de cette plante par un vieux prospecteur allemand qui est en train de mourir d'urémie à Pasto, en Colombie. On prétend qu'elle pousse dans la région du Putumayo. Je n'en ai jamais trouvé, mais n'ai pas vraiment cherché... Le citoyen susdit m'a également parlé d'un insecte de la taille d'une grosse sauterelle qu'on appelle là-bas Xiucutil : « Un aphrodisiaque d'une virulence telle que si un de ces criquets te tombe dessus et que tu n'as pas de femme à portée de main tu es un homme mort. J'ai vu des Indiens tourner en bourrique et se déchiqueter à pleines mains pour avoir été frôlés par ce bestiau. » Malheureusement, je n'ai jamais trouvé le plus petit Xiucutil à me mettre sous la seringue...

Un soir de grande première au Metropolitan Opera de New York, A. J. (qui s'était aspergé d'insecticide) lâcha dans le foyer un essaim de Xiucutils.

Mrs. Vanderbilt (battant l'air avec son programme) : Aïe!... Aïe!... HAAAïïïïïïïïïïïïïEEE!!!

Piaillements, fracas de carreaux cassés et d'étoffes déchirées. Raz de marée en crescendo de grognements et d'ululements et de gémissements et de hoquets et de sanglots... Puanteur de foutre et de con et de sueur, relent plus faisandé de rectums défoncés... Diamants, étoles, fourreaux de soie, orchidées, fracs, smokings et sous-vêtements jonchent le parquet, foulés par des grappes de corps nus qui s'empoignent les uns les autres avec des contorsions frénétiques.)

Naguère, A. J. réserva une table un an d'avance *Chez Robert,* dont le chef colossal règne hargneusement sur la cuisine la plus raffinée du monde. Son regard est chargé d'un mépris si foudroyant qu'on voit maint client terrorisé se rouler par terre devant lui et se compisser de la tête aux pieds dans un effort convulsif pour s'attirer l'indulgence du maître de céans.

A. J. arrive donc un beau soir en compagnie de six indigènes boliviens qui mâchonnent des feuilles de coca entre les plats. Et quand Robert, rayonnant de majesté gastronomique, met le cap sur sa table, A. J. lève le menton et gueule : « Eh, garçon, apportez-moi du ketchup! »

(Variante : A. J. tire un flacon de ketchup de ses chausses et noie de sauce le chef-d'œuvre du chef.)

Trente fins gourmets s'arrêtent de mastiquer comme un seul homme. On entendrait un soufflé retomber. Robert lance un barrissement d'éléphant blessé, fonce aux cuisines et revient armé d'un hachoir de boucher... Le sommelier gronde horriblement, les lèvres retroussées, le visage virant vicieusement au violet vineux. Il brise au ras du col un jéroboam de Brut 1926... Pierre, le maître d'hôtel, brandit un couteau à découper... Tous trois se lancent à la poursuite d'A. J. en poussant des cris de rage incohérents, inhumains... Les tables sont culbutées, vins millésimés et prodiges gastronomiques se répandent sur les tapis... Des cris de « Lynchez-le! » strient l'air. Un ripailleur d'âge canonique, aux yeux injectés de sang de cynocéphale, fait un nœud coulant au bout d'une corde à rideau de soie rouge... Se voyant acculé et menacé d'écartèlement imminent, A. J. abat son atout... Rejetant la tête en arrière il lance l'Appel aux Cochons. Aussitôt, un cent de verrats affamés qu'il avait parqués non loin de là se ruent dans le restaurant et bâfrent à pleins groins les délices du patron. Frappé de congestion, Robert s'écrase à terre comme un grand arbre abattu par la foudre, et les cochons l'engloutissent en un clin d'œil. « Ces pauvres bêtes sont trop cons pour apprécier la bonne nourriture », soupire A. J.

Paul, le frère de Robert, émerge de sa retraite au fond d'un asile de province et prend en main la direction du restaurant pour dispenser ce qu'il nomme la « Cuisine Transcendantale »... La qualité de la nourriture va en déclinant jusqu'à devenir littéralement de la merde, mais les clients sont trop impressionnés par la réputation de *Chez Robert* pour protester...

164

... Tant et si bien que les clients crèvent doucement de botulisme... Et A. J. revient un beau soir avec une cour de réfugiés arabes du Moyen-Orient. Il recrache sa première bouchée en beuglant :
— C'est de l'ordure, nom de Dieu! Faites-moi cuire ce salaud dans son eau de vaisselle!

Ainsi grandit et mûrit la légende d'A. J., l'impayable, l'adorable excentrique... *Fondu, panoramique sur Venise...* Sérénades de gondoliers, gémissements pathétiques qui montent de San Marco et du Harry's Bar... A. J. traverse la place au galop en pourfendant les pigeons au sabre d'abordage : « Dégueulasses! Enfants de putains! » hurle-t-il... Il embarque en titubant sur sa barge, une construction monstrueuse toute d'or, de bleu et de rose avec des voiles de velours purpurin. Il porte un incroyable uniforme de yachtsman strié de galons, de rubans et de médailles, mais crasseux et déchiré, la vareuse boutonnée de guingois... A. J. s'approche d'une gigantesque urne néo-grecque surmontée d'une statue d'or représentant un adolescent érectile. Il tord les rognons de l'éphèbe et un jet de champagne lui pisse dans la bouche. Il s'essuie les lèvres et jette un coup d'œil à la ronde.
— Où sont mes Nubiens, nom de Dieu? crie-t-il.
Son secrétaire lève le nez de ses bandes illustrées :
— En train de se bourrer la gueule... Ou de bourrer des putes.
— Tous des tire-au-cul! Des salopes!! Qu'est-ce que je peux faire sans mes Nubiens?
— Allez donc faire un tour en gondole.
— En gondole? rugit A. J. Déjà que je me saigne aux quatre veines pour cette baignoire à voiles et il faudrait maintenant que j'aille déconner en gondole? Monsieur Hyslop, faites carguer la grand-voile et désarmer les avirons... On va démarrer sur l'auxiliaire. »
M. Hyslop hausse une épaule désabusée, titille le tableau

165

de bord du bout de l'index. Les voiles s'affalent, les avirons regagnent le giron de la coque.

— Et envoyez le parfum, hein? Le canal pue comme c'est pas permis.

— S' vous voulez? Gardénia? Bois de santal?

— Nan. De l'ambroisie.

M. Hyslop enfonce un autre bouton et un lourd nuage de parfum se répand sur la barge. A. J. est saisi d'une quinte de toux.

— Branchez les ventilos! crie-t-il. Je suffoque...

M. Hyslop pousse un bouton en toussant dans son mouchoir. Ronron des ventilateurs, l'ambroisie s'effiloche. A. J. s'installe à la barre, sur une estrade abritée par un dais. « Contact! Moteurs!! » La barge commence à vibrer. « *Avanti*, nom de Dieu! » gueule A. J. et le rafiot fonce à travers le canal tous moteurs en panique, culbute des gondoles chargées de touristes, frôle les *motoscafi*, zigzague d'une rive à l'autre (le remous projette des lames énormes sur le quai, inondant les passants de la tête aux pieds), pulvérise une flottille de gondoles à l'amarre, percute enfin une pile de quai et part en vrille jusqu'au milieu du canal... Une voie d'eau se déclare dans la coque et un geyser jaillit à six pieds.

— Actionnez les pompes, monsieur Hyslop, nous faisons eau.

La barge donne un violent coup de proue et A. J. se retrouve barbotant dans le canal.

— Abandonnez le bord, nom de Dieu! Chacun pour soi...

Fondu déchaîné sur un air de mambo.

L'inauguration de l'Escuela Amigo, un établissement subventionné par A. J. pour rééduquer les jeunes délinquants d'origine sud-américaine, le tout en présence des gros bras de l'Université et des photographes de presse. A. J. monte sur l'estrade ornée de drapeaux américains.

— Selon les paroles immortelles du Père Flanagan, il n'y

a pas de mauvais garçon... Où est le monument, nom de Dieu?

Le Technicien : Vous le voulez tout de suite?

A. J. : Je suis pas ici pour rigoler, foutremerde! Vous pensez que je vais le dévoiler par contumace?

Le Technicien : D'accord, c'est parti!

La statue apparaît sur un tracteur Graham Hymie qui la décharge au pied de l'estrade. A. J. appuie sur un bouton. Des turbines se mettent en branle sous la plate-forme, le vrombissement devient assourdissant, le vent arrache les draperies de velours rouge qui cachent la statue, elles s'entortillent autour des vénérables magisters du premier rang... Des nuages de poussière et de débris divers submergent les spectateurs. Le hurlement des sirènes s'apaise peu à peu, les membres de la Faculté se dégagent des draperies... Chacun contemple la statue bouche bée, le souffle court.

Le Père Gonzalès : Marie Mère de Dieu!

Le Reporter du magazine « *Time* » : Je ne peux en croire mes yeux.

Le Type du « *Daily News* » : C'est bon pour les tantes, ni plus ni moins.

Concert de sifflets du côté des écoliers.

La poussière est retombée, révélant une création monumentale de pierre rose. Un adolescent nu se penche sur son compagnon assoupi, avec l'intention évidente de l'éveiller à sons de flûte. Il tient sa flûte d'une main et tend l'autre vers le lambeau d'étoffe qui ceint les hanches du dormeur. Une bosse suggestive gonfle le tissu. Les deux garçons ont une fleur derrière l'oreille et la même expression à la fois rêveuse et brutale, débauchée et innocente. Le duo coiffe une pyramide de dolomite sur laquelle on peut lire, en lettres de mosaïque rose, bleue et dorée, la devise de l'Escuela : AVEC ET ENSEMBLE.

A. J. s'approche du monument et brise une bouteille de champagne sur les fesses tendues du dormeur.

— Et n'oubliez pas, chers petits amis, que c'est ici que le champagne prend sa source.

167

Sérénade à Manhattan... A. J. et sa cour devant la porte d'une boîte de nuit à New York. A. J. traîne un babouin à cul violet au bout d'une chaîne d'or. Il (A. J.) porte des knickerbockers en cotonnade à carreaux et un veston de cachemire.

Le Chef Loufiat : Une minute. Une petite minute. Qu'est-ce que c'est que ça?

A. J. : C'est un caniche illyrien. La plus exquise conquête de l'homme. Voilà qui va relever le niveau de votre boui-boui.

Le Chef Loufiat : Je soupçonne que c'est un babouin à cul violet. Laissez-moi ça à la porte.

Un Compère : Vous ne reconnaissez donc pas le monsieur? C'est A. J., le dernier des gros cracheurs de fonds.

Le Chef Loufiat : Qu'il emmène son bâtard à cul rouge et aille cracher ses fonds ailleurs.

A. J. et compagnie s'arrêtent devant une autre boîte et jettent un coup d'œil à l'intérieur. « Rien que des pédales bien sapées et des vicilles connes! Nom de Dieu, ça tombe à pic. *Avanti, ragazzi!* » Il plante un piquet d'or dans le parquet et y attache son babouin, puis il se met à deviser sur un ton précieux, ses compères se disputant autour de lui pour lui donner la réplique.

— Fantastique!

— Monstrueux!

— Parfaitement phénoménal!

A. J. se fiche dans la bouche un long fume-cigarette fait d'un matériau étrange et d'une flexibilité obscène, qui ondule comme s'il était doué d'une vie de reptile repu répugnant.

A. J. : ...me voilà donc à plat ventre à dix mille mètres d'altitude...

Plusieurs pédés alentour dressent soudain la tête tels des fauves flairant le danger. Et en effet, A. J. bondit sur ses pieds avec un grondement inarticulé.

— Sale merdeux à cul violet! gueule-t-il. Je vais t'apprendre à chier sur le tapis!

Il tire un fouet de son parapluie et sabre le cul violet du babouin. Qui gueule à la mort et arrache le piquet, saute sur la table la plus proche et grimpe sur une vieille dame. Qui crève sur place d'une embolie.

A. J. : Navré, Médème, la discipline avant tout.

Pris de frénésie, il poursuit fouet en main le babouin à travers le bar. Le babouin, hurlichiant d'épouvante se hisse sur les épaules d'un client, saute sur un autre, court d'un bout à l'autre du zinc, se balance aux tentures et aux lustres...

A. J. : Tu vas demander pardon et chier droit ou bien tu seras plus en état de chier du tout.

Un Compère : Tu devrais avoir honte d'être si méchant avec A. J. après tout ce qu'il a fait pour toi.

A. J. : Des ingrats! Tous des ingrats! C'est une vieille lope qui vous le dit!

Bien sûr, nul ne croit à sa couverture. A. J. prétend être un Indépendant, ce qui revient à dire : « Occupez-vous de vos oignons! » car les Indépendants ont tous disparu... La Zone grouille de toutes les variétés possibles de gogos, mais il ne s'y trouve pas un seul neutre. Au niveau d'A. J., il est évidemment inconcevable d'être neutre...

Hassan est un Liquéfactioniste notoire que l'on soupçonne d'être un Émissioniste secret : « Mince, les gars, dit-il avec un sourire désarmant, je suis rien qu'un vieux cancer dégoûtant et il faut bien que je prolifère! » Il a pris l'accent traînant du Texas à force de fricoter avec Dutton Cul-Sec, le truand de Dallas, et il porte en tout temps, dehors comme dedans, bottines de cow-boy et galurin de douze litres... Ses yeux sont invisibles derrière ses lunettes fumées, son visage vide et cireux est planté comme une fleur artificielle dans son complet taillé sur mesure dans des billets de banque à plusieurs zéros mais pas encore mûrs. (Les billets de banque valent de l'argent, certes, mais il faut les laisser mûrir avant de pouvoir les négocier... Ils peuvent valoir alors jusqu'à un million l'unité.)

— Ils n'arrêtent pas de me couver dessus tout partout, dit-il timidement. C'est comme si, voyons donc, je sais pas comment vous expliquer ça, comme si je serais une maman scorpion avec tous ces petits biffetons pas sevrés qui se pressent sur moi, et moi je les sens qui grandissent et poussent et se multiplient... Mince, j'espère que je vous ennuie pas avec mes petites histoires...

Salvador, dit Sally pour ses amis — il garde toujours quelques « amis » autour de lui, qu'il paye à l'heure — s'est raffiné dans le trafic de Secondines pendant la guerre 39-45. (*N. B.* — Se raffiner signifie faire fortune, l'expression est en usage chez les pétroliers du Texas.) Le Service de Contrôle de l'Hygiène Alimentaire a constitué un dossier sur son compte, avec photo à l'appui — on y voit un homme aux traits lourds qui a l'air d'être embaumé de la veille, à croire qu'on lui a injecté de la paraffine sous la peau, laquelle est polie, brillante et vierge de pores. Il a l'œil gauche d'un gris cadavéreux, rond comme une bille, avec des défauts et des taches opaques; l'autre est noir, luisant, un œil sans âge d'insecte sans rêves. (Habituellement, ils sont cachés derrière des lunettes noires.) Sally est d'apparence sinistre, mystérieuse, il a des gestes et des tics incompréhensibles, il évoque la police secrète d'un État embryonnaire.

Dans ses moments d'excitation, Salvador est enclin à parler petit nègre, avec un accent qui semble indiquer des origines italiennes. Il parle et écrit l'étrusque.

Des escouades de contrôleurs comptables ont consacré leurs vies à l'étude du dossier international de Sally... Ses activités s'étendent dans le monde entier en un réseau inextricable et sans cesse changeant de succursales, de sociétés fictives et de prête-noms. On lui connaît vingt-trois passeports et quarante-neuf arrêtés d'expulsion, sans compter les procédures de déportation engagées contre lui à Cuba Karachi, Hong-Kong et Yokohama...

Salvador Hassan O'Leary, *alias* Petit Chausse-Pied, *alias* Marvin Tête-à-Queue, *alias* Leary la Couveuse, *alias* Peter les Secondines, *alias* Juan Placenta, *alias* Ahmed la Vaseline, *alias* El Chinche, *alias* El Culito, etc., tout ça sur quinze pages d'affilée. Première empoignade avec la Loi et l'Ordre à New York alors qu'il patinait avec un quidam connu de la police de Brooklyn sous le nom de Wilson Graisse de Baleine, qui se faisait son beurre de seringue en engourdissant les fétichistes dans les magasins de chaussures. Hassan fut alors inculpé d'extorsion au troisième degré et d'usurpation d'identité et de fonction (celles d'un flic). Heureusement, il avait gravé dans sa mémoire la Formule d'Or du Faux Poulet : B. le B. (Balance le Badge) qui correspond à la règle des pilotes de ligne : M. V. V. (Maintenir la Vitesse de Vol)... Comme dit si bien le Milicien : « Fiston, quand y a du pet, commence par planquer ton badge même si tu dois l'avaler. » Aussi ne put-on le coincer pour port de faux insigne. Là-dessus Hassan témoigna contre Wilson G. de B. qui écopa une ration de Placard Indéfini (ce qui, à New York, est la pire peine de prison possible pour un délit mineur : nominalement, le temps de tôle est indéfini, en fait ça se traduit par trois ans au trou de Riker Island). Du coup, l'affaire de Hassan fut classée : « J'aurais tiré cinq ans si j'avais pas rencontré un flic compréhensif », dit-il. Chaque fois qu'il se fait cravater, il tombe sur un flic compréhensif...

Son dossier contient trois pages de sobriquets qui éclairent sa tendance marquée à collaborer avec les forces de l'ordre (les poulets appellent ça « jouer franc jeu », d'autres appellent ça autrement) : Sally Lèche-Poulet, Marvie la Morve, Hébé la Gloussette, Ali la Mouche, Sal le Donneur de Son, le Ténor Rital, le Métèque Cracheur, l'Opéra du Mouton, le Porte-Pet, le Service des Harponnés Absents, le Syrien pour Rien, Enculé Bouche d'Or, la Lope Musicale, le Trou-qui-Cause, Leary Table-Mise, Lolo l'Allongé... Gertie la Crachouse...

Il a ouvert un boxon à Yokohama, fourgué la came à Beyrouth, maquereauté à Panama. Avec la Seconde Guerre Mondiale, il a passé la démultipliée — il a repris une laiterie en Hollande, coupé le beurre avec de la graisse à boulons et raflé le marché de la vaseline en Afrique du Nord avant de décrocher le gros lot avec ses veaux de couveuse. Il a prospéré et proliféré, inondant l'univers de médicaments frelatés et d'ersatz pas-cher-chic en tout genre : poison anti-requins à l'eau de vaisselle, antibiotiques périmés, parachutes au rencart, sérums et vaccins faits main, canots de sauvetage modèle passoire...

Clem et Jody, deux anciens tape-talons du temps du music-hall à claquettes, font leur pelote pour le compte des Russkis et leur unique mission est de montrer les États-Unis sous une lumière abominable. Quand ils ont été arrêtés en Indonésie pour sodomie caractérisée, Clem a susurré au juge d'instruction en exagérant l'accent Yankee :

— C'est pas vraiment de la pédouillerie sérieuse, M'sieur, après tout c'est rien que des Chinetoques.

On les a vus au Libéria affublés en shérifs Sudistes avec Stetson et bretelles rouges :

— ...et quand je colle un pruneau à cet enfant de putain de nègre voilà qu'il se ramasse sur le cul et flanque des coups de pied en l'air comme un con.

— C'est rien ça, t'as jamais brûlé un nègre? Rien de plus marrant.

On les voit musarder dans les bidonvilles en fumant des havanes bras-de-bébé :

— Va falloir me nettoyer ça au bulldozer, Jody, c'est franchement trop dégueulasse.

Des foules de badauds morbides les suivent pas à pas dans l'espoir d'être témoins de l'ignominie superlative des Américains.

— Trente ans que je suis sur les planches et j'ai jamais

fait un numéro pareil. Vise un peu : esproprier un bidon-ville, me seringuer à l'héroïne en public, pisser sur la Pierre Noire, jouer les muezzins déguisé en porc infidèle, supprimer l'Aide Américaine et me faire enculer tout du même coup... Ils me prennent pour une pieuvre ou quoi?

Ils complotent de louer un hélicoptère pour enlever la Pierre Noire et lui substituer un enclos à cochons — plein de verrats dressés à couiner des saloperies à la vue des pèlerins. « On a bien essayé de les entraîner à chanter des refrains à boire mais on a fait chou blanc... »

— ...on contacte Ali Wong Chapultepec à Panama pour cette affaire de blé. Il nous explique que c'est de la première qualité, c'est le patron d'un rafiot finlandais mort dans un claque du coin qui a légué la cargaison à la maquerelle... « Elle a été une mère pour moi! » qu'il a dit en cassant sa pipe... On rachète le lot en confiance à la vieille pute. Dix seringuées d'héroïne ça nous a coûté.

— Et de la meilleure. De la bonne héroïne d'Alep...

— Ouais, avec juste ce qu'il fallait de lait en poudre pour que la vieille se refasse une santé.

— A cheval donné on ne regarde point les selles...

— *Est-il vrai que vous avez fait servir du couscous mitonné avec ce blé-là au banquet du Caïd?*

— Plutôt deux fois qu'une. Et ces gonzes étaient si pleins d'herbe à germe qu'ils ont dégueulé tripes et boyaux en plein milieu du banquet... Moi je me suis contenté de pain et de lait, rapport à mon ulcère...

— Et moi de même.

— Ils cavalaient tous en rond en gueulant qu'ils avaient le feu aux tripes et quand le matin est arrivé ils étaient crevés jusqu'à l'avant-dernier.

— Et le reste a suivi le surlendemain.

— Ça leur apprendra à s'abîmer la santé en copiant les vices de l'Est...

— Ça valait mille de les voir virer au noir... Et leurs jambes qui se détachaient et tombaient en miettes sous eux.

173

— Fatale conséquence de la marie-jeannette...

— *Il m'est arrivé exactement la même chose...*

— On se branche donc sur le vieux Sultan qui est un Latah bien connu, après quoi tout a marché comme sur des roulettes.

— Et pourtant, vous allez pas nous croire, mais divers facteurs de mécontentement nous ont pris en chasse et on est arrivé de justesse sur notre yacht.

— Faut dire que l'absence de jambes était un handicap sérieux.

— Sans compter l'absence de cerveau...

(*N. B.* — L'ergot est une maladie cryptogamique qui naît du blé parasité. L'Europe médiévale était périodiquement ravagée par des épidémies d'ergotisme, que l'on appelait le Feu de Saint-Antoine. La gangrène s'en mêlait fréquemment, les jambes devenaient noires et tombaient.)

Clem et Jody fourguent un lot de parachutes réformés à l'Armée de l'Air équatorienne. Grandes manœuvres : les gars tombent en feuille morte au bout de leurs pépins tire-bouchonnés comme des capotes crevées et éclaboussent de leur jeune sang des généraux pansus... Dans leur sillage, un écho de double bang : Clem et Jody disparaissent derrière la Cordillère des Andes à bord d'un pourchasseur à réaction...

Les objectifs d'Islam & Cie sont obscurs. Inutile de dire que tous les actionnaires ont des points de vue divergents et s'évertuent à se doubler les uns les autres.

A. J. fait de l'agitation pro-arabe et prêche la destruction d'Israël : « Avec toute cette propagande antioccidentale il devient extrêmement malaisé d'obtenir les jeunes et fondamentales faveurs musulmanes... La situation est quasi intolérable... Israël constitue de ce fait un obstacle des plus déplaisants... » C'est là un scénario bien dans la manière d'A. J.

Clem et Jody laissent entendre de leur côté qu'ils visent

à la destruction des puits de pétrole du Proche-Orient pour faire monter les actions qu'ils détiennent au Venezuela.

Clem a composé un petit poème sur l'air de *Crawdad* de Big Bill Broonzy :

> *Et que verra-t-on donc quand les puits seront secs?*
> *On verra les Melons se crever la pastèque...*

Salvador s'abrite derrière un écran de haute finance internationale pour dissimuler, tout au moins aux yeux du petit personnel, ses activités Liquéfactionistes... Mais quelques bonnes doses de yage en compagnie des copains lui délient la langue.

— Islam & Cie est bon pour le bouillon d'onze heures, fredonne-t-il en dansant la Gigue Liquéfiante.

Là-dessus, incapable de se contenir, il braille d'une voix éraillée :

> *Il est moins cinq ça bouillonne pour de bon*
> *Il est onze heures ça couillonne tous les cons*
> *Hé m'man sors mon brassard*
> *Noir...*

— ...donc ces quidams se sont assuré les services d'un youpin de Brooklyn qui se fait passer pour la réincarnation de Mahomet... A vrai dire c'est le docteur Benway qui l'a mis au monde en pratiquant une césarienne sur un Hadj retour de La Mecque... « Si Maho sort pas de là à la force des biceps, je vais le chercher au bout de mon forceps... »

Cent Arabes sans méfiance avalent sans hésiter ce boniment sans vergogne.

— Bons bougres, ces crouilles, rien dans le citron mais bons bougres, dit Clem.

Et le faux prophète distille à la radio sa Sourate quotidienne : « Bonsoir chers amis à l'écoute, votre ami Mahomet vous présente sa prophétie du jour... Notre causerie d'aujourd'hui traite de l'importance d'être net... La laine de vos moutons restera fraîche grâce à la chlorophylle de l'oncle Jody... »

Et maintenant quelques mots sur les différents partis de l'Interzone...

Il apparaît d'emblée que le Parti Liquéfactioniste est, à l'exception d'un seul de ses membres, composé exclusivement de dupes, à ceci près qu'il faudra attendre le jour de l'absorption finale pour savoir qui aura été dupe de qui... Les Liquéfactionistes s'adonnent volontiers à toutes les formes de perversion et notamment aux pratiques sado-masochistes...

Dans l'ensemble, les Liquéfactionistes sont parfaitement à la page. Les Émissionistes, en revanche, sont connus pour leur ignorance totale de la nature comme des conséquences finales de l'Émission, pour leurs façons aussi barbares que pharisaïques et pour leur terreur morbide de tout ce qui constitue un *fait*... Ce fut d'ailleurs grâce à l'intervention des Factualistes que l'on put empêcher les Émissionistes d'enfermer Einstein dans un asile et de saccager sa théorie. Il n'est pas excessif de dire que rares sont les Émissionistes qui savent ce qu'ils font et que ces êtres d'élite sont les plus nuisibles que la Terre ait jamais portés... Les diverses techniques d'Émission étaient fort rudimentaires à l'origine...

Fondu-enchaîné... Le Congrès National de l'Électronique à Chicago. Les congressistes sont en train d'enfiler leurs paletots, l'orateur parle sur un ton monocorde de vendeuse d'uniprix :

— ...au moment de conclure je tiens à lancer un avertissement... Le prolongement logique de la recherche encéphalographique est le biocontrôle, c'est-à-dire la domination des mouvements physiques, des processus mentaux, des réactions émotionnelles et des impressions sensorielles *appa-*

rentes au moyen de signaux bioélectriques diffusés dans le système nerveux du sujet...

— Plus fort! Plus amusant! crient les congressistes qui se pressent vers la sortie en soulevant des nuées de poussière.

— ...dès la naissance du sujet un chirurgien pourrait aisément lui installer dans le cerveau le réseau adéquat, de façon à brancher en temps voulu un récepteur radio miniaturisé permettant de tenir le sujet bien en main grâce aux instructions diffusées par l'É. É. É. (Émetteur Émissioniste d'État)...

La poussière retombe dans l'air immobile d'une immense salle déserte, odeur de fonte chauffée et de vapeur, un radiateur chantonne au loin... L'orateur tripote ses feuillets et souffle énergiquement pour en chasser la poussière.

— ...l'appareil de biocontrôle constitue le prototype du contrôle télépathique à sens unique. Il devrait être possible de soumettre le sujet à l'influence de l'Émetteur Émissioniste au moyen de drogues ou de quelque autre procédé n'exigeant pas l'installation d'un appareillage complet. En dernière analyse, les Émissionistes utiliseront exclusivement la transmission télépathique... Vous connaissez le principe du codex maya? Je me le représente comme ceci : les prêtres, soit un pour cent de la population, avaient mis au point un système d'Émissions télépathiques à sens unique pour enseigner aux travailleurs ce qu'ils devaient ressentir, à quel moment et dans quelles conditions... L'Émissioniste télépathique devait émettre vingt-quatre heures sur vingt-quatre. Il ne pouvait rien capter lui-même parce que cela aurait signifié que quelqu'un d'autre se mêlait d'avoir des sensations personnelles, ce qui aurait tout foutu par terre en créant une solution de continuité. Il lui fallait donc émettre sans trêve... Or, il était incapable de se recharger lui-même par simple contact. Résultat : tôt ou tard il n'avait plus de sensations à émettre... Je rappelle que nul ne pouvait avoir de sensations personnelles hormis l'Émissioniste, et il ne pouvait y avoir qu'un seul Émissioniste dans chaque zone d'espace-temps... En fin de compte l'écran se vidait et l'Émissioniste était métamorphosé en un gros centipède noir... Aussitôt, les travailleurs se branchaient sur la longueur d'onde idoine, brûlaient le Mille-Pattes et élisaient un nouvel Émissioniste par voie de référendum... Mais les Mayas étaient limités par leur isolement. De nos jours, un seul Émissioniste pourrait contrôler la Terre entière... Je me permets ici de signaler une fois de plus que ce contrôle n'est pas et ne pourra jamais être un *moyen* en vue d'une quelconque *fin* pratique... Il n'a d'autre utilité que d'accentuer le contrôle et de renforcer le joug... *Comme la drogue...*

Les Divisionistes occupent une position intermédiaire, peuvent en fait être qualifiés de modérés... C'est à juste titre qu'on les appelle Divisionistes parce qu'ils se divisent littéralement. Ils découpent de minuscules parcelles de leur propre chair et élèvent des répliques exactes d'eux-mêmes dans des bocaux de gelée embryonnaire. Si l'on ne parvient à mettre un terme au processus divisionistique, il est permis de penser qu'un jour il ne restera à la surface du globe qu'une seule réplique monosexuelle, un être unique fait de millions de corps distincts... Ces corps sont-ils vraiment autonomes et pourra-t-on avec le temps créer des variations de caractéristiques? J'en doute. Les répliques doivent se recharger périodiquement auprès de la Cellule Mère. C'est là un des articles de base du credo Divisioniste, dont les adeptes vivent dans la terreur permanente d'une Révolution des Répliques; certains estiment que le processus peut être arrêté avant que soit instaurée la République de la Réplique Unique. Ils disent : « Laissez-moi le temps de planquer encore quelques répliques à la ronde pour que je me sente un peu moins seul quand je voyage... Nous devons contrôler rigoureusement la division des Indésirables... » En effet, est ou deviendra vite Indésirable toute réplique née d'un autre que soi. Inutile de préciser que si un citoyen entreprend d'inonder la région de Répliques Identiques tous les habitants du coin comprennent parfaitement ce qu'il a derrière la tête et sont susceptibles de déclarer une Schlopade, c'est-à-dire l'extermination en masse de toutes les répliques identifiables. Dans l'espoir de sauver leurs répliques du massacre, les citoyens les remodèlent, les teignent, les refaçonnent de toutes manières à l'aide de moules à visage et à corps. Seuls quelques individus dépourvus de foi et de morale se risquent à confectionner des R. I. — des Répliques Identiques.

Un Caïd albinos et crétinisant, issu d'une longue lignée de gènes récessifs (miniature de bouche édentée et bordée de poils noirs, torse de crabe démesuré, pinces au lieu de bras, yeux projetés au bout de longues antennes), a accumulé 20 000 R. I.

— A perte et perte de vue rien que des répliques, dit-il d'une petite voix qui évoque les stridulations de quelque insecte mystérieux (la ressemblance est encore accusée par sa façon de ramper en zigzag sur sa terrasse). Je n'ai plus besoin de me terrer dans un égout anonyme pour y élever des répliques et les faire sortir clandestinement déguisées en livreurs cyclistes ou en plombiers... L'éblouissante beauté de mes répliques n'est point ternie par les méthodes barbares d'aujourd'hui — chirurgie esthétique, teintures et décolorants. Elles se tiennent droites et nues sous le soleil, dans la grâce incandescente du corps et de l'âme. Je les ai créées à mon image et leur ai ordonné de croître et de multiplier à la mode géométrique car elles hériteront de la Terre.

Un sorcier professionnel a été convoqué pour stériliser à jamais les bouillons de répliques du Cheik Arack'Nid... Comme il s'apprêtait à déclencher une volée d'antiorgones, Benway lui a dit calmement :

— Vous cassez donc pas la tête. L'ataxie à Frédérick va nettoyer ce nid de répliques. J'ai étudié la neurologie à Vienne avec le professeur Pussodersch, il connaissait tous les nerfs du corps sur le bout des doigts... Un savant superbe, qui a eu la déveine de mourir dans la poisse... Il a eu une descente d'hémorroïdes qui ont fait capoter l'Hispano-Suiza du duc de Ventre en s'enroulant autour de la roue arrière. Il a été proprement étripé, il ne restait de lui qu'une coquille vide assise sur le siège de cuir de girafe... Il était vidé comme un escargot, même les yeux et le cerveau avaient fichu le camp avec un schlop effroyable. Le duc de V. dit qu'il gardera le souvenir macabre de ce schlop jusque dans son mausolée.

Sachant qu'il n'existe aucun moyen sûr de déceler une réplique travestie (bien que tout Divisioniste conscient et organisé détienne une recette présumée infaillible), les Divisionistes ont des tendances paranoïdes qui confinent à l'hystérie. Qu'un citoyen se hasarde à formuler une opinion quelque peu libérale et son interlocuteur rétorquera invariablement : « Fais-toi voir un peu, toi, des fois que tu serais une saloperie de réplique de nègre passée à la Javel... »

Les rixes de bistros se traduisent par de lourdes pertes. En réalité, la hantise des répliques nègres — lesquelles sont fréquemment dotées de cheveux blonds et d'yeux bleus — a provoqué le dépeuplement de régions immenses. Tous les Divisionistes sont des homosexuels déclarés ou en puissance. Les vieilles tantes machiavéliques susurrent aux adolescents : « Si tu fais des saletés avec une femme tes répliques ne pousseront jamais. » Et les citoyens passent leur temps à jeter des sorts aux cultures de répliques de leurs voisins. Sans cesse, par toute la Zone, on entend jurons et menaces (« Que je t'y reprenne à jeter la scoumoune à mes répliques, Biddy Blair! »), suivis de bruits de bagarres... De façon générale, les Divisionistes sont très friands de magie noire, et ils connaissent des centaines de formules d'efficacité variable pour annihiler la Cellule Mère (encore appelée le Papa Protoplasmique) et toutes sortes de méthodes de torture et d'exécution des répliques capturées... Les leaders de la colonie Divisioniste ont abandonné l'espoir de réprimer définitivement les assassinats de répliques aussi bien que leur production illégale; mais ils lancent de temps à autre des raids préélectoraux, au cours desquels on détruit systéma-

tiquement les cultures de R. I. dans les régions monta-
gneuses de la Zone où se terrent les bouilleurs de répliques.

Faire l'amour avec une réplique est strictement interdit
par la loi, mais c'est hélas une pratique quasi universelle.
Il se trouve de nombreux bars interlopes où l'on voit des
citoyens sans scrupules frayer ouvertement avec leurs
répliques. Poulets, enquêteurs privés et flics d'hôtel forcent
chambres et appartements privés pour chercher la trace de
répliques sous les lits.

Les tenanciers de bars sélects qui craignent d'être envahis
par les amoureux de répliques plébéiennes accrochent des
écriteaux spécifiant avec force *ibidems* et *dittos* à l'appui :
LES « « » » NE SONT PAS ADMIS DANS L'ÉTABLISSE-
MENT... Il n'est pas exagéré de dire que le Divisioniste
moyen vit dans un climat perpétuel de rage et d'épouvante,
incapable qu'il est de parvenir à la fatuité pharisaïque des
Émissionistes ou à la dépravation décontractée des Liquéfactionistes... Quoi qu'il en soit, les différents partis ne vivent
pas en vase clos mais se mêlent les uns aux autres en de
multiples combinaisons.

Les Factualistes sont anti-Liquéfactionistes, anti-Divi-
sionistes et, par-dessus tout, anti-Émissionistes.

Extrait du *Bulletin de Coordination Factualiste* au sujet
des répliques : « Nous devons rejeter la solution de facilité
qui consisterait à inonder la planète de répliques dites « dési-
rables ». Il est hautement improbable que l'on trouve jamais
des répliques dignes d'être désirées, car ces créatures cons-
titueraient aussitôt un front d'action visant à enrayer l'évolution et la nature même du processus réplicatif. En tout
état de cause, même les répliques les plus évoluées généti-
quement et intellectuellement feraient peser une menace
indicible sur la vie du globe... »

Extrait du *B. E. (Bulletin Expérimental)* sur la L. (Liquéfaction) : « Nous ne devons ni rejeter ni même renier notre

181

noyau protoplasmique. Il est indispensable au contraire de préserver un maximum de flexibilité sans tomber pour autant dans le bourbier de la Liquéfaction... »

Extrait du *B. E. I.* *(Bulletin Expérimental Inachevé)* : « Nous affirmons catégoriquement que nous ne sommes en aucune façon ennemis de la recherche télépathique. Si elle est bien comprise et convenablement appliquée, la télépathie pourrait former notre ultime défense contre les tentatives de coercition de certains *lobbies* ou d'individus obsédés par le rêve du dirigisme. Mais, de même que nous luttons contre la guerre atomique, nous lutterons activement contre l'utilisation de telles méthodes pour diriger, contraindre, avilir, exploiter ou annihiler la personnalité d'autrui. La télépathie n'est pas, de par sa nature propre, un processus à sens unique; toute tentative de diffusion télépathique unilatérale sera donc condamnée comme un fléau inqualifiable... »

Extrait du *B. D. (Bulletin Définitif)* : « L'Émissioniste se définit par sa négativité... zone de pression minimale... succion du vide... Il est notoirement anonyme, sans visage, sans couleur... Il naît — ou mérite de naître — avec de petits disques de peau parfaitement lisse à la place des yeux. En effet, à l'instar des bacilles et virus, il est toujours conscient de son but et de sa direction et n'a donc pas besoin d'yeux.

« *Q* : L'Émissioniste existe-t-il en plusieurs exemplaires?

« *R* : Certes, et ils étaient fort nombreux à l'origine. Mais cela ne pouvait pas et ne peut pas durer. Ainsi, des citoyens quelque peu déphasés se croient en mesure d'émettre un programme édifiant, sans se rendre compte que le seul fait d'émettre est un péché... Les savants le disent bien : « L'Émis-« sion est comparable à la fission nucléaire — *si* et *quand* on « parvient à la maîtriser!... » (Au même instant, un technicien anal boit un verre de bicarbonate de soude et actionne machinalement la manette qui réduit la Terre en poussière cosmique. Il rote et marmonne : « Ils vont entendre cette « vesse jusque sur Jupiter! ») Les artistes sont enclins à confondre Émission et Création. Ils font du sur place en gueulant : « Un œil neuf... Un matériau neuf... » jusqu'au jour où la cote s'effondre... Les philosophes, eux, ratiocinent à perte de souffle sur la fin et les moyens sans comprendre que l'Émission n'a et n'aura jamais d'autre résultat qu'un renforcement de l'Émissionisme — *comme la drogue.* Essayez donc d'utiliser la drogue comme le *moyen* d'une autre *fin* que la drogue elle-même!... Quelques individus qui s'envoient en l'air avec des mélanges d'aspirine et de coca-cola vous parleront gravement de la funeste fascination de l'Émissionisme... mais nul n'est capable de parler longtemps de la même chose. Au vrai, l'Émissioniste lui-même abomine tout bonnement les boniments... »

L'Émissioniste n'est pas un être humain. Il est le Virus Humain... (Tout virus procède de cellules détériorées menant une existence parasitaire : il éprouve une affinité spécifique avec la Cellule Mère, et c'est ainsi que les cellules hépatiques délabrées se dirigent vers le berceau de l'hépatite et autres maux. Il en résulte que chaque espèce a son Maître Virus : l'image pervertie de l'espèce elle même.)

L'image pervertie de l'Homme évolue de minute en minute, de cellule en cellule... la misère, la haine, la guerre, gendarmes et voleurs, la bureaucratie, la folie, tous les symptômes du Virus Humain.

Or, on peut à présent isoler et soigner le Virus Humain...

Le Greffier Municipal

Le Greffier Municipal tient ses assises dans un grand bâti-
ment de briques rouges désigné sous le nom d'Ancien Palais
de Justice. C'est encore là, du reste, que l'on juge en principe
les affaires civiles, dont la procédure traîne en longueur jusqu'à ce que les plaideurs renoncent à leur affaire ou meurent.
Cela est dû à l'accumulation de milliers de dossiers concer-
nant des affaires aussi variées que multiples, tous classés à
tort et à travers de telle sorte que seuls le Greffier Municipal
et son équipe sont capables de remettre la main dessus —
et encore passent-ils souvent plusieurs années en recherches.
Ainsi s'acharne-t-on encore à retrouver la paperasserie relative à une affaire en dommages et intérêts qui a été réglée à
l'amiable en 1910. La plus grande partie de l'Ancien Palais
de Justice est tombée en ruine, et ce qui reste debout constitue un danger permanent étant donné les éboulements qui
se produisent sans cesse. Le Greffier Municipal assigne les
missions les plus périlleuses à ses assistants, dont bon nombre
ont perdu la vie en service commandé; en 1912, deux cent
sept petits fonctionnaires ont disparu lors de l'effondrement
de l'aile Nord-Nord-Est.

Quand un citoyen de la Zone est cité à comparaître devant
le tribunal, ses avocats se démènent pour faire transférer son
dossier à l'Ancien Palais de Justice. Le demandeur peut dès
lors considérer son affaire comme perdue. C'est pourquoi on

n'y plaide que les affaires inscrites à la requête de maniaques ou de paranoïaques qui exigent « un jugement au vu et au su de tous » — ce qui ne se produit qu'exceptionnellement car les journalistes n'assistent aux procès de l'Ancien Palais qu'en cas de disette absolue de nouvelles.

L'Ancien Palais est situé à Poubeltown, une bourgade qui végète en dehors de la zone urbaine. Les habitants de la ville et des marécages environnants sont gens si abscons, rétrogrades et barbares que l'Administration a jugé bon de les maintenir en quarantaine dans une réserve ceinte de hautes murailles de métal radioactif. En guise de représailles, les édiles de Poubeltown ont affiché par toute la ville des écriteaux annonçant : MÉTROPOLITAIN DE PASSAGE A POUBELTOWN, TES JOURS SONT COMPTÉS DÈS LA TOMBÉE DE LA NUIT!!! L'avertissement est superfétatoire, car seule une affaire capitale et urgentissime pourrait contraindre un citoyen de la Zone à faire le voyage de Poubeltown.

L'affaire de Lee, justement, est d'une urgence capitalissime : il est sommé de produire un certificat établissant qu'il est atteint de peste bubonique, ceci afin d'échapper à son éviction immédiate du pavillon où il vit depuis dix ans sans payer le loyer. Il vit dans un état de quarantaine permanente... Il bourre donc ses valises de certificats, de pétitions, de mises en demeure et d'attestations, puis il prend le car jusqu'à la frontière. Le douanier métropolitain lui fait signe de passer en disant : « J'espère que tu as des bombes atomiques dans tes valoches. »

Lee avale une pleine poignée de pilules tranquillisantes et pénètre dans le baraquement des douanes de Poubeltown. Trois heures durant, les douaniers épluchent ses papiers, compulsent des manuels poussiéreux, étudient règlements et tarifs, lisent à haute voix des bribes de textes menaçants et à peine compréhensibles qui se terminent tous par la formule : « ...et se trouve en conséquence passible d'amende et de poursuites conformément à l'article 666 ». De temps à autre, les sbires lèvent la tête, regardent Lee avec une mine lourde de sens, puis se penchent de nouveau sur ses papiers loupe en main.

— Il y en a qui glissent des mots cochons entre les lignes.

— Il se figure peut-être qu'il va pouvoir vendre tout ça comme papier hygiénique. Toute cette merde est-elle pour votre usage personnel?

— *Oui.*

— Tu l'entends? Il dit oui.

— Et qu'est-ce qui nous prouve que c'est vrai?

— *J'ai une attestation.*

— Voyez-moi ce mec à la redresse. Allez, ôte tes fringues.

— Tu vas les ôter! Dis donc, peut-être bien qu'il a des pornos.

Ils le tripotent de la tête aux pieds, lui sondent le cul avec l'index, à la recherche de produits de contrebande ou de traces de sodomie, ils lui plongent le crâne dans une bassine et envoient l'eau au laboratoire de la police aux fins d'analyse : « Il aurait de la came plein les cheveux que j'en serais pas étonné. »

Finalement, ses valises sont confisquées et Lee sort de la baraque en trébuchant sous vingt kilos de paperasses diverses.

Une douzaine d'assesseurs se prélassent sur le perron de bois vermoulu de l'Ancien Palais de Justice. Ils regardent approcher Lee de leurs yeux d'un bleu délavé, toutes les têtes tournent lentement et avec ensemble sur leurs cous ridés (rides à demi comblées de crasse et de poussière) comme pour accompagner cette carcasse humaine qui gravit les marches et franchit la grande porte. A l'intérieur, la poussière flotte dans l'air comme une buée, elle jaillit des craquelures du plafond, s'élève du plancher sous les pas de Lee. Il monte un escalier disjoint (condamné depuis 1929), une marche cède sous son talon et des échardes desséchées

labourent son mollet mis à nu. L'escalier aboutit à un échafaudage de peintre, suspendu par des cordes élimées et des
poulies rongées à une poutre presque invisible dans la poussière des combles. Lee se hisse avec précaution dans un
baquet de Grande Roue de foire, son poids met en branle un
mécanisme hydraulique (bruit d'eau courante). La Roue
évolue silencieusement, sans à-coups, et s'immobilise au
moment où Lee se trouve à la hauteur d'un balcon de fer
rouillé dont la plate-forme 'est percée comme une vieille
semelle. Lee suit un corridor interminable, flanqué de portes
qui sont presque toutes condamnées par des faisceaux de
planches. Dans un petit bureau (les mots *Exquiseries Levan-
tines* gravés sur une plaque de cuivre vert-de-grisé), le
Mugwump happe des termites du bout de sa longue langue
noire. La porte du Greffe est ouverte. Assis derrière son
bureau, le Greffier Municipal mâchonne sa chique. Six de
ses assistants font cercle autour de lui. Lee reste sur le seuil.
Le Greffier Municipal continue de parler sans lever la tête.

— ...l'autre jour, je suis tombé sur Teddy Robinet... un
vrai bon bougre, pas de meilleur type dans toute la Zone...
Ça se passait un vendredi et je m'en souviens rapport que
ma pauvre femme était au lit avec ses périodes qui lui
donnaient des crampes terribles et j'avais dû aller chez Parker le pharmacien de la grand-rue tenez juste en face du
Salon de Beauté de la Mère Moral là où il y avait dans le
temps les écuries du vieux Jed... Pauvre vieux Jed j'ai son
nom de famille sur le bout de la langue il avait l'œil gauche
qui jouait les outsiders et il avait épousé une fille qui venait
d'Orient Alger je crois bien que c'était et quand Jed est mort
elle s'est remariée elle a épousé un des fils Hoot Clem Hoot
si je fais pas erreur oui Clem Hoot c'était un vrai bon bougre
il devait avoir dans les cinquante-quatre cinquante-cinq ans
à l'époque... Alors j'explique à Parker je lui fais :

« — Y a ma pauvre vieille qui est au lit avec ses crampes
périodiques qui la travaillent donnez-moi donc deux petites
mesures d'élixir parégorique.

« Et Parker il me dit :

« — D'accord Archie mais il faut que tu me signes le registre nom prénom adresse et date de l'achat c'est la loi.

« Alors moi je lui demande quel jour on est et il me dit :

« — Ben on est vendredi 13.

« Alors moi je lui dis :

« — Oh j'ai déjà assez la poisse comme ça.

« Et le vieux Parker il me dit :

« — Eh bien figure-toi y a un type qui est venu ce matin un type de la ville habillé façon plutôt gueularde il avait une ordonnance pour un plein bocal à confiture de morphine une ordonnance qui avait pas l'air sérieux même qu'elle était écrite sur du papier à cul alors moi Parker je lui ai dit aussi sec :

« « — Monsieur moi j'ai idée que vous êtes un camé.

« « Et il me répond :

« « — J'ai trois ongles incarnés papa je souffre le martyre.

« « Alors moi je lui ai dit comme ça je dis :

« « — Ben vrai c'est qu'il faut que je fasse attention mais du moment que vous avez une maladie légale et une ordonnance pareille signée par un médecin de bonne foire eh bien moi je demande pas mieux que de vous servir.

« « Et lui il me dit :

« « — Ma parole que la bonne foire de ce toubib-là elle peut pas être mise en doute.

« « Eh bien faut croire que ma main gauche elle savait pas ce que la droite elle faisait parce que voilà pas que je lui ai donné du détergent à chiottes... Tout ça c'est pour dire que lui aussi il a eu sa ration de poisse. »

« Alors moi j'ai dit comme ça au vieux Parker :

« — Ma foi rien de tel pour vous purger le sang.

« Et lui il dit :

« — Eh bien Archie figure-toi qu'il m'est arrivé exactement la même chose et c'est drôlement plus efficace que le soufre et la mélasse maintenant Archie écoute-moi et va pas croire que je me mêle de ce qui me regarde pas mais moi je dis toujours qu'un homme n'a pas de secrets pour son Créateur et pour son pharmacien alors dis-moi est-ce que tu baises toujours avec ta vieille bourrique?

« — Eh bien quoi monsieur Parker!

« C'est moi qui lui réponds comme ça je lui dis :

« — Eh bien(!) quoi(!!) monsieur Parker(!!!) vous savez tant que je suis père de famille et avec ça Doyen du Culte de la Première Dénomination Non-Sextuelle et que j'ai pas tranché une jument depuis qu'on était gamins tous les deux toi et moi.

« Et Parker il dit :

« — Ah dis donc rappelle-toi Archie ça c'était le bon temps tu te souviens la fois que je t'ai donné le pot de moutarde au lieu du pot de graisse d'oie moi j'ai toujours été le gars à me tromper de pot comme on dit ah dis donc je suis sûr qu'on t'a entendu gueuler jusqu'à Leshbitt tu gueulais comme un verrat qu'on vient de lui cisailler les roupettes.

« Alors moi je fais :

« — Eh là doucement Parker tu l'as encore mise à côté du pot vu que c'est toi qui t'étais barbouillé de moutarde là où je pense et c'est moi qui ai dû attendre que tu refroidisses.

« — Allons donc Archie tu rêves ou quoi tu as des hallucinations ma parole!

« Il me dit ça comme ça et puis il me dit :

« — C'est le mot il paraît je l'ai lu l'autre jour sur une revue que je lisais en poussant dans les goguenots de la gare on vient de les repeindre en vert... Non mais vois-tu Archie ce que je disais tout à l'heure tu m'as pas bien compris quand je parlais de ta vieille bourrique je parlais de ta femme je veux dire elle doit plus être toute neuve du croupion avec toutes ses pustules et ses cataractes et ses engelures sans causer des hémorroïdes et des aphtes et que sais-je encore.

« Alors moi qu'est-ce que vous voulez je lui réponds comme ça :

« — Ma foi oui mon vieux ma pauvre Lise elle est pas en point elle s'est jamais bien remise de sa onzième fausse couche même qu'il y avait quelque chose de pas mal bizarre dans cette histoire et le docteur Ferris il me l'a pas envoyé dire il m'a dit :

« — Archie vaudrait mieux plus que tu mettes le boudin à cette pauvre créature.

« Et vois-tu mon vieux Parker le docteur Ferris il m'a lancé un long regard comme ça que j'en avais des frissons partout... Eh bien au fond tu as raison mon vieux Parker ma pauvre Lise elle est plus toute neuve et elle serait même plutôt patraque avec ça que tes remèdes ils ont pas l'air de la soulager du tout d'ailleurs elle est même plus foutue de voir s'il fait jour ou s'il fait nuit depuis qu'elle s'est mis les gouttes pour les yeux que tu nous as vendues le mois dernier... Mais vois-tu mon vieux tu dois bien te douter que ça fait longtemps que je lui mets plus le boudin à cette pauvre vieille bourrique et note bien que je veux surtout pas manquer de respect à la mère de mes pauvres petits bâtards mort-nés et pourquoi je lui mettrai à elle la pauvre quand j'ai cette jolie petite gosse de quinze ans tu sais bien la petite café au lait qui travaillait dans le temps chez Marylou dans le quartier nègre tu sais bien ce salon de beauté pour défriser les tifs et blanchir la peau.

« Et Parker il me regarde et il fait :

« — Alors quoi Archie tu te payes du noir de poulette hein tu te payes du ragoût de chocolat hein?

« — Tu parles mon vieux et ça fait pas un pli ah si je m'en paye bon eh bien c'est pas tout ça mais j'ai le devoir qui me met le doigt au cul comme on dit y a ma vieille écrémeuse qui m'attend la pauvre.

« — Il doit plus y avoir beaucoup de babeurre dans cette vieille baratte-là je parie.

« Alors je fais :

« — Ça alors tu l'as dit mon vieux elle est sèche mais sèche bon eh bien merci pour le parégorique.

« — C'est moi qui te remercie de m'apporter ta pratique mon vieux Archie hi hi hi et à propos mon vieux si jamais tu te trouves un soir avec les joyeuses au chômage viens donc frapper ici je te paierai la tournée de yohimbine.

« Je le regarde et je dis :

« — Eh bien d'accord Parker tu peux compter sur moi ça nous rappellera l'ancien temps.

« Je dis ça comme ça et puis je rentre chez moi et je mets de l'eau à chauffer et je verse dedans un peu de l'élixir avec des clous de girofle un peu de cannelle et de sassafras et je donne ça à boire à Lise la pauvre et je crois que ça lui a fait du bien en tout cas elle a arrêté de me faire chier... Bon et un peu plus tard je retourne chez Parker pour m'acheter une capote et j'étais pour partir quand je tombe sur qui sur Roy Bane un vrai bon bougre qu'il y a pas meilleur type dans toute la Zone et voilà qu'il me dit comme ça il me dit :

« — Dis donc Archie tu vois ce vieux nègre là-bas dans le terrain vague? Eh bien aussi régulier que la chiasse et les impôts il s'amène ici tous les soirs si régulier que tu peux mettre ta montre à l'heure d'après lui. Tu le vois là-bas derrière les orties? Eh bien chaque soir vers huit heures et demie à peu près il va s'installer là-bas dans ce terrain vague et il s'envoie en l'air en se frottant le nœud à la paille de fer. Il paraît que ce nègre c'est un prêcheur ambulant.

« Eh bien c'est comme ça que j'ai su à peu près quelle heure il était environ ce vendredi 13-là et pas plus tard que vingt minutes une demi-heure après ça j'avais bu un coup de cantharide dans la pharmacie à Parker et ça commençait à me travailler j'étais juste à la hauteur du marais de Grennel sur le chemin du quartier nègre. Bon vous savez que le marais il fait un coude à un endroit là où il y avait dans le temps une cabane de nègre un autre nègre celui-là et aveugle. Ils ont brûlé ce pauvre vieux nègre du côté de Leshbitt.

Faut dire qu'il avait eu des aphtes et ça l'avait laissé aveugle comme un mur... Et voilà qu'une fille une fille blanche du Texas ou quelque part dans le Sud elle se met à brailler :

« — Roy y a ce sale nègre qui me regarde avec ses yeux dégoûtants Jésus Marie je me sens sale tout partout.

« — Te ronge pas les sangs mon chou moi et les copains tu vas voir on va le brûler.

« — Vas-y tout doucement chéri surtout va pas trop vite que je vois bien je te jure ça m'a donné une migraine j'en suis toute retournée.

« Alors ils ont brûlé le nègre et puis le gars du Sud et sa femme et leurs copains ils sont rentrés chez eux au Texas sans payer l'essence et Loulou Langue de Plomb qui tient la station service il n'a parlé que de ça tout l'automne :

« — Voilà ces gens de la ville qui viennent chez nous pour brûler un nègre et ils pensent même pas à me régler le bidon d'essence!

« Eh bien la cabane de ce nègre au marais de Grennel figurez-vous que Chester Hoot l'a démontée et il l'a remontée derrière sa maison à lui au fond de Bled Valley. Il a bouché toutes les fenêtres avec du chiffon noir et ce qui se passe maintenant là-derrière j'ose même pas en parler tant ça me fait honte. Faut dire que le vieux Chester il a des pratiques pas bien chrétiennes... Eh bien c'est juste à l'endroit du coude là où il y avait dans le temps la cabane de ce nègre tenez juste en face de la ferme du vieux Brooks qui est inondée tous les ans au printemps sauf qu'à l'époque que je vous parle c'était pas encore les Brooks qui habitaient là c'était un dénommé Scranton. D'ailleurs, le terrain a été mis au cadastre en 1919 vous vous rappelez le type qui a fait le boulot et les mesures un dénommé Clarence le Bossu qui se faisait des sous à côté en chassant le mauvais œil des puits frais creusés. Bon bougre avec ça ce vieux Clarence je connais pas meilleur type dans toute la Zone... Eh bien c'était à peu près à cet endroit tout juste que je suis tombé sur Teddy Robinet qui était en train de tromboner un caméléon... »

Lee se racle la gorge. Le Greffier Municipal lève son regard derrière ses lunettes :

— Si ça vous fait rien de vous tenir jusqu'à ce que j'ai fini de parler, jeune homme, je m'occuperai de vous sitôt derrière.

Et il se plonge dans une nouvelle anecdote à propos du négro qui avait attrapé la rage au cul d'une vache.

— Et mon père me dit :

« — Finis tes devoirs fiston et on va aller voir le nègre enragé.

« Faut dire qu'ils l'avaient enchaîné à son lit ce nègre et il poussait des beuglements comme une génisse comme une génisse vous voyez le coup hi hi hi. Bientôt, j'ai plus trouvé ça drôle et là-dessus si vous voulez bien m'excuser mais il faut que j'aille Greffer les Rameaux de la Justice dans les Gogues de la Cour hi hi hi. »

Lee écoute avec consternation. Le Greffier Municipal passe parfois des semaines entières dans les toilettes du Palais, se nourrissant de scorpions et de catalogues des grands magasins. En plusieurs occasions, ses assistants ont dû forcer la porte et le tirer de là dans un état d'inanition avancé. Lee décide d'abattre sa dernière carte.

— Monsieur Anker, dit-il, je fais appel à vous en tant que Fil de Rasoir...

Et il brandit sa carte de membre du club des Fils de Rasoir, souvenir de sa folle jeunesse. Le Greffier contemple la carte d'un œil soupçonneux.

— Vous m'avez pas l'air d'un Fil de Rasoir bien catholique... Tiens par exemple qu'est-ce que vous pensez des Juifs ?

— Allons donc, monsieur Anker, vous savez très bien que la seule chose qui intresse le Juif c'est de tripoter une Chrétienne... Un de ces jours, il faudra leur couper le reste.

— Ma foi vous avez de la jugeote pour un gars de la ville... Eh vous autres, voyez ce qu'il veut et occupez-vous de lui... C'est un vrai bon bougre.

L'Interzone

Le seul indigène de l'Interzone qui ne soit ni pédéraste ni disponible est le chauffeur d'Andrew Suskif. Il ne s'agit nullement d'une marque d'affectation ou de perversité de la part de Suskif, ce n'est qu'un prétexte commode pour se débarrasser des gens qui l'ennuient : « Je t'ai vu faire du ⸱gringue à Arack'Nid hier soir, je veux plus te voir chez moi. » Les habitants de la Zone sont toujours à moitié envapés, qu'ils boivent ou pas, et nul ne peut affirmer qu'il n'a pas fait de gringue hier soir à ce personnage pourtant bien peu appétissant.

Arack'Nid est un chauffeur exécrable, c'est à peine s'il sait tenir un volant. Un jour, il a écrasé une femme enceinte qui descendait de sa montagne en coltinant sur le dos une charge de charbon de bois, elle a fait une fausse couche sur place, crachant sur la chaussée un petit monstre mort-né et sanguinolent, et Suskif est descendu de voiture, s'est assis sur le trottoir et a dessiné dans le sang avec le bout de sa canne pendant que la police interrogeait Arack'Nid et embarquait la blessée pour violation de la Réglementation sur l'Hygiène.

Arack'Nid est un jeune homme d'apparence sinistre avec un long visage couleur gris ardoise, un grand nez et de grandes dents jaunes de cheval. N'importe qui peut trouver un chauffeur qui soit beau garçon, mais il faut s'appeler Andrew Suskif pour dénicher un type comme Arack'Nid...

Suskif est ce jeune et brillant romancier qui vit dans une pissotière modernisée dans la rue des putains du Quartier Nègre.

La Zone ne forme qu'un seul édifice colossal. Les murs sont faits de ciment plastique qui se détend pour donner du large aux locataires, mais quand il y a trop de monde dans une pièce on entend un schlop mou et le type en surnombre est projeté à travers le mur dans la maison voisine, ou plus exactement dans le lit voisin, car les chambres se réduisent à un lit gigantesque. C'est au lit que l'on traite les affaires, dans un bourdonnement de transactions amoureuses et commerciales qui fait vibrer la Zone comme une ruche :

— Zéro virgule trente-trois pour cent, je n'en démordrai pas, même si tu étais l'homme de mes rêves.

— Mais où est le manifeste, chéri?

— Pas là où tu mets la main, mon cœur, ce serait trop facile.

— Tout un lot de blue-jeans avec roupettes postiches rapportées! *Made in Hollywood!!*

— O Li'Houd au Siam, bien sûr.

— Peut-être, mais façon américaine.

— Quelle est la commission?... La *commission*... La commission...

— Aïe, ma pépite jolie, une cargaison de vaseline en véritable rinçure de baleine présentement dans l'Atlantique Sud, un tout petit peu en quarantaine à la Terre de Feu rapport au Service de Santé. La commission, beauté! Si on enlève l'affaire, on sera assis dans l'oseille jusqu'au cou.

(*N. B.* — La rinçure de baleine est le résidu accumulé au cours des opérations de dépeçage et de cuisson de la baleine. Une saloperie poissonnante qui pue à des lieues à la ronde. Nul n'a jamais réussi à en tirer quoi que ce soit d'utile.)

La Société Interzone Import-Export S. A. R. très L., dont les mandants uniques sont Marvie et Leif la Déveine, s'est branchée sur cette affaire de vaseline. Leur Société est spécialisée dans les produits pharmaceutiques et a ouvert de surcroît un dispensaire prophylactique Jour-et-Nuit, Six - Traitements - Infaillibles - Par - Devant - Par - Derrière (on connaît à ce jour six maladies vénériennes distinctes).

Marvie et Leif sautent à pieds joints sur l'affaire. Ils gagnent de façon indicible les bonnes grâces d'un agent maritime Grec paraplégique et d'une brigade de douaniers au grand complet. Mais les deux associés en viennent à se brouiller, ils se dénoncent mutuellement à l'ambassade où on les adresse au Service des Affaires A Classer Discrètement, qui les évacue par une porte de service dans un terrain vague constellé d'étrons où des charognards se disputent des têtes de poisson. Les ex-associés se tombent dessus à bras hystériquement raccourcis.

— Essaye pas de me baiser ma commission!

— *Ta* commission, voyez-vous ça! Qui a flairé la combine le premier?

— Mais c'est moi qui tiens le manifeste.

— Monstre! Après tout je m'en fous, le chèque va être établi à mon nom.

— Salope! Tu ne verras pas le bout du manifeste tant que ma part n'aura pas été déposée à mon compte.

— Bah, embrassons-nous et ne nous disputons plus. Je suis aussi désintéressé que bon camarade, tu le sais bien.

Ils se serrent la main sans enthousiasme et se bécotent la joue. L'affaire traîne pendant des mois. Ils décident d'engager un Accélérateur. Finalement, Marvie arrive avec un chèque de quarante-deux kurdes turkestanais à tirer sur une banque inconnue d'Amérique du Sud après clearing à Amsterdam, opération qui durera au moins une onzaine de mois.

Marvie peut maintenant se la couler douce dans les cafés de la Plaza en exhibant une photocopie du chèque (pas l'original, bien sûr, de crainte qu'un envieux ne crache du corrector sur la signature ou ne détruise le chèque de quelque autre manière). On le presse de célébrer son succès en payant une tournée générale, mais il se contente de rire en répondant gaiement : « J'ai même pas de quoi me payer un seul verre.

196

J'ai dépensé jusqu'à mon dernier kurde en streptomycine pour la vérole d'Ali. Il s'est encore fait champignonner en poupe et en proue, et j'ai bien failli lui schloper le cul à travers le mur en lui disant d'aller se faire voir dans le lit d'à côté — mais vous savez que je suis une vieille folle sentimentale. »

Il ne s'en offre pas moins un doigt de bière, extirpe de sa braguette une pièce noircie qu'il pose délicatement sur la table. « Gardez la monnaie, petit. » Le garçon balaye la pièce dans sa pelle à poussière, crache sur la table et s'éloigne dignement.

— Quel mauvais coucheur! dit Marvie. Il est jaloux de mon chèque.

Marvie habite l'Interzone depuis « l'année avant la première » comme il dit lui-même. Il a été démissionné d'office de l'emploi mal défini qu'il occupait au Département d'État, tout cela « dans l'intérêt du service et de la nation ». On devine qu'il a dû être autrefois très beau garçon, du style étudiant-cheveux-en-brosse, mais son visage s'est affaissé en bourrelets qui lui pendent du menton comme des giclées de paraffine fondue, il a une brioche et les hanches empâtées de mauvaise graisse.

Leif la Déveine est un grand diable de Norvégien tout maigre avec une coquille de deuil sur l'œil gauche et des traits congelés sur un rictus obséquieux. Il laisse dans son sillage une saga d'exploits malheureux. Il a lamentablement échoué dans l'industrie de la grenouille de table, du chinchilla, du poisson de combat siamois, de la ramie et des perles de culture. Il a essayé, de façon successive et sans succès, d'ouvrir un Cimetière des Amants avec cercueils deux-places, de monopoliser le marché des capotes anglaises pendant la crise du caoutchouc, d'exploiter un bordel par correspondance, de commercialiser la pénicilline sans ordonnance... Il a misé ses économies sur des martingales désastreuses dans tous les casinos d'Europe et sur tous les champs de courses des États-Unis... Ses revers professionnels vont de pair avec l'incroyable poiscaille de sa vie privée. Des matafs lui ont défoncé les canines à coups de pied sur un trottoir de Brooklyn. Il s'est fait bouffer un œil par les vautours un soir qu'il avait sifflé un demi-litre de parégo et cuvait sa biture sur le gazon d'un jardin public de Panama City. Il est resté prisonnier cinq jours durant dans un ascenseur en panne entre deux étages alors qu'il était en panique de carence. Il a été en proie à une crise de *delirium tremens* pendant une traversée clandestine, bouclé dans une malle à fond de cale... Rappelons pour mémoire son tragique séjour au Caire, où il faillit succomber à l'attaque conjuguée d'une occlusion intestinale, d'ulcères éclatés et d'une péritonite aiguë, mais l'hôpital était comble et on l'installa dans les latrines, là-dessus le chirurgien grec se trompa d'opération et, tout carençard qu'était Leif, il lui greffa par erreur un singe vivant sous la peau du ventre, après quoi le malheureux fut empapaouté à la chaîne par les infirmiers arabes, et pour finir le grouillot de la pharmacie remplaça la pénicilline de ses piqûres par du détergent à chiottes... Et le jour où il attrapa une mauvaise vérole côté arrière et tomba sur un médecin anglais puritain qui lui administra des lavements d'acide sulfurique bouillant... Et le jour où le Herr Professor Doktor de l'Institut de Médecine Technologique lui ôta l'appendice avec un ouvre-boîte rouillé et une paire de sécateurs de jardin (il considérait l'antisepsie et la théorie des microbes comme une « zoddise ») et se trouva si fier de son succès qu'il entreprit de lui cisailler tout le corps à la va comme je te coupe (« Der gorps humain ist rembli de joses bas nézézaires du dout. Afec un zeul rein fous boufez fifre. Alors bourguoi deux reins afoir ? Jawohl, zezi est vodre audre rein... Les organes indernes ne doifent bas zi zerrés êdre. Ils feulent Lebensraum gomme Vaderland afoir... »).

L'Accélérateur n'a pas encore été rétribué et il renâcle à la perspective de ces onze mois d'attente jusqu'au paiement du chèque de Marvie. On prétend que l'Accélérateur est né sur le ferry-boat qui assure la liaison entre l'Ile et la Zone.

Ses fonctions consistent à accélérer la livraison des marchandises, mais les avis diffèrent quant à son efficacité. Il suffit de prononcer son nom pour déclencher rixes et polémiques. Les uns affirment avec preuves à l'appui qu'il est un faiseur de miracles, les autres prouvent de façon tout aussi péremptoire son absolue incompétence.

L'Ile est une base militaire et navale britannique située juste en face de la Zone. Elle appartient à la Grande-Bretagne par la force d'un bail annuel *gratis pro Leo*. Chaque année, le Bail et le Permis de Résidence sont officiellement reconduits. La population tout entière assiste aux cérémonies (la participation de tous les citoyens est obligatoire) qui se déroulent au dépotoir municipal. Le Président de l'Ile est contraint par la tradition de ramper sur le ventre à travers les ordures pour remettre la Reconduction du Bail et le Permis de Résidence (signés l'un et l'autre par tous les habitants de l'Ile) au Gouverneur Résident qui attend sur son estrade, resplendissant dans son uniforme de parade. Le Gouverneur se saisit des papiers et les empoche.

— Ainsi donc, dit-il avec un sourire pincé, vous avez décidé à l'unanimité de nous garder une année de plus! Fort aimable à vous. Et tout le monde s'en réjouit ici? Hein?... Y a-t-il quelqu'un ici qui ne s'en réjouisse pas?

Derrière lui, des soldats entassés dans des jeeps braquent des mitrailleuses lourdes sur la foule, balayant la scène d'un lént mouvement menaçant.

— Tout le monde s'en réjouit donc? Eh bien c'est parfait!

Le Gouverneur Résident se tourne joyeusement vers le Président prostré sur ses ordures :

— Je garde ces papiers sur moi, au cas où je serais pris de court, ha-ha.

Son rire aigu et métallique résonne d'un bout à l'autre du dépotoir, et la foule s'esclaffe docilement en suivant des yeux le ballet des mitrailleuses.

Tous les rites de la démocratie sont scrupuleusement respectés dans l'Ile. Il y a un Sénat et une Assemblée qui

199

tiennent d'interminables séances consacrées à la discussion du Ramassage des Ordures et de l'Inspection des Chalets d'Aisance (les deux seules questions tombant sous leur juridiction). Durant un entracte éphémère, vers le milieu du XIXᵉ siècle, le Parlement avait obtenu la pleine responsabilité du Service d'Entretien des Babouins, mais ce privilège lui a été retiré peu après par suite d'absentéisme trop marqué au Sénat.

(*N. B.* — Les babouins à cul violet de Tripoli ont été introduits dans l'Ile au début du XVIIᵉ siècle par des pirates barbaresques. Selon une vieille légende, l'Ile capitulera le jour où les babouins la déserteront. De quelle façon et entre quelles mains? Nul ne le sait. Quoi qu'il en soit, tuer un babouin est un crime entraînant le châtiment suprême, bien que ces animaux si peu sympathiques tourmentent les insulaires de façon intolérable. De temps à autre, un citoyen cède à une crise de vésanie, massacre un ou plusieurs babouins et se fait justice.)

La Présidence de l'Ile incombe par tradition à un citoyen particulièrement incompétent et impopulaire. Il n'est de plus amère disgrâce que d'être élu à ce poste. Les humiliations de toutes sortes qui en résultent sont telles que rares sont les Présidents qui accomplissent leur mandat jusqu'à son terme — la plupart meurent de chagrin et de désespoir après un an ou deux. (L'Accélérateur a jadis occupé ces fonctions, et il est resté en place pendant les cinq années de son mandat, après quoi il a changé de nom et a subi une intervention très délicate de chirurgie esthétique afin d'effacer, autant que faire se pouvait, le souvenir de cette déchéance.)

— Bien sûr, bien sûr... vous serez bientôt payé, promet Marvie en regardant l'Accélérateur droit dans les yeux.

— Il faut pas vous emballer, dit Leif. Ça va prendre encore quelque temps...

— Quelque temps! Ne pas m'emballer!... Écoutez-moi, vous deux...

— Ça va, on connaît la chanson. La société de crédit veut

reprendre le rein artificiel de madame votre épouse... Ils ont déjà esproprié votre mémé de son poumon d'acier... Ça va, on vous dit.

— Cette plaisanterie est de fort mauvais goût, Monsieur... Bien franchement, je voudrais n'avoir jamais trempé dans cette hum affaire. D'ailleurs, il y a beaucoup trop de phénol dans votre graisse. Je suis passé à la douane la semaine dernière, j'ai planté un manche à balai dans un des fûts et cette pseudo-graisse a rongé le bout en un clin d'œil... De plus, la puanteur a de quoi vous faire tomber tout raide. Vous devriez aller faire un tour jusqu'au port.

— Pas question! hurle Marvie.

C'est là un réflexe de caste. Dans la Zone, on tient pour indigne de toucher et même d'approcher les marchandises que l'on importe en gros, de peur d'être considéré comme un détaillant, c'est-à-dire un vulgaire colporteur (une bonne partie du commerce de la Zone est assurée par des colporteurs de rues).

— Pas question, répète Marvie. Je ne veux même pas entendre parler de ça. C'est trop sordide! C'est l'affaire des détaillants.

— Ah non! Vous avez la partie trop belle, tous les deux. Vous pouvez vous en tirer sans histoires... Mais j'ai ma réputation à défendre, moi, et... Ça ne va pas se passer comme ça... Cette affaire est douteuse, pour ne pas dire plus...

— Oh merde! Fous le camp dans ton Ile tant qu'elle a pas coulé! Tu vas pas nous la faire, on te connaît... On te connaît du temps où tu vendais ton cul pour cinq pesetas dans les pissotières de la Plaza.

— Même qu'il y avait pas beaucoup d'amateurs, ajoute Leif.

Ce rappel de ses origines insulaires est plus que l'Accélérateur n'en peut supporter. Il se redresse de toute sa taille, s'efforçant d'incarner un aristocrate britannique dans toute sa morgue glaciale et de rabattre leur caquet à ces roturiers indigènes — mais il ne sort de sa bouche qu'un jappement plaintif et dérisoire de chien à qui on vient de marcher sur la queue. Son visage préopératoire apparaît soudain dans un éclair de haine incandescente... Il se met à vomir des injures dans l'effroyable patois de l'Ile (que les insulaires eux-mêmes, qui jouent plus ou moins bien aux gentlemen, prétendent ignorer)... Des flocons d'écume naissent à chaque mot sur les lèvres de l'Accélérateur, qui les crache comme des tampons d'ouate. Une odeur d'abjection morale flotte dans l'air autour de lui comme un nuage vert et putride. Marvie et Leif battent en retraite avec des pépiements de terreur.

— Il est devenu fou, hoquette Marvie. Filons d'ici.

La main dans la main, Leif et Marvie se perdent dans la brume qui, durant les longs mois d'hiver, plonge la Zone dans une atmosphère de bain turc.

L'examen

Carl Peterson trouva dans sa boîte à lettres une convocation au Ministère d'Hygiène et de Prophylaxie Mentale, service du docteur Benway, dix heures du matin...

« Que me veulent-ils donc? songea-t-il avec impatience.
C'est certainement une erreur... » Il savait pourtant qu'*ils*
ne commettaient jamais d'erreurs — et, en tout cas, pas
d'erreur d'identité...

Il ne lui vint pas à l'idée d'ignorer la convocation bien
que cela ne fût pas sanctionné. La république de Libertie
est un État social. Quels que soient les besoins et les désirs
d'un citoyen — un sac d'engrais d'os ou une compagne
de lit — il se trouve toujours un service officiel pour les
satisfaire au mieux. La menace implicite qui perce sous
cette bienveillance enveloppante suffit à étouffer toute
velléité de rébellion.

Carl traversa la Grand-Place plantée de statues colossales
d'athlètes aux testicules de bronze... La coupole de l'Hôtel
de Ville, bronze et briques de verre, crevait les nuages.

Carl soutint le regard d'un touriste américain manifestement pédéraste qui baissa les yeux et tripota avec embarras
le filtre de son Leica... Carl pénétra dans le labyrinthe d'acier
émaillé, s'approcha du bureau de renseignements et présenta sa convocation.

— Cinquième étage, Bureau Vingt-Six...

Cinquième... Vingt-Six... Une infirmière lui lança un regard froid, sous-marin.

— Le docteur Benway vous attend, dit-elle avec un sourire pincé. Vous pouvez entrer.

« Il m'attend! Comme s'il n'avait rien d'autre à faire! » pensa Carl. Le bureau était absolument silencieux et baignait dans une lumière d'un blanc laiteux. Le médecin serra la main de Carl, les yeux fixés sur le sternum du jeune homme...

« J'ai déjà vu ce type... Mais où? » se demanda Carl.

Il s'assit et croisa les jambes. Remarquant un cendrier sur le bureau, il alluma une cigarette puis dirigea vers le médecin un regard soutenu, interrogateur et quelque peu insolent. L'autre parut gêné... Il toussota, s'agita sur son siège, brassa des papiers...

— Broumpf, fit-il enfin. Voyons... vous êtes bien Carl Peterson, n'est-ce pas?

Ses lunettes glissèrent le long de son nez, on eût dit un clown parodiant un académicien... Carl acquiesça muettement. Le médecin ne le regardait pas. Il releva ses lunettes du bout de l'index et ouvrit un dossier sur son bureau d'émail blanc.

— Mmmmmmm. Carl Peterson...

Il répéta le nom à deux ou trois reprises, d'un ton caressant, puis il fronça les lèvres et hocha plusieurs fois la tête.

— Vous savez bien sûr que nous faisons de notre mieux, dit-il soudain. Nous faisons tous de grands efforts. Mais il nous arrive d'échouer... (Sa voix se perdit en un murmure ténu. Il passa la main sur son front.) Il faut adapter l'État, qui n'est qu'un instrument, aux besoins particuliers de chacun de ses citoyens. (Sa voix s'enfla tout à coup, de façon si inattendue que Carl sursauta.) Telle doit être à notre avis l'unique fonction de l'État. Nos connaissances sont hélas si incomplètes... (Il esquissa un geste d'impuissance.) Par exemple... *par exemple*... prenons le problème des broumpf des *déviations sexuelles*... (Il se balança d'avant en arrière sur son fauteuil. Ses lunettes glissèrent de nouveau sur son nez. Carl se sentit subitement très mal à l'aise.) Nous les considérons comme un accident... comme une maladie... non point comme un crime qu'il faut censurer et châtier, mais comme hum disons... comme la tuberculose... (Il leva la main comme pour devancer une objection.) Oui, comme la tuberculose! D'un autre côté vous comprendrez facilement que toute maladie impose certaines hum disons *obligations*, certaines *nécessités* de nature prophylactique qui incombent aux autorités chargées d'assurer la santé publique. Inutile d'ajouter que ces mesures n'impliquent qu'un minimum de désagrément pour le citoyen malchanceux qui, bien malgré lui, se trouve hum infecté... J'entends bien sûr le minimum de désagrément compatible avec la nécessité de protéger adéquatement les citoyens qui n'ont pas été atteints par le virus... Qui oserait prétendre que la vaccination antivariolique *obligatoire* est une mesure *déraisonnable?*... Ou que l'isolement de certains malades contagieux est *injustifié?*... Je suis sûr que vous admettrez comme moi que les gens atteints par hum ce que les Français appellent les maladies galantes ha ha ha doivent subir un traitement de gré ou de force...

Le médecin gloussa de nouveau en se balançant sur son fauteuil comme un jouet mécanique... Carl devina qu'il attendait de lui un commentaire.

— Certes, murmura-t-il, cela me paraît raisonnable.

Les gloussements s'arrêtèrent court.

— Hum, fit le médecin, revenons à cette question de broumpf de déviation sexuelle. Franchement, nous ne nous prétendons pas en mesure de comprendre clairement pourquoi certains êtres, hommes ou femmes, préfèrent n'avoir de rapports hum sexuels qu'avec les personnes de leur propre sexe. Nous n'ignorons pas en revanche que cette hum ce phénomène est des plus courants et, dans certains cas, cela ne va pas sans — comment dire? — sans inquiéter nos services.

Pour la première fois, le praticien laissa filtrer un bref

regard sur le visage de Carl. Il avait des yeux vides, sans la moindre expression de haine, de chaleur ou de quelque autre émotion, des yeux au regard à la fois glacé et intense, cupide et indifférent. Carl eut subitement la sensation d'être prisonnier, pieds et poings liés au fond d'une grotte sous-marine, coupé de toute humanité, de toute certitude. Il lui semblait même que sa propre image physique — un homme calmement assis, attentif, manifestant un rien de mépris policé — s'estompait, devenait vague et floue, comme si toute vie s'était échappée de son corps pour se mêler à l'atmosphère de grisaille laiteuse de la pièce.

— Le traitement de ces hum désordres est encore broumpf purement symptomatique...

Le médecin se renversa en arrière et se mit à rire — un chapelet de gloussements artificiels, métalliques. Carl le dévisagea avec un ébahissement horrifié... « Il est fou! » pensa-t-il. Et soudain le visage de l'autre redevint impassible, vide comme celui d'un joueur de poker. Carl éprouva une sensation bizarre au creux de l'estomac, comme dans une cage d'ascenseur qui stoppe brutalement... Le médecin étudia un moment le dossier ouvert devant lui puis il reprit la parole d'une voix amusée, presque condescendante :

— Ne vous effrayez pas, jeune homme. Ce n'est qu'une plaisanterie de carabin : on parle chez nous de traitement symptomatique quand on sait qu'il n'existe pas de traitement et que l'on veut rassurer le patient. Et tel est bien notre propos dans ce genre de cas. (Une fois encore, Carl sentit sur son visage le regard neutre et inquisiteur de l'autre.) Oui, notre grand souci est de rassurer, de faire renaître la confiance indispensable... et aussi, bien sûr, de trouver les hum les exutoires idoines parmi les autres hum individus présentant les mêmes tendances. Il n'est pas nécessaire d'isoler le malade, son état n'étant pas plus contagieux que le cancer. Ah, le cancer, mes premières amours...

Sa voix se changea en un souffle. On eût dit qu'il avait disparu par quelque issue invisible, laissant son corps vidé derrière son bureau... Il revint brusquement à lui et poursuivit d'une voix crispée :

— Vous vous demandez sans doute pourquoi nous nous occupons de tout cela?

Il décocha un sourire aussi brillant et froid qu'iceberg au soleil. Carl haussa les épaules :

— Ça ne me regarde pas, dit-il. Mais j'aimerais savoir si vous m'avez convoqué ici pour me dire cette... toutes ces...

— Sottises?

Carl s'aperçut avec un certain agacement qu'il rougissait. De nouveau, le médecin se renversa contre son dossier et joignit ses doigts bout à bout.

— La jeunesse! dit-il d'un ton indulgent. Toujours pressée... Vous saurez peut-être un jour ce qu'est la patience. Non, Carl — vous me permettez de vous appeler par votre prénom? — ne croyez pas que j'essaye d'éluder votre question. Ainsi, dans les cas où nous... où nous flairons une trace de tuberculose, nous — c'est-à-dire le service responsable, bien sûr — nous demandons, nous exigeons même que le suspect subisse un examen fluoroscopique. C'est une simple formalité, comprenez-moi bien... La plupart de ces tests sont d'ailleurs négatifs. On vous a donc prié de venir ici pour subir un examen fluoroscopique d'ordre... mettons *psychique*... J'ajouterai qu'après notre petite conversation je suis *relativement* certain que ce test se révélera *pratiquement* négatif...

— Mais tout ça est ridicule! De ma vie, je n'ai été attiré que par les femmes. J'ai d'ailleurs une... une très bonne amie en ce moment et nous comptons nous marier...

— Oui, Carl, je le sais, et c'est bien pourquoi vous êtes ici. Un examen prénuptial est une formalité *raisonnable*, n'est-ce pas?

— Je vous en prie, docteur, parlez franchement.

Le médecin semblait ne pas avoir entendu son injonction. Il se leva et tourna lentement autour de Carl, tout en parlant d'une voix languide, lointaine, coupée de silences intermittents — comme des bribes d'orphéon au fond d'une rue balayée par le vent.

— Je puis vous dire, tout à fait entre nous, que nous avons trouvé trace d'un facteur héréditaire... dû à ce qu'on peut appeler la pression sociale... On doit malheureusement constater que de nombreux pédérastes, latents ou patents, se marient, et que ces mariages se traduisent souvent par... Il s'agit d'un facteur d'environnement infantile...

La voix parlait, parlait toujours — de schizophrénie, de cancer, de défaut congénital de l'hypothalamus... Carl s'assoupit... Il se vit en train d'ouvrir une porte verte... Une pestilence effroyable lui tordit soudain les poumons et il s'éveilla avec un sursaut. Il entendit de nouveau la voix du médecin, une voix étrangement neutre, sans vie, à peine plus qu'un chuchotement de drogué :

— ...le test Kleiberg-Stanislousky... réaction de floculation du sperme... un instrument essentiel du diagnostic... très révélateur, ne serait-ce que sur un plan négatif... parfois des plus utiles en tant que facette d'un ensemble... Je me demande même si peut-être... dans les circonstances qui nous occupent... (La voix s'enfla en un hurlement démentiel.) L'infirmière va s'occuper de... de *votre* prélèvement.

— Par ici, je vous prie...

L'infirmière ouvrit une porte et fit entrer Carl dans une cellule aux murs blancs et nus. Elle lui tendit un bocal.

— Veuillez utiliser ceci. Vous n'aurez qu'à appeler quand vous serez prêt...

Il y avait un tube de vaseline sur une tablette de verre...

Quelqu'un — quelque chose ? — épiait chacun de ses mouvements, chacune de ses pensées, avec une haine froide et méprisante, guettant les soubresauts de ses testicules, les contractions de son anus... Il était dans une pièce baignée de lumière verte... un lit à deux places en bois patiné, une armoire d'un noir brillant avec un grand miroir. Carl ne pouvait distinguer son propre visage. Un homme était assis sur une mauvaise chaise de bois noir, il portait une chemise à plastron empesé et un nœud papillon de papier sale, il avait un visage boursouflé, sans crâne, et des yeux jaunâtres, comme du pus bouillonnant... Carl se redressa, rinça son pénis et reboutonna ses vêtements.

— Qu'est-ce qui ne va pas? demanda l'infirmière sur un ton indifférent.

Elle lui tendit un verre d'eau, le regarda boire puis elle se baissa et saisit le bocal avec répugnance. Elle se dirigea vers la porte et se retourna vers Carl.

— Qu'est-ce que vous attendez? lança-t-elle sèchement.

Il songea qu'on ne l'avait pas traité de la sorte depuis son enfance.

— Euh... rien du tout, bredouilla-t-il.

— Dans ce cas, vous pouvez partir.

Elle jeta un regard sur le bocal et, avec une petite exclamation de dégoût, elle essuya une goutte de sperme sur sa main.

— Quand dois-je revenir? demanda Carl.

Elle lui lança un regard étonné et désapprobateur.

— Vous serez convoqué, cela va de soi.

Elle ne le quittait pas des yeux. Il traversa la salle d'attente et ouvrit la porte du fond, se retourna et ébaucha un geste d'adieu faussement désinvolte. L'infirmière resta figée sur place, les traits impassibles. Il s'engagea dans l'escalier, un rictus aux lèvres, le visage brûlant de honte. En bas, le touriste homosexuel lui adressa un clin d'œil de connivence et haussa les sourcils : « Qu'est-ce qui *cloche*, vieux? »

Carl s'enfuit dans un jardin public et se laissa tomber sur un banc vide, à côté d'un faune de bronze qui jouait des cymbales.

— Laisse-toi aller, mon chou, ça ira mieux dans une minute...

Le touriste se penchait sur lui, son Leica oscillant comme un sein monstrueux.

— Va te faire foutre!

Carl vit un reflet de haine abjecte dans les yeux mordorés du pédéraste.

— Mon mignon, cracha l'autre, à ta place je ferais moins le faraud. Tu as le doigt dans l'engrenage... Je t'ai vu sortir de l'Institut.

— Qu'est-ce que vous voulez dire?

— Rien. *Rien du tout.*

— Eh bien, mon petit Carl... (Le médecin sourit gentiment et fixa son regard sur les lèvres de Carl.) J'ai de bonnes nouvelles à vous annoncer. (Il prit un formulaire bleu sur son bureau et entreprit ostensiblement de le déchiffrer lettre à lettre.) Votre hum test... le test de floculation Robinson-Kleiberg...

— Je croyais qu'il s'agissait du test Blomberg-Stanislousky?

— Que non pas! Vous allez plus vite en besogne que nous, jeune homme. Vous m'avez sans doute mal compris. Le Blomberg-Stanislousky c'est tout autre chose et j'espère, j'espère vivement qu'il ne s'avérera pas nécessaire... (Gloussement.) Comme je disais avant d'être si... si gracieusement interrompu par votre jeune érudition, votre R.-K. paraît être... (Il tendit le feuillet à bout de bras.) ...parfaitement hum négatif. Il est donc probable que nous ne vous importunerons plus, et par conséquent...

Il replia soigneusement le feuillet et le classa dans un dossier qu'il feuilleta lentement, puis il se redressa, lèvres et sourcils froncés. Il referma le dossier, y plaqua ses deux mains à plat-paume et se pencha en avant.

— Carl, quand vous faisiez votre service militaire... vous avez sans doute... vous avez *sûrement* traversé de longues périodes pendant lesquelles vous étiez privé de hum des consolations et des *facilités* que dispense le beau sexe. Dans ces moments de disette et de... d'exacerbation, vous aviez peut-être une photo d'actrice épinglée au-dessus de votre lit? Et même tout un harem photographique? Hein?? Hein???

Carl regarda le médecin sans cacher sa répugnance.

— Bien sûr, dit-il enfin. Nous avions tous des photos de filles...

— Fort bien — et maintenant, Carl, je vais vous montrer quelques photos de pin-ups. (Il ouvrit son tiroir et prit une enveloppe.) Je vous prie de choisir celle que vous préféreriez avoir hum dans votre lit hé-hé-hé... (Il étala les photos sous le nez de Carl.) Choisissez une de ces filles... n'importe laquelle.

Carl tendit une main à demi paralysée et effleura l'une des photos. Le médecin s'en empara, la glissa parmi les autres et battit le paquet comme un jeu de cartes, coupa et redéploya les photos en éventail.

— Est-elle parmi celles-ci? demanda-t-il.

Carl secoua la tête.

— Bien sûr que non! s'esclaffa le médecin. Elle est ici, comme il convient... comme il convient à une *femme*, n'est-ce pas?

Il rouvrit le dossier et montra la photo de la pin-up atta-chée à une planche de Rorschach.

— C'est bien celle-là?

Carl acquiesça.

— Vous avez très bon goût, mon petit. Je vous signale de façon tout à fait confidentielle que certaines de ces filles... (Il fit voltiger les photos de droite et de gauche avec une dextérité de joueur de bonneteau.) Je dis bien que *certaines* de ces *jeunes filles* sont en réalité des *garçons*. En broumpf... en travesti, comme on dit...

Il battit des paupières plusieurs fois de suite à une cadence affolée. Carl se demanda si ce papillotement était réel ou imaginaire. Le visage du médecin était maintenant immo-bile, sans expression et, une fois de plus, Carl éprouva une sensation de décrochement dans son estomac et ses parties, comme dans une cage d'ascenseur subitement freinée dans sa course.

— Eh bien, mon petit Carl, il semble que vous avez franchi

le parcours en grand champion! Je suppose que vous trouvez tout cela assez enfantin, hein?

— Ma foi, à dire vrai... oui...

— Vous êtes franc, c'est un bon point de plus... Et à présent, mon cher *Carl*...

Il pesa longuement sur le nom, d'une voix caressante, comme un flic à l'affût qui te tend son paquet d'Old Gold — c'est bien d'un poulet de fumer des Old Gold! — et polit son numéro fer-velours pour que tu te mettes à table...

(Le poulet ébauche un pas de danse.

— Pourquoi tu fais pas une petite offre au Patron? (Avec un coup de menton en direction du Sur-Moi galonné, le gros type râleur et vicieux dont on parle toujours à la troisième personne comme s'il n'était pas vraiment là.) Réfléchis, mec... Voilà comment il est le Patron, tu joues franc jeu avec lui et il jouera franc jeu avec toi... On veut pas t'emmerder... On sera pas méchant si tu nous donnes un coup de main... (Ses paroles résonnent dans un paysage désolé de bars louches, de coins de trottoir et de snack-bars où les camés assis au comptoir feignent de regarder ailleurs en mastiquant leur cake aux raisins.)

— La Lope est dans le coup...

...la Lope est vautré sur un canapé d'hôtel, envapé au barbiturique-canon, la langue pendante. On le secoue, il se lève en transes flageolantes et va se pendre à l'espagnolette sans changer d'expression, sans même rentrer la langue.

...le poulet gratouille sur son calepin.

— Tu connais Marty Steel? (Gratouillis.)

— Oui.

— Tu peux lui acheter de la blanche? (Gratouille touille touille.)

— Nib, il se tient à carreau.

— Il t'en vendrait quand même, non? (Gratouillis.) Il t'en a bien vendu la semaine dernière... (Gratouillis. Gratouillis.) Pas vrai?

— Ouais.

— Alors, il t'en refilera encore cette semaine... (Gratouille touille touillis.) Il t'en refilera aujourd'hui... (Pas de gratouillis.)

— Non! Non! Pas ça!

— Écoute-moi bien... Tu vas jouer franc jeu... (Trois gratouillis menaçants.) Ou bien tu préfères que le Patron te fasse ta fête? Alors, oui?...)

— ...et maintenant, Carl, ayez la gentillesse de me dire combien de fois et dans quelles circonstances vous vous êtes livré à hum à des pratiques homosexuelles??? (La voix flottait à travers la pièce, s'éloignait, revenait.) Si ça ne vous était jamais arrivé je serais enclin à vous considérer comme un garçon quelque peu atypique. (Il agita l'index en une admonestation bonhomme.) De toute façon...

Il tapota le dossier du doigt et retroussa les lèvres sur un sourire immonde. Carl s'aperçut que son dossier était à présent épais comme la main, il avait décuplé de volume depuis le début de l'entretien.

— Eh bien, quand je faisais mon service militaire... les pédés me faisaient du charme et quelquefois... lorsque j'étais saoul perdu...

— Mais bien sûr, Carl! (Un hennissement joyeux.) A votre place, laissez-moi vous dire carrément que j'en aurais fait tout autant hé-hé-hé... Bon, je crois que nous pouvons hum tenir pour *négligeable* ce moyen hum bien inoffensif de regarnir hum votre *trésorerie*... Et maintenant, mon petit Carl, parlez-moi des autres fois... (Tapotant toujours le dossier qui laissait filtrer une vague odeur de Javel et de suspensoir moisi.) ...des autres occasions, quand ces facteurs hum *économiques* n'entraient pas en ligne de compte?...

Une fusée émeraude explosa dans le cerveau de Carl. Il vit le corps svelte et bronzé de Hans — roulant à sa rencontre, pressé contre lui, un souffle haletant sur son épaule... La fusée s'éteignit. Une sorte de cancrelat énorme se tortillait dans sa paume fermée. Son être tout entier se révulsa en un spasme de dégoût. Il bondit sur ses pieds, frissonnant de rage.

— Qu'est-ce que vous êtes en train d'écrire? hurla-t-il.

— Vous arrive-t-il fréquemment de vous assoupir de la sorte? Au beau milieu d'une conversation?

— Je ne dormais pas.

— Bien vrai?

— Oui... non... tout ça paraît tellement *irréel*... Je m'en vais. Tout de suite... Je me fous de tout. Vous ne pouvez pas me forcer à rester ici.

Il se dirigea vers la porte... Il marchait depuis une éternité. Ses jambes s'alourdissaient à chaque pas, gagnées par un mystérieux engourdissement. La porte semblait de plus en plus lointaine.

— Où allez-vous, Carl? (La voix venait de très loin.) Où *pouvez-vous* aller?

— Dehors... la porte là-bas...

— Cette porte-là, Carl? *La Porte Verte?*

Il n'entendait presque plus la voix du médecin. La pièce se désagrégea lentement dans l'espace...

Qui a vu Rose Pantoponne?

Évite la station de Queens Plaza, fiston, c'est le métro des pédales à menottes... quais et couloirs maléfiques, hantés par mille poulets aux trousses des trousseurs de camés... trop d'étages, trop de niveaux... la flicaille surgit foudroyante du placard à balais, puant l'ammoniac, envapée... tigres carboniseurs... tout ça pour épingler une pauvre vieille gauleuse qui arnaque les saoulards, et elle les veines pétrifiées de terreur jusqu'à l'os... pauvre mémé, il lui faut sa soignette une fois la semaine, ou bien c'est le cinq vingt-neuf garanti rubis sur l'ongle par la Maison Fliquette aux camés qui font les poches des embrumés de la picole... cinq mois et vingt-neuf jours : c'est le tarif à New York pour les travailleurs de la bouscule, ceux qui heurtent les titubeurs à la fausse distraite pour un motif évident... on a vu des innocents pour cent se faire emplafonner pour meurtre — mais il y a jamais maldonne pour la bouscule.

...oh la Lope, oh l'Irlandais, le Matelot, le Mouton, faisez gaffe... regardez-y à deux fois, ce quai-ci et celui d'en face, avant de faire la ramasse dans les rames... le métro tromblonne dans le tunnel, explosion noire et ferraillante... la station de la Plaza... le coin n'est pas sain pour les bousculeurs de brindezingues... trop d'étages et de niveaux et de planques pour la flicaille métropolitaine, impossible de te couvrir quand tu sors la main pleine...

...la Lope, le Mouton, l'Irlandais, le Matelot, le bon vieux temps, mes copains de seringue, d'entourloupe et de bouscule... notre ancien Q. G. de la 103e Rue... fini... l'Irluche et le Mataf se sont pendus en tôle... le Mouton a cané d'une surdose et la Lope a viré à l'indic...

— Z'avez pas vu Rose Pantoponne? demande le vieux camé. C'est l'heure d'aller au charbon...

...il enfile son paletot noir, met le cap sur la Plaza... c'est bidonvillage jusqu'au musée de Market Street, palais des autovices et de la branlette tous modèles... recommandé aux jeunots...

...le truand en collier de béton coule en colimaçon jusqu'au lit du fleuve... ils l'ont poissé aux bains de vapeur... C'est-il la faute à Gio Cul-de-Cerise le garçon de bains ou à Tata Gillig la tantouse de Westminster? Va savoir, il faut des doigts de macchabe pour causer le Braille...

...le Mississipi roule des blocs de dolomite dans le silence du chenal...

— Charguez le grand blard! crie le capitaine de *La Terre Mouvante.*

...borborygmes dans le lointain... l'aurore boréale pleut des pigeons empoisonnés... les réservoirs sont à sec... les statues de bronze s'écrasent dans les allées et les jardins affamés de la cité béante...

...cherchant la veine dans l'aube malade de la blanche...

...réduits à la camette au sirop pour la toux...

...des milliers de coudes-creux envahissent l'hôpital à l'enseigne de la vertèbre en verre filé, font bouillir les petites sœurs des pauvres pour garnir la seringue...

...dans la grotte de dolomite... je tombe sur un type qui trimbale une tête de Méduse dans un carton à chapeau... je dis aux douaniers d'ouvrir l'œil... ils l'ont gelé à tout jamais... la main à deux doigts du double fond...

...des étalagistes piauleurs dévalent les couloirs du métro pour arnaquer les caissiers au rendez-moi pédaleur...

— Fracture multiple, explique le grand Patron. Excusez-moi d'être si technique.

...on constate une concentration consternante de consomption sous les arcades dérapantes de glaire à Koch...

...le mille-pattes se pelotonne contre la porte de fer ajourée comme de la dentelle noire par la lansquine de pédés innombrables...

...ce n'est pas une veine mère pour rentiers milliardaires mais de la limaille viciée, du second jus de coton à filtrer, infime squelette de soulagement...

La coquette paniquarde

Le soleil du matin peignait la silhouette du Matelot des ocres flamboyants de la came. Son pardessus noir et son feutre gris pendaient, flasques et déformés par l'atrophie de la carence. Sa tasse de café était posée sur un napperon de papier, la marque de ceux qui passent le plus noir de leur temps assis devant un jus dans les restaurants et les snack-bars et les terminus et les salles d'attente. Un camé, même s'il est de la trempe du Matelot, obéit au sablier de la drogue, au Temps de la Came, et quand il s'immisce inopportunément dans le Temps d'autrui, il doit patienter — comme tous les quémandeurs. (Combien de tasses de café à chaque heure qui passe?)

Un jeunot entra, s'assit au comptoir, le corps cisaillé par le long frisson de l'attente. Le Matelot tressaillit lui aussi. Ses traits se brouillèrent, soudain flous, estompés derrière une buée brunâtre et flageolante. Ses doigts errèrent sur la table, déchiffrant à distance le Braille du gamin. Son regard retraça courbes et fossettes, suivit les tourbillons châtains qui cascadaient sur sa nuque — lent et attentif voyage des yeux.

L'autre se redressa et se gratta la nuque.

— Dis donc, Joe, je viens de me faire piquer par quelque chose! Qu'est-ce que c'est que ce bistro dégueulasse?

— C'est pas un moustique, petit, c'est la coco qui te chatouille, dit Joe en mirant des œufs au soleil. Ça me rappelle mes virées avec Irène Kelly, une sportive comme pas deux. Un soir qu'on était dans un bled du Montana, Butte si tu veux savoir, voilà pas qu'elle attrape une panique de coquette et part en bombe à travers l'hôtel en gueulant que des flicards chinois lui courent aux fesses avec des hachoirs à viande... Et j'ai connu un poulet de Chicago qui se nasait avec une cocaïne spéciale qui venait en cristaux, des jolis petits cristaux bleus... Un jour lui aussi il entre en panique tout d'un bloc et se met à brailler que les poulets lui tiennent le train, il se taille au fond de l'impasse et va se coller la tête dans une poubelle. Alors je lui demande : « Qu'est-ce que tu fabriques là-dedans? » et cette tante me dit : « Fous le camp ou je te descends! Ils me trouveront jamais! » Bah, quand saint Pierre fera l'appel on sera tous là pour répondre *Présent*, pas vrai?

Joe regarda le Matelot en déployant les mains dans le geste d'impuissance fataliste du camé.

Le Matelot parla soudain, d'une voix tâtonnante qui se recomposait mot à mot en arrivant à l'oreille, épelant chaque son du bout de ses doigts glacés : « Ton contact est coupé, petit... »

Le gosse eut un haut-le-corps. Sous les cicatrices de la came, sa gueule de voyou laissait apparaître des bribes d'innocence sauvage — comme de jeunes fauves à l'affût derrière la broussaille grise de la peur.

— Je pige pas, M'sieur...

Le Matelot émergea tout d'un coup, comme une vision de la drogue, image d'une netteté presque douloureuse. Il rabattit le revers de son veston, montra l'aiguille de seringue rongée de vert-de-gris piquée dans l'étoffe.

— J'ai été démissionné dans l'intérêt de la patric... Assieds-toi, petit, je t'offre de la tarte aux myrtilles, j'ai une note de frais... Une bouchée pour toi, une bouchée pour le singe qui te bouffe le dos — ça lui donne le poil luisant.

A travers trois mètres de bistro matinal, le môme eut

l'impression qu'on lui touchait le bras. Il se sentit aspiré, siphonné jusqu'à la table du Matelot. Il atterrit avec un schlop silencieux et planta son regard dans les yeux de l'autre, un univers émeraude traversé de lents remous noirs.

— Vous êtes vendeur?

— Je préfère le mot, euh, vecteur...

L'écho de son rire vibra dans la substance malade du gamin.

— Vous êtes chargé, M'sieur? J'ai de l'oseille...

— Je veux pas de ton fric, joli môme, je veux un peu de ton Temps.

— Je pige pas.

— Tu veux ta seringuette? Tu veux te recharger? Tu veux tes vapes?

Le Matelot berça dans ses bras une minuscule forme rose, et sa silhouette redevint floue et tremblante.

— Ça marche, dit le môme.

— On va y aller en métro — pas la ligne municipale, il faut prendre l'Indépendant, on est moins emmerdé, y a pas de flics armés mais rien que des vieux pépères avec une matraque et c'est tout. Ça me rappelle un jour, nous deux la Lope on s'est fait coincer au métro Plaza. Évite cette station comme la peste, fiston... c'est bourré de flics, trop d'étages, trop de couloirs. Les poulets se planquent dans les placards à balais, ils s'envapent à l'ammoniac comme des bêtes sauvages... carbonisés ils sont... et puis ils tombent sur une pauvre vieille bousculeuse de poivrots, ils lui sèchent les veines de trouille. Une vieille qui doit avoir sa seringuette une fois la semaine, sinon elle se tape le cinq vingt-neuf garanti à l'œil par la municipalité, c'est le tarif pour les artistes de la bouscule... Faisez gaffe, les gars... Eh, la Lope, le Mouton, l'Irlandais, ouvrez l'œil, matez bien sur toute la ligne avant de gauler la pépite...

La rame passe, noire explosion ferraillante...

L'Exterminateur fait du zèle

Le Matelot poussa la porte, suivit lentement du doigt les motifs sinueux du chêne verni, laissant une trace humide et iridescente de limace invisible. Son bras plongea dans l'embrasure, subitement scié au coude. Il ôta la chaîne de sécurité, fit un pas de côté pour laisser passer le gamin.

L'odeur lourde et incolore de la mort planait dans la pièce vide.

— On n'a pas aéré cette tôle depuis que l'Exterminateur est venu enfumer les bacilles de coco, expliqua le Matelot sur un ton contrit.

Le gamin explorait frénétiquement la pièce de tous ses sens aiguisés à vif. Un meublé bon marché, un garni de gare secoué de vibrations silencieuses... Dans la cuisine, un évier métallique — était-ce bien du métal? — communiquait avec une sorte d'aquarium à demi rempli d'un fluide vert et translucide. Des objets vermoulus, éraillés par d'obscures fonctions, jonchaient le parquet : un suspensoir manifestement conçu pour quelque mystérieux organe large et plat comme un éventail; des corsets, des rubans et bandages élastiques pour tous les étages du corps; un grand joug en forme d'U taillé dans un bloc de pierre rose poreuse; des petits cylindres de plomb entaillés à un bout.

Les ondes de mouvement émanant des deux hommes agitaient des mares de puanteur stagnante; odeur atrophiée de vestiaire de collège, odeur javellisée de piscine, odeur de sperme desséché, d'autres odeurs encore qui s'élevaient en volutes roses et s'effilochaient contre des portes inconnues.

Le Matelot s'agenouilla devant l'évier, tâtonna un instant et se releva en tenant à la main un paquet enveloppé de papier brun, qui s'émiettait sous ses doigts en bribes jaunies et poussiéreuses. Il posa aiguille, compte-gouttes et cuiller sur la table chargée de vaisselle sale... Nulle antenne de cafard ne fouilla l'air à la recherche d'un lambeau d'ombre.

— L'Exterminateur fait du bon boulot, dit le Matelot. Il va même trop loin... il fait du zèle.

Il plongea les doigts dans un bac métallique plein de poudre de pyrèthre jaune et exhuma un petit paquet plat orné de motifs chinois rouge et or.

« On dirait un paquet de pétards », songea le gamin. Il avait perdu deux doigts à quatorze ans... fête de l'Indépendance, feu d'artifice, accident... et un peu plus tard, à l'hôpital, la première caresse muette, possessive, de la drogue.

— Ça te pète là-ledans, petit...

Le Matelot plaqua sa main sur sa nuque. Les jambes écartées, obscène, il ouvrit le paquet — un canevas complexe de cannelures de carton et de capsules couchées en quinconce.

— C'est du pur, de l'héroïne à cent pour cent. Il doit pas rester beaucoup de mecs pour en parler... C'est tout pour toi.

— Et qu'est-ce que vous voulez en échange?

— Du Temps.

— Je pige toujours pas.

— J'ai ici quelque chose dont tu as besoin... (Il frôla le paquet de la main... et soudain il disparut, flotta dans l'air, et sa voix parvint au gamin de l'autre pièce, lointaine, assourdie.) Et toi tu as quelque chose que je veux... cinq minutes ici... une heure ailleurs... deux... quatre... huit... peut-être que ça ira vite... trop vite pour moi... un petit avant-goût de mort tous les jours... Ça use le Temps...

Il revint dans la cuisine, et sa voix résonna de nouveau claire et stridente :

— Cinq ans pour chaque sachet. Tu trouveras pas un meilleur prix sur tout le marché. (Il posa le bout du doigt sur le sillon vertical qui barrait la lèvre supérieure du gamin.) Le juste-milieu, petit.

— Je comprends rien à ce que vous dites, M'sieur.

— Tu comprendras, petit... le moment venu.

— D'accord. Qu'est-ce que je dois faire?

— Tu acceptes?

— Je... c'est-à-dire... (Il guigna le paquet.) Je sais pas... tant pis, oui, j'accepte.

Le gamin eut l'impression qu'un flux noir coulait lourdement à l'intérieur de sa chair. Le Matelot lui posa la main sur les yeux et arracha net une sorte d'œuf scrotal de couleur rosée au bout duquel palpitait un œil clos. Un duvet noir bouillonnait au fond de la pulpe transparente. Le Matelot caressa l'œuf de ses mains inhumainement nues, rose-noir, épaisses, fibreuses, avec de longues vrilles blanchâtres jaillissant au bout de ses doigts trop courts. Une sensation de souffrance inconnue — peur de la mort, impuissance de l'agonie — envahit le gamin, lui coupant le souffle, lui glaçant le sang. Il s'appuya contre le mur, qui semblait céder sous la pression de son épaule. Il y eut un déclic soudain et tout redevint net, il se retrouva au centre focal de la drogue. Le Matelot faisait chauffer la dose au fond de la cuiller... « Quand saint Pierre fera l'appel on répondra tous *Présent*, pas vrai, petit? » chantonna-t-il. Il se pencha sur le bras du gamin, suivant du regard le tracé de la veine, et il lissa la peau hérissée de chair de poule d'un doigt prudent et doux de vieille femme. Il enfonça l'aiguille. Une orchidée écarlate s'épanouit dans la bulle de verre du compte-gouttes. Le Matelot pressa le caoutchouc, regarda le mélange disparaître dans la jeune veine, aspiré par la soif silencieuse du sang.

— Nom de Dieu! murmura le gamin, j'ai jamais pris un tel coup de matraque.

Il alluma une cigarette, explora la cuisine d'un regard fébrile, pris d'un soudain besoin de sucre.

— Et toi, tu t'envoies pas en l'air? demanda-t-il.

— Avec cette saloperie de farine? La came, petit, c'est comme une rue à sens unique. Pas question de faire demi-tour, tu peux même pas faire machine arrière...

On m'appelle l'Exterminateur. Durant une brève période d'intersection, j'ai effectivement exercé ces fonctions et assisté aux danses suffoquées des cafards dans le nuage jaune de la poudre de pyrèthre. (« C'est devenu introuvable, ma petite dame... y a la guerre... je peux vous en procurer un peu... ça fera deux dollars. ») J'ai fait dégorger des millions de punaises grasses à lard des murs tapissés de papier rose des meublés pour comédiens dans la débine, et j'ai empoisonné le Rat Têtu, dévoreur occasionnel du fils de l'homme. A ma place tu aurais fait tout pareil...

Ma mission présente : dénicher ceux qui vivent encore et les exterminer. Pas les corps, mais les moules, les matrices, comprends-tu? — mais non, j'oublie que tu *ne peux pas* comprendre... Il n'en reste que quelques-uns, et un seul suffirait à pourrir toute la soupe. Le péril, comme toujours, vient des agents qui sont passés de l'autre bord : A. J., le Milicien, le Tatou Noir (porteur des trypanosomes de la maladie de Chagas, n'a pas pris de bain depuis l'épidémie de 1935 en Argentine, tu te rappelles?) et Lee et le Matelot et Benway... Je flaire la présence d'un autre agent qui me guette dans les ténèbres... Parce que tous les Agents passent à l'ennemi, tous les Résistants se laissent acheter...

L'Algèbre du Besoin

Le gros Terminus, dit la Bedaine, sortait des Réservoirs Municipaux (les robinets de Vie vomissent des milliers de formes, toutes inexorablement et immédiatement dévorées, et les dévoreurs sont eux-mêmes abolis par le duvet noir du Temps)...

Rares sont ceux qui atteignent la Plaza, où les Réservoirs à pression déversent un fleuve sur lequel flottent les formes flasques de la survivance, protégées par un bouclier de limon vénéneux, des champignons de chair noire et putride, des pestilences verdâtres qui brûlent les poumons et tordent l'estomac...

Parce que ses nerfs étaient écorchés à vif, entaillés pour mieux ressentir le spasme d'agonie d'innombrables jouissances à froid, la Bedaine apprit l'Algèbre du Besoin et réussit à survivre...

Un vendredi, la Bedaine se coula sur la Plaza, fœtus de singe translucide aux mains minuscules et douces d'un gris tacheté de violacé, aux doigts terminés par des ventouses, à la bouche ronde de lamproie, disque de cartilage gris planté de chicots noirs, érectiles et creux cherchant sur la langue les cicatrices sinueuses de la came...

Un riche seigneur qui passait par là contempla fixement le monstre, et la Bedaine roula sur le macadam, se conchiant d'épouvante et avalant ses étrons — et le seigneur fut si ému de ce tribut à la puissance de son regard qu'il laissa tomber une piécette de sa canne du vendredi (le vendredi musulman correspond au dimanche des chrétiens, jour où les riches distribuent des aumônes).

C'est ainsi que la Bedaine apprit également à servir la Viande Noire et qu'il changea son corps en aquarium...

Ses yeux vides, périscopiques, exploraient sans relâche la surface du globe... Parmi son cortège de drogués, les singes gris du besoin se plantaient comme des harpons dans les épaules des caves de la came, s'incrustaient dans leur chair pour en sucer toute la substance qu'ils transfusaient aussitôt dans le corps de la Bedaine... Et la Bedaine croissait et proliférait, inondant les rues, les restaurants et les salles d'attente de l'univers du fluide gris de la came...

Les Bulletins émanant du Quartier Général du Parti sont rédigés sous forme de charades pornographiques par des hébéphrènes, des Latahs et des gorilles... les Sollubis pètent des circulaires codées, les nègres ouvrent et ferment la bouche sur une cadence de morse, utilisant leurs dents en or pour envoyer des messages lumineux, les émeutiers arabes transmettent des signaux fumigènes en jetant des eunuques adipeux dans des bacs d'essence enflammée... halètement rythmé d'un vieux cardiaque, girations d'estomac d'une danseuse orientale, schnouf-schnouf d'une péniche sur l'eau huileuse... le loufiat laisse tomber une goutte de grog sur l'Homme en Complet de Flanelle Grise qui prend au vol le train de 6 h. 12 et se laisse tomber sur la banquette complètement groggy... dessus, la dame camée du bistro pisse en rougissant — et dessous la rame damnée du métro passe en rugissant... le Boiteux, qui avait les cow-boys au cul, a accouché d'une chiée de mouches. (*N. B.* — Lancer les cow-boys au cul d'un type, en argot de New York, ça revient à dire : « Descendez-moi cet enfant de putain à vue! » Quant aux mouches, sache qu'une mouche est une mouche est une mouche. Est un mouchard.) Les vierges folles guignent le colonel de Sa Majesté qui file au galop de son cheval pâle et froid en flamboyant verge au vent. Le pédé sur son trente-et-un tient ses assises dans la pissotière du coin où il déchiffre les anuscrits de sa Mère Morte, vit de synapses et d'urine fraîche et évoque ses souvenirs de bourreau de nounou. Les gamins qui se travaillent du poignet dans les cabinets de l'école se prennent pour des espions de la Galaxie X, se retrouvent vieillis et minables dans une boîte de troisième ordre, sirotant du vinaigre de vin et mâchonnant des citrons pour faire grincer le saxo ténor, un Arabe dernier cri en lunettes fumées bleues qu'on soupçonne d'être un Émissioniste ennemi... Voilà le réseau international des camés captant cinq sur cinq la même gamme de foutre ranci... se garrottant le bras sur un lit de garni... frissonnant dans l'aube malade... les vieux drossards qui pompent la noire à bout de pipe au fond d'une blanchisserie chinoise... Bébé la Tristesse qui crève d'un abus de manque ou d'une cure coupe-souffle — en Arabie — à Paris — à Mexico, New York ou La Nouvelle-Orléans... les vivants et les morts... tremblant de carence ou branlottant dans les vapes... ceux qui y piquent et ceux qui sont en renonce et ceux qui dégringolent en revenez-y... tous branchés sur le bip-bip de la came, pendant que le Contact se gave de riz à la cantonaise dans une gargote de la Calle Dolores... trempe son biscuit dans le café-crème d'un snack-bar de la chaîne Bickford... se cavale à travers Exchange Place avec une meute de flicards des Stups glapissant à ses trousses... les paludéens du monde entier s'unissent en un magma de protoplasme flageolant... la terreur scelle le compte cunéiforme... des émeutiers hilares forniquent aux hurlements cadencés d'un nègre en train de griller à l'essence... tu as des courbatures, vieux? Un mal de gorge aussi persistant et irritant que le sirocco du soir? Sois le bienvenu au Club International des Syphilos (« Le Chasseur Châtré Sabre Sa Chère Sœur Charmée » — vieux dicton utilisé pour tester les défauts de prononciation caractéristiques de la parésie), où la première apparition du chancre te donne droit à la carte de membre à vice...

Ondes bruissantes et silencieuses au fond de la forêt, calme subit de la ville quand le coude-creux touche son sachet... jusqu'aux camés de banlieue qui sonnent des numéros tout empoissés de cholestérol pour se regarnir...

D'un bout à l'autre de la Terre, l'immense feu d'artifice vert des fusées de l'orgasme... le Bourreau conchie ses braies de terreur à la vue du condamné... le Tortionnaire gémit à l'oreille de sa victime implacable... les surineurs enlacés se donnent le baiser de l'adrénaline... le Cancer sonne à la porte avec un Télégramme Musical...

Hauser et O'Brien

Quand ils me sont tombés sur le dos à huit heures du matin,
j'ai tout de suite compris qu'il ne me restait qu'une seule
chance, la dernière. Eux-mêmes n'en savaient rien. Comment
auraient-ils pu s'en douter? Ils venaient pour m'épingler...
un boulot de simple routine... ou du moins c'est ce qu'ils
croyaient.

Hauser prenait son petit déjeuner quand le lieutenant
l'appela au téléphone : « Allez chercher votre collègue au
passage et ramenez-moi un dénommé Lee, William Lee. Il
est à l'hôtel Caméléon, dans la 103e Rue, juste au coin de
Broadway.

— Oui, je connais l'endroit... Et je connais le gars.

— Parfait. Chambre 606. Épinglez-le, un point c'est tout.
Perdez pas de temps à fouiller sa piaule. Mais raflez tous les
bouquins, les lettres, les manuscrits — tout ce qui est
imprimé, tapé à la machine ou écrit à la main. Pigé?

— Pigé. Mais qu'est-ce que vous avez derrière la tête?...
Quels livres?...

— On vous demande d'agir et pas de comprendre. »

Hauser et O'Brien... Ils étaient à la Brigade des Stupéfiants depuis près de vingt ans. Des vieux de la vieille, tout
comme moi — ça fait seize ans que je me came. Deux cons
plutôt corrects pour des flics. Tout au moins O'Brien. Lui,
c'était le baratineur et son pote Hauser était le gros bras.

Un duo de music-hall. Hauser avait une façon bien à lui de te balancer une pêche dans la gueule sans dire un mot, juste pour rompre la glace, sur quoi O'Brien entrait en piste en t'offrant une Old Gold (faut vraiment être flic pour fumer ça) et commençait son numéro de la carotte tendue qui valait son pesant de charme de la Belle Époque. C'était un bon bougre et je ne me sentais pas chaud pour me le farcir. Mais je n'avais pas le choix.

Je venais à peine de me garrotter pour mon coup de lancette du réveil quand ils ouvrirent la porte avec un passe. Un outil spécial qui marche même lorsque la porte est verrouillée de l'intérieur et qu'on laisse la clef dans la serrure. Sur la table, devant moi, tout mon attirail : un sachet de came, l'aiguille, la seringue — c'est au Mexique que j'ai pris l'habitude d'utiliser une seringue normale et je ne me suis jamais remis au compte-gouttes — un flacon d'alcool, du coton et un verre d'eau...

— Tiens tiens, dit O'Brien. Depuis le temps qu'on s'était pas vus!

— Prends ton manteau, Lee, dit Hauser.

Il tenait son feu à la main. Il le sortait toujours quand il poissait un type, d'abord pour l'effet psychologique et ensuite pour empêcher le client de cavaler aux gogues, à l'évier ou à la fenêtre.

— Laissez-moi me seringuer d'abord, les gars, suppliai-je. Il en restera bien assez comme pièce à conviction...

Je me demandai comment je pourrais ouvrir ma valise s'ils refusaient... Elle n'était pas fermée à clef, mais Hauser avait son pétard à la main.

— Monsieur veut sa piquouse! railla Hauser.

— Voyons, Bill, tu sais bien qu'on peut pas te permettre ça! dit O'Brien de sa petite voix douce de tire-ver en action, appuyant sur mon prénom avec une cordialité visqueuse et insinuante qui évoquait je ne sais quoi de brutal et d'obscène.

En clair, son boniment signifiait : « Qu'est-ce que tu peux faire pour nous en échange, Bill? » Il me regarda en souriant.

Un sourire nu qui dura trop longtemps, le rictus d'un vieux satyre maquillé, révélant toute la saloperie cachée derrière cette sale besogne qu'il faisait si bien.

— Je pourrais vous mettre sur Marty Steel, dis-je.

Je savais que Marty les empêchait de dormir. (Depuis cinq ans qu'il fourgue la came en ville ils n'ont pas encore réussi à le flagranter. Marty est un vétéran du métier, et il y regarde à deux fois avant de servir un client. Il faut qu'il le connaisse, et qu'il le connaisse bien, avant d'accepter son pognon... Personne n'a été emplacardé à cause de moi et ma réputation est sans tache — et pourtant Marty refuse encore de me servir sous prétexte qu'il ne me connaît que depuis quelques années. Ça prouve à quel point il est méfiant.)

— Marty! dit O'Brien. Tu peux te fournir chez lui?

— Je veux.

Ils reniflaient du louche... On ne peut pas être flic depuis toujours sans acquérir des dons spéciaux d'intuition.

— D'accord, dit enfin O'Brien. Mais tu as intérêt à pas nous rouler, Lee.

— Je cherche pas à vous rouler, parole... C'est chic de votre part, les gars.

Je me garrottai de nouveau, les mains tremblantes d'appréhension et d'impatience — l'archétype du camé en manque.

— Je suis qu'un pauvre mangeur de blanche, les gars, un pauvre camé, un vieux léon tout pourri...

Je leur balançai ça sans rigoler, à la pitoyable. Comme je m'y attendais, Hauser détourna la tête quand je me mis à chercher la veine du bout de l'aiguille. C'est un spectacle horriblement impressionnant...

O'Brien s'assit sur l'accoudoir du fauteuil, une Old Gold au bec, et regarda par la fenêtre avec la mine illuminée du fonctionnaire qui rêve de la retraite.

Je touchai la veine du premier coup. Une colonne de sang jaillit dans la seringue et resta un bref instant aussi raide et lisse qu'une cordelette rouge tendue aux deux bouts. Je pressai le piston avec mon pouce et sentis la came s'enfoncer dans mes veines pour nourrir des millions de cellules affamées, pour redonner force et acuité à chacun de mes muscles, à chacun de mes nerfs. Les deux autres regardaient toujours ailleurs. J'emplis la seringue d'alcool à 90°.

Hauser jouait avec son Colt spécial à canon court, un outil de flic, tout en explorant la chambre pas à pas. Il flairait le danger comme un animal. Il ouvrit le placard de la main gauche et jeta un coup d'œil sur les rayonnages. Mon estomac se contracta : « S'il regarde dans la valise je suis foutu », pensai-je. Hauser se tourna brusquement vers moi.

— C'est bientôt fini? grogna-t-il. Et cette histoire de Marty, c'est pas du charre? Essaye pas de nous enculer, hein?

Les mots sonnèrent si violemment, si grossièrement qu'il en resta lui-même pantois. Je saisis la seringue pleine d'alcool et m'assurai que l'aiguille était bien vissée.

— J'en ai pour deux secondes, dis-je en m'approchant de lui.

J'enfonçai brusquement le poussoir et fis gicler l'alcool, lui aspergeant les deux yeux d'un revers droite-gauche. Hauser poussa un beuglement de douleur. Je le vis se tripoter les yeux comme pour arracher un pansement invisible. Je me laissai tomber à genoux, empoignai la valise dans le même mouvement, fis sauter le couvercle et ma main gauche se referma sur la crosse de mon pistolet (je suis droitier mais je tire de la main gauche). Je sentis l'impact du coup de feu de Hauser avant même de l'entendre, et sa balle s'écrasa dans le mur au-dessus de ma tête. Tirant au ras du sol, je lui déchargeai deux pruneaux au pli de l'estomac, dans les trois centimètres de chemise blanche qui apparaissaient entre la ceinture et le gilet. Il grogna — un grognement qui se grava dans chacun de mes nerfs — et s'affala en avant. Les doigts gourds de terreur, O'Brien s'évertuait à arracher son pistolet de l'étui. Je plaquai ma main droite autour de mon poignet gauche pour l'empêcher de tressauter sous le recul (j'avais arrondi le percuteur à la lime et mon arme ne tirait qu'en double action) et je flinguai O'Brien en plein milieu de son front rougeaud, environ deux doigts sous la ligne de ses cheveux argentés. La dernière fois que je l'avais vu sa tignasse était déjà grise. Il y avait près de quinze ans de ça, ma première arrestation... Ses yeux s'éteignirent. Il glissa de son fauteuil et tomba face contre terre. J'étais déjà en train de bourrer une serviette de tout ce dont j'avais besoin, mes calepins, mes ustensiles, le peu de came qui me restait et une boîte de cartouches. Je glissai le pétard dans ma ceinture et sortis dans le couloir en enfilant mon manteau.

J'entendis le réceptionniste et le portier monter l'escalier au galop. Je pris l'ascenseur, traversai le hall désert et me retrouvai dans la rue.

C'était une belle matinée d'été de la Saint-Martin. Je savais que je n'avais guère de chances de m'en tirer, mais c'était mieux que rien, mieux que de jouer les cobayes et de laisser les flics expérimenter sur moi leur ST6CY, ou Dieu sait comment ils appellent ça.

Je devais me constituer un stock de came sans perdre un instant. Ils allaient surveiller non seulement les aéroports, les gares et les stations d'autocars mais aussi les rendez-vous de camés et les circuits des Contacts. Je pris un taxi jusqu'à Washington Square et descendis la 4e Rue à pied. Je finis par tomber sur Nick planté à un coin de trottoir. On trouve toujours le Camelot... Il suffit qu'on ait besoin de lui pour qu'il se matérialise, tout comme le génie de la lampe.

— Écoute, Nick, dis-je. Je quitte New York et il me faut une provision d'héroïne. Tu peux m'en trouver tout de suite?

Nous marchions coude à coude dans la 4e Rue. La voix de Nick venait de nulle part et s'infiltrait dans ma conscience comme une buée. Une voix fantomatique, désincarnée...

— Oui, je crois que je peux arranger ça... il faut que je fasse un saut en banlieue.

— Prenons un taxi.

— D'accord... Mais je peux pas t'emmener chez le Type, tu comprends?

— Bien sûr. Allons-y.

Dans le taxi, cap sur la banlieue Nord... Nick parlait, de la même voix monocorde, sans vie.

— On touche une camelote bizarre depuis quelque temps... Pas exactement faiblarde mais... comment dire... c'est différent. Peut-être qu'on y colle des saloperies synthétiques... des produits de pharmacie, du méthodol ou je ne sais quoi...

— Quoi? Sans blague?

— T'en fais pas, là où on va c'est de la bonne. En fait, on peut pas trouver mieux sur le marché en ce moment... Hep! Arrêtez ici.

— Grouille-toi, dis-je.

— C'est l'affaire de dix minutes, sauf si le type est à court et doit aller se réapprovisionner lui aussi... Va t'asseoir dans ce troquet et attends-moi... le coin n'est pas sûr.

Je m'installai au comptoir, commandai une tasse de café et indiquai du pouce une sorte de pâtisserie danoise sous une cloche de plastique. C'était rassis et caoutchouteux. Je fis passer ça avec du café — et je pensais, oh mon Dieu je vous en supplie faites que ça marche c'est la dernière fois faites qu'il ne revienne pas en disant que le type est raide et qu'il doit aller à Green Point ou East Orange...

Et soudain je sentis Nick derrière moi, penché au-dessus de mon épaule. Je le regardai sans oser lui poser la question... « C'est marrant, me disais-je, je n'ai peut-être qu'une chance sur cent d'être encore en vie dans vingt-quatre heures (j'étais bien décidé à ne pas me rendre aux poulets et passer trois ou quatre mois à poireauter dans l'antichambre du bourreau), et je reste assis à me ronger les sangs pour une histoire de came... » Mais il ne me restait que quatre ou cinq doses et je savais que je serais incapable d'agir sans héroïne... Nick fit un signe affirmatif de la tête.

— Ne me donne pas ça ici, dis-je. Reprenons un taxi.

Pendant que nous roulions vers le centre, je lui pris le

paquet des mains et plaquai un billet de cinquante dollars dans sa paume ouverte. Il loucha sur le billet et découvrit ses gencives en un sourire édenté.

— Merci, vieux... ça va me tirer d'affaire...

Je m'affalai contre le dossier et me décontractai, laissant mon cerveau travailler — mais sans le bousculer. Demande trop d'effort à ton crâne et il va claquer comme un standard surchargé, ou bien il va te couillonner et tout saboter... Or je n'avais pas la plus petite marge de sécurité, je ne pouvais me permettre la moindre erreur. Les Américains ont la hantise de perdre le contrôle, de laisser les choses se faire toutes seules sans qu'ils puissent intervenir. Ils aimeraient pouvoir se piétiner eux-mêmes l'estomac pour se forcer à digérer à la commande et puis évacuer la merde à la pelle... Ton cerveau parviendra à résoudre presque tous les problèmes si tu es capable de te décontracter et d'attendre patiemment la réponse. Un peu comme une calculatrice électronique — tu glisses ta question dans la fente et puis tu poses ton cul sur une chaise et tu attends...

Je cherchais un nom, triant dans mon crâne une liste de sobriquets, éliminant sur-le-champ M. M. (Mouton Morveux), M. M. M. (Mauviette en Mâle Manque) et M. M. M. M. (Morphino Minable Mange-Morceau), en mettant d'autres de côté pour examen ultérieur, hésitant, tamisant, réduisant, cherchant le nom idéal, la réponse.

— ...tu sais, il me fait quelquefois attendre des deux ou trois heures. D'autres fois, je fais mouche au premier coup...

Nick gloussa de rire, un ricanement caustique dont il se servait pour ponctuer ses paroles — une façon à lui de s'excuser d'avoir le culot de parler dans ce monde télépathique de la drogue où seul le facteur quantitatif (combien de dollars? combien de sachets et d'ampoules?) exige l'expression verbale. Il connaissait aussi bien que moi la notion de l'attente. A tous les niveaux, l'industrie de la drogue fonctionne sans horaire. Nul ne fait ce qui est convenu à l'heure convenue, ou bien c'est un hasard, un accident. Le

camé marche à l'heure de la came. Son corps est son chrono-
mètre, et la came court en lui comme la poudre blanche
. dans un sablier. Le Temps n'existe pour lui que par rapport
au besoin qu'il a de came. Il fait alors irruption dans le
Temps d'autrui et, comme tous les Étrangers, comme tous
les Quémandeurs, il est condamné à attendre — à moins
qu'il soit de ces chançards pour qui l'horaire de la came
s'égrène dans un univers hors temps.

— ...mais ça servirait à rien de protester, le type sait bien
que j'attendrai le temps qu'il faut, reprit Nick en ricanant.

Je passai la nuit dans un établissement de bains pour
tantouses — pas de meilleure couverture que la pédale —
dont je connaissais l'employé : un Italien mal embouché
qui y fait régner une atmosphère de panique en surveillant
la salle de repos à l'aide de jumelles spéciales aux infra-
rouges (« Ça suffit, là-bas, oui, vous deux dans le coin droit,
je vous vois! ») et il allume des projecteurs, passe la tête
à travers murs et planchers, pas de cabine particulière qui
tienne, des dizaines de pédés ont été éjectés en camisole
de force...

Immobile, allongé dans mon box ouvert à tous vents,
contemplant le plafond de l'établissement... écoutant grogner
et gémir et menacer, saccades de rut aveugle et tâtonnant
dans la pénombre cauchemardesque... « Va te faire foutre
ailleurs!... » « Colle-toi une seconde paire de lunettes, tu
verras peut-être où tu prends tes pieds!... »

Sortis dans l'air précis du petit matin et achetai le journal... Rien... M'enfermai dans la cabine téléphonique d'un
drugstore pour appeler la Brigade des Stups...

— Ici le lieutenant Gonzalez... Qui est à l'appareil?

— Je veux parler à O'Brien.

Intermède — parasites, lignes embrouillées, branchements
court-circuités...

— Personne de ce nom à la Brigade... Qui êtes-vous?

— Alors passez-moi Hauser.

— Vous rêvez, mon vieux, il y a ni Hauser ni O'Brien

dans le service... Dites une bonne fois ce que vous voulez...

— Écoutez bien, c'est important... J'ai des tuyaux... un gros arrivage d'héroïne... Je veux parler à Hauser ou à O'Brien, je traiterai avec personne d'autre...

— Ne quittez pas... Je vais vous passer Alcibiade.

Je commençai à me demander s'ils avaient éliminé de la Brigade tous les types à nom anglo-saxon.

— Je ne parlerai qu'à Hauser ou O'Brien.

— Combien de fois faudra-t-il vous répéter qu'il n'y a pas plus de Hauser que d'O'Brien ici? Et d'abord qui est à l'appareil?...

Je raccrochai, hélai un taxi et quittai le quartier... Dans la bagnole je compris soudain ce qui s'était passé... J'avais été victime d'un phénomène d'occlusion — coupé, séparé de l'espace-temps — tout comme une anguille dont l'anus se bouche quand elle s'arrête de manger à l'approche des Sargasses... J'étais resté au-dehors, toutes portes closes. Je ne retrouverais jamais la Clef, je ne retrouverais jamais le Point d'Intersection. Plus rien ne pourrait m'atteindre désormais, la flicaille, la meute de la Stup — tout ça était relégué avec Hauser et O'Brien dans le passé hermétique et lointain de la Came — où l'héroïne ne vaut qu'un dollar le gramme et où on peut se regarnir en opium dans n'importe quelle blanchisserie chinoise... J'étais de l'autre côté du miroir de l'univers, m'estompant dans la grisaille du passé avec Hauser et O'Brien, aux prises avec des démons pas encore nés — Bureaucratie Télépathique, Trusts du Temps, Drogues de Coercition, Piquousards de Fluide Lourd...

— Il y a trois cents ans que j'ai inventé ça...

— Ton plan était irréalisable à l'époque et il est périmé aujourd'hui... Comme la machine volante de Léonard de Vinci...

Postface atrophiée : Tu en ferais tout autant

Pourquoi tout ce papier gâché à essayer d'emmener le Beau Monde d'un endroit à un autre? Peut-être pour épargner au Lecteur la fatigue de randonnées à travers l'espace, et lui permettre ainsi de mériter son épithète d'Aimable? Et voilà, le billet est payé, le taxi appelé, l'avion prêt à décoller, on peut enfin ouvrir les yeux dans la tiédeur de cette caverne couleur de pêche au moment où Elle (l'hôtesse du ciel, bien sûr) se penche pour offrir dans un murmure bonbons, chewing-gum, dramamine, et même du nembutal.

— Parlez-moi de parégorique, ma beauté, et je vous entendrai...

Je ne suis pas l'American Express... Si on voit un de mes personnages flâner dans une rue de New York habillé en bourgeois pour le retrouver, à la phrase suivante, agenouillé sur le sable de Tombouctou en train de bavasser en petit nègre pour séduire un gamin aux yeux de gazelle, on peut en déduire que le type (j'entends le personnage non domicilié à Tombouctou) s'y est transporté de lui-même par les modes usuels de communication...

Lee l'Agent (un agent double-quatre-huit-seize) est en cure de renonce... trajectoire dans l'espace-temps aussi fatidique et familière que l'aire du fourgueur pour le camé... les cures passées et futures défilent en images alternatives dans sa substance spectrale qui vibre sous le vent silencieux du

Temps accéléré... choisis ton image, choisis ta dose... n'importe lesquelles...

Image officielle du ronge-phalanges, et puis l'image de la crise roule-par-terre dans la cellule du commissariat... « T'as envie d'une piquouse d'héroïne, Bill? Ha-ha-ha! »

Impressions velléitaires et imprécises qui se dissolvent à la lumière... poches d'ectoplasme pourri que balaye un vieux camé crachotant dans l'aube malade...

Vieilles photos brun-violacé qui se racornissent et se craquellent comme boue au soleil: Panama City... Bill Gains en manque de parego tendant la sébile à un potard chinois.

— C'est pour mes lévriers... inscrits dans la course de dimanche... des whippets à pedigree... ils ont tous pris la dysenterie... ce climat tropical... la coulante... *entiendes* la chiasse?... mes lévriers vont crever... (Il se mit à hurler... Son regard s'illumina de flammèches bleues... S'éteignit... Odeur de métal brûlant...) ...administrer au compte-gouttes... vous en feriez tout autant... crampes menstruelles... ma pauvre femme... Kotex... ma pauvre vieille mère... hémorroïdes... à vif... ça saigne de partout... (Affalé sur le comptoir, tête branlante, en panique de carence... Le pharmacien ôta le cure-dent de sa bouche et en examina la pointe tout en faisant non de la tête...)

Gains et Lee ont grillé toute la République de Panama, de David à Darien, en carburant au parégorique... Ils se sont décollés l'un de l'autre en plein vol avec un double schlop... Les camés ont tendance à fusionner en un seul corps, il faut être prudent en traversant les zones flicardes... Gains rentra à Mexico... Rictus squelettique, désespéré, du manque chronique sous un vernis de codéine et de barbiturique... brûlures de mégots sur sa robe de chambre... taches de café sur le tapis... poêle à pétrole fumant, flamme couleur rouille...

L'Ambassade ne donna aucun détail hormis le lieu d'inhumation au cimetière consulaire américain...

Et Lee retrouva la souffrance du sexe et du temps et du yage, l'amère hallucination amazonienne...

Je me souviens... Un jour, à la suite d'une trop forte dose de Majoun (il s'agit de Cannabis séché et réduit en une fine poudre verdâtre qui a la consistance du sucre et que l'on mélange à une sorte de confiserie au goût de mauvais pudding sableux, mais n'importe quelle sucrerie fait aussi bien l'affaire)... Je viens de sortir du Popo ou du Cabinge ou du Pipiroume (odeur d'enfance atrophiée, bouffée d'éducation intestinale) et, comme je parcours du regard le salon de cette villa des faubourgs de Tanger, je m'avise subitement que je ne sais pas où je suis. Peut-être ai-je ouvert la porte interdite, peut-être vais-je voir arriver d'un instant à l'autre le Possesseur, le Propriétaire Initial qui me sautera dessus en criant : « *Que faites-vous ici? Qui êtes-vous?* » Mais je ne sais pas ce que je fais là ni même qui je suis. Je dois prendre sur moi, rester calme, c'est ma seule chance de retrouver le fil avant l'arrivée du Propriétaire... Au lieu de gueuler « Où suis-je? » essayons de garder les pédales, de repérer les lieux et de nous orienter approximativement... Tu n'étais pas là pour le Commencement et tu ne seras pas là pour la Fin... Tu ne comprends la situation que de façon relative et toute superficielle... Que sais-je en vérité de ce jeune camé au visage jaune et flétri qui subsiste sur un régime d'opium brut? J'ai essayé de lui dire : « Tu vas te réveiller un matin avec ton foie étalé sur les genoux! » et j'ai essayé de lui expliquer la manière de traiter le brut pour que ce ne soit pas du poison pur. Mais son regard devient vitreux, il ne veut pas écouter, ne veut pas savoir. Les camés sont presque tous comme ça, ils ne veulent pas savoir... et toi tu ne peux rien leur expliquer... Le fumeur ne veut entendre parler que de noire, l'amateur d'héroïne que de blanche... Vive la seringue et tout le reste n'est que poudre de Perlimpinpin...

J'imagine donc qu'il est toujours accroupi dans sa villa espagnole style 1920 à Tanger, à se gaver d'opium brut plein de saloperie et de paille et de gravier... bouffant tout le lot de peur d'en perdre une miette...

Un écrivain ne peut décrire qu'une seule chose : *ce que*

ses sens perçoivent au moment où il écrit... Je ne suis qu'un appareil d'enregistrement... Je ne prétends imposer ni « histoire » ni « intrigue » ni « scénario »... Dans la mesure où je parviens à effectuer un enregistrement *direct* de certains aspects du processus psychique, je puis avoir un rôle limité... Je ne cherche pas à distraire, je ne suis pas un amuseur public...

On appelle ça la « possession »... Il arrive parfois qu'une *entité* se faufile dans le corps... contours qui vacillent dans une gelée ocre, mains qui se tendent pour étriper une putain de rencontre, pour étrangler le fœtus dans l'espoir de remédier à la crise du logement... Tout semble se passer comme si j'étais habituellement *présent*, mais susceptible de perdre la tête de temps à autre... C'est faux! *Je ne suis jamais là*... ou, du moins, jamais en parfait état de « possession », mais plutôt dans une situation qui me permet de prévoir les mouvements imprudents... En fait, mes occupations principales consistent à patrouiller... Si rigoureux que soient les réseaux de protection, je suis toujours simultanément à l'Extérieur, en train de donner mes ordres, et à l'Intérieur de cette gangue de gélatine, de cette camisole de force qui s'étire et se déforme pour se reformer inéluctablement avant chaque nouveau mouvement, chaque pensée, chaque impulsion, tous et toutes marqués du sceau d'un juge étranger...

Les écrivains parlent de l'odeur douceâtre et fiévreuse de la mort alors que le premier camé venu te dira que la mort n'a pas d'odeur, et en même temps qu'elle exhale une odeur qui coupe le souffle et fige le sang... non-odeur sans couleur de la mort... nul ne peut la humer à travers les volutes roses et les filtres de sang noir de la chair... l'odeur de mort est tout ensemble odeur indiscutable et complète absence d'odeur... c'est cette absence qui frappe tout d'abord l'odorat parce que toute vie organique a une odeur... l'interruption de l'odeur est aussi sensible que le passage du jour à la nuit pour les yeux, que le silence à l'oreille, que l'apesanteur au sens de l'équilibre... En période de désintoxication, le camé dégage cette odeur tout autour de lui, condamnant les autres à la respirer. Un camé en renonce peut rendre une maison invivable avec son odeur de mort, et puis il suffit d'aérer pour que l'endroit retrouve la puanteur à laquelle les bons citoyens sont accoutumés. Cette odeur de mort reparaît aussi pendant ces accès d'intoxe boulimique qui s'automultiplient au carré comme un incendie de forêt sous le vent.

La cure n'a qu'une formule : *Lâche Tout Et Saute!*

... Une nuit, un copain se réveille tout nu dans sa chambre, au second étage d'un hôtel de Marrakech... (Il est le fruit des efforts d'une femme du Texas qui l'habillait en fillette quand il était môme... méthode primitive mais très efficace de correction du protoplasme infantile...) Les autres occupants de la pièce sont des Arabes, trois hommes... couteaux en main... ils le guettent... reflets de métal et paillettes de lumière dans leurs yeux noirs... lambeaux de meurtre, tombant comme des perles d'opale dans un vase de glycérine... mon type réagit au ralenti, comme un animal, il s'accorde une pleine seconde pour faire son choix et il saute par la fenêtre, tombe dans la rue peuplée de monde, jaillissant du ciel telle une étoile filante avec un sillage de verre cassé étincelant... et il s'en est tiré avec une cheville foulée et une épaule cabossée, drapé dans un rideau rose et diaphane, une tringle à rideau en guise de canne, trottinant à cloche-pied vers le Commissariat de Police...

Tôt ou tard... le Milicien, le Glaiseux, Lee l'Agent, A. J., Clem et Jody les frères Ergot, Hassan O'Leary le Magnat des Secondines, le Matelot, l'Exterminateur, Andrew Suskif, Terminus dit la Bedaine, le docteur Benway, Schafer Doigts de Fée — tous, tôt ou tard, vont dire les mêmes phrases faites des mêmes mots afin de pouvoir occuper, au point d'intersection, la même position dans l'espace-temps, grâce à leur attirail vocal commun qui comporte tous les accessoires métaboliques permettant d'être une seule et unique personne — façon bien piètre d'exprimer Connaissance et Reconnaissance : le camé à poil sous le soleil...

Comme toujours l'écrivain se voit en train de lire devant son miroir... Il doit vérifier de temps en temps, s'assurer que le Délit d'Acte Distinct n'a pas pu, ne peut pas, ne pourra pas se produire...

Quiconque a regardé dans un miroir connaît la nature véritable de ce crime et sa conséquence : la Perte du Contrôle quand le reflet n'obéit plus... Trop tard alors pour appeler la police...

Personnellement, je souhaite interrompre mes services dès maintenant puisque je ne peux continuer de vendre la matière première de la mort... Ton affaire, mon pauvre vieux, est sans espoir et affreusement bruyante...

— En l'état de nos connaissances la défense n'a aucun sens commun, déclara l'Avocat de la Défense en levant les yeux de son microscope électronique...

va vendre tes salades ailleurs

nous ne sommes pas responsables

vole tout ce qui traîne à portée de main

je ne sais comment décrire cette horreur à mon lecteur de race blanche

tu peux décrire ça avec ta plume, à coups de gueule ou en musique... en faire une aquarelle... un sketch tragicomique... un étron sculpté comme un mobile... comme tu veux — *aussi longtemps que tu n'en fais pas usage...*

Des sénateurs trépignants et braillards réclament la Peine de Mort avec la détermination inflexible des gens frustrés, privés de virus... La mort pour le gibier de seringue, la mort pour les débauchés avertis (entendre invertis), la mort pour les psychopathes qui outragent la chair soumise et sans grâce avec une légèreté bondissante d'animal candide...

La tornade de vent noir de la mort tourbillonne sur l'univers, cherchant, flairant le délit de vie distincte, les déménageurs de cette chair glacée d'épouvante qui grelotte sous la courbe de probabilité...

Des couches entières de population sont mangées au jeu de dames du génocide... tous les amateurs peuvent jouer...

La Presse de Gauche, la Presse de Mi-Gauche et la Presse Réactionnaire clament leur approbation : « *Il importe au premier chef de détruire le mythe de l'expérience vécue sur d'autres plans...* » Et assènent de dures et sombres vérités... parlent de prophylaxie... de fièvre aphteuse...

Les trusts du monde s'évertuent frénétiquement à couper les lignes de contact...

La Planète erre à l'aveuglette vers un destin de fourmilière...

La thermodynamique a gagné par abandon... les orgones ont cané dès la ligne de départ... Jésus est saigné à blanc... le Temps s'est écoulé...

On peut couper dans *Le Festin nu* à n'importe quel point d'intersection... J'ai rédigé plusieurs préfaces. Elles s'atrophient et s'auto-amputent spontanément, tombent d'elles-mêmes comme le petit orteil des Nègres atteints d'une maladie spécifique de l'Afrique occidentale — et la blonde qui passe lève haut sa cheville cuivrée en voyant l'orteil pédicuré sautiller sur la terrasse du club et elle siffle son afghan qui le rapporte et le dépose à ses pieds...

Le Festin nu est un bleu, un Manuel de Bricolage... Rut noir d'insecte découvrant le paysage infini d'autres planètes... Concepts abstraits, aussi nus qu'une formule algébrique, qui se réduisent à un étron noirci, à une paire de *cojones* vieillissantes...

Livre de recettes, traité du savoir-faire qui étend l'expérience à d'autres niveaux, à d'autres plans, portes ouvertes au fond d'un couloir immense... des portes qui n'ouvrent que sur le *Silence*... *Le Festin nu* exige de la part du lecteur un Silence absolu sans quoi il n'entendra que son propre pouls...

Robert Christie cotisait au Service des Abonnés Absents... Il faut tuer les vieilles connasses... enchâsser leurs poils dans un médaillon... Tu n'en ferais pas tout autant? Pauvre Robert Christie, étrangleur de femmes en série, chaîne de l'amitié serrée un peu trop fort, pendu haut et court en 1953.

Jack l'Éventreur, artiste en boutonnières des années 90, jamais pris au débotté... il envoya une lettre aux journaux : « La prochaine fois, je joindrai une oreille, pour la rigolade... » Tu n'en ferais pas tout autant?...

— Attention, oh, attention! Voilà qu'elles se débinent encore!! susurra le vieux pédé au moment où l'élastique péta, laissant choir ses joyeuses sur le parquet. Arrête-les, James, je t'en prie... James, tu vaux pas ton pesant de merde! Ne reste pas planté comme un idiot pendant que les couilles du patron roulent dans le coffre à charbon...

Des étalagistes en chaleur envahissent la station de métro et truandent les caissières au rendez-moi...

Sainte-Dilaudide délivrez-moi... (La dilaudide est de la morphine surconcentrée et déshydratée.)

Le shérif en gilet noir tape à la machine une attestation de décès. (« Vaut mieux pas parler de came sinon ils vont flairer du louche... »)

Délit de violation de l'article 334 de la Loi d'Hygiène et de Santé Publique... a provoqué un orgasme par des méthodes frauduleuses...

Johnny à quatre pattes sur Mary pompeuse qui laisse courir ses doigts le long de ses cuisses et fait le tour du jardin...

Me hisse sur la chaise cassée, passe par la fenêtre de la cabane à outils blanchie à la chaux et fouaillée par le vent froid de printemps au bord de la falaise crayeuse qui plonge dans le fleuve... voile de fumée lunaire flottant dans le bleu laque de Chine du ciel... long filament de sperme courant sur le plancher poussiéreux...

Motel... Motel... Motel... arabesques de néon brisées... solitude qui gémit d'un bout à l'autre du continent comme des cornes de brouillard au-dessus de l'eau lisse et huileuse des estuaires...

Couillon pressé comme citron, entre le zist et le zest lesté, bouillonne à ras de motte, feuille de rose pour pipe à eau — schnouf-gloup-gloup — odeur, souvenir de ce que je fus...

— Le fleuve est servi, Monsieur...

Les feuilles mortes obstruent la source, les géraniums corrompent la menthe religieuse sur la pelouse, palliant la crise de la pastille...

Le Don Juan sénescent enfile son ciré bariolé de graffiti du temps du charleston, enfile son épouse renaudeuse dans le broyeur à ordures... une giclée de sang et de cheveux et d'excréments épellent 1963 sur le mur... « Ah, mes enfants, rappelez-vous 1963, tous les rouages étaient encrassés de merde cette année-là! » profère le vieux prophète prolixe qui te fait suer d'ennui dans toutes les directions de l'espace-temps...

— ...je m'en souviens très bien parce que ça se passait deux ans tout juste après l'affaire de cette souche de fièvre aphteuse cultivée dans un laboratoire bolivien et qui s'était propagée par le canal d'un manteau de chinchilla refilé en bakchisch à un contrôleur des contributions de Kansas City... L'année où une lope a joué les Immaculées Conceptionneuses en accouchant d'un singe-araignée par le nombril... paraît que le toubib qui a fait le boulot s'était tiré le singe de l'épaule et l'araignée du plafond avant d'attaquer la césarienne...

Moi, William Seward B, maître après Dieu de cette rame de came en rame-dame, je vais dompter le monstre du Loch Ness avec une seringuette de roténone et lancer les cow-boys au cul de Moby Dick, je vais réduire Satan à l'obéissance des automates et sublimer ses suppôts subsidiaires, je bannirai le candirou de vos piscines, je vais promulguer une bulle sur le contrôle des naissances immaculées...

— Plus ce qu'on aime arrive souvent plus c'est merveilleusement unique, articule le jeune Nordique pédant récitant sur son trapèze ses leçons maçonniques.

— Les Juifs ne s'intressent pas au Christ, Clem... Tout ce qui les intresse c'est de peloter les Chrétiennes...

Des anges adolescents chantent en chœur sur les toits des latrines du monde. Graffiti sur les murs... « Viens te bran-

ler » (1929)... « Gaffe à la Came à Léon c'est du Sucre Glace »
(Johnny Corde au Cou 1952)...

Un ténor avachi sous son corset chante *Gode Blesse You*
en travesti...

Il y a quelque chose de pourri au royaume de Camémark
(en violation de l'article 334 de la Loi d'Hygiène et de
Santé Publique)...

Où erre le statuaire, où nagent les pourcentages? Qui le
dira? Je ne possède point le Verbe... Bien au chaud dans
mon bidet... Le Roi est en cavale lance-flammes en main,
et le régicide — torturé en effigie, portrait-robot de millions
de clochards — se coule dans les ruelles et coule des bronzes
sur les gradins de dolomite du stade...

Le jeune Dillinger sortit de la maison à grands pas sans
jeter un seul regard en arrière... « Ne te retourne jamais,
fiston... Tu serais changé en statue de sel gemme pour les
vaches. »

Miaulement d'une balle de flic dans la ruelle... Icare aux
ailes brisées, hurlements du gosse sur son bûcher, le vieux
camé hume la fumée avec avidité... les yeux vides comme
une plaine sans limites...(froissement de maïs décortiqué des
ailes de vautours dans l'air torride...).

Le Crabe, doyen valétudinaire des Bousculeurs de Poivrots, endosse sa carapace pour rôder sur les talons des paumés dormant à l'abri des pierres tombales... il fait jouer ses
pinces d'acier... arrache couronnes et dents en or aux clodos
avinés qui ronflent bouche ouverte... Si sa victime lui saute
dessus, le Crabe se cabre pinces claquantes pour se mesurer
en un combat douteux sur le champ des morts...

Le dross éjacule tout noir sur les salines où rien ne vit
ni flore ni mandragore...

Moyenne fait loi... petit pourcentage de mouchards... seul
moyen de subsister...

— Salut, rubis sur l'ongle.

— Vrai que tu en as sur toi?

— Vrai de vrai... On y va ensemble.

... Train de nuit pour Chicago... Vois une fille dans le hall d'arrivée, elle est défoncée et je lui demande où je peux me regarnir.

— Rentre avec moi, beau gosse.

Je dis pas que c'est une jeunesse, mais bien bâtie...

— Si on s'offrait une soignette avant de s'y mettre?

— Zéro, beau gosse, tu serais plus en état.

Trois tours de piste... réveil grelottant malade sous la brise tiède de printemps qui fait vaciller la fenêtre, l'eau me brûle les yeux comme de l'acide...

Elle saute du lit, nue... sa planque est dans la lampe à pétrole... elle mitonne la dose...

— Tourne-toi... Je vais te piquer dans la fesse.

Elle enfonce l'aiguille jusqu'à la bague, la retire, masse tendrement la peau, lèche une goutte de sang au bout de son doigt... je me retourne avec une érection qui se dissout dans le fluide grisâtre de la came...

Au pays de Cocagne de la cocaïne des enfants aux yeux tristes ioulent la complainte de Godefroid...

On s'est poudré le nez toute la nuit et je l'ai tranchée quatre fois... doigts qui crissent sans craie au long du tableau noir... décapés jusqu'au blanc de l'os... ma maison, ma vie, mon héroïne retour des îles, le truand a cassé la banque...

Le Camelot ne tient plus en place : « Garde ma valise un moment, gamin, faut que j'aille faire pisser mon singe. »

Le Verbe est divisé en unités qui sont d'une seule pièce ainsi qu'il sied, mais qui peuvent être utilisées dans un ordre quelconque puisque assemblées en sens contraire, sens dessus dessous et tête-bêche comme pour une fascinante combinaison amoureuse. Ce livre expulse ses pages dans toutes les directions, kaléidoscope de panoramas divers, pot-pourri d'ariettes et de bruits de la rue, de vesses et de cris de guerre et de grincements des rideaux de fer dans les ruelles commerçantes — cris d'horreur et de passion, éthos et pathos et pataquès, miaulements du chat fornicateur et piaulements ultrasoniques du poisson-chat déplacé, charabia pro-

phétique du *brujo* dans les transes de la muscade, claquement de vertèbres des pendus, hurlements des mandragores,
soupir de l'orgasme, silence de l'héroïne dans le silence en
contrepoint des cellules assoiffées au petit matin, Radio Le
Caire s'égosillant comme un commissaire-priseur pris de
délire, les flûtes du Ramadan effleurant les nerfs malades du
camé avec la fluide légèreté d'un détrousseur d'ivrognes tapi
dans la grisaille du métro à l'aube et cherchant du bout des
ongles le froissement vert du billet bouchonné...

Voici la Prophétie et la Révélation... tout ce que je peux
capter sans la moindre modulation de fréquence sur mon
poste à galène 1920 à antenne braquée droit sur le sperma-
ment... Aimable Lecteur, c'est sous le flash de l'orgasme que
Dieu apparaît au fond du cratère anal... la transmutation
du corps s'opère à travers cet orifice... le chemin de la Sortie
est celui de l'Entrée...

Moi, William Seward B, je me propose à présent de
déchaîner le Verbe. Mon cœur de Viking plane au-dessus du
grand fleuve brun, schnouf-schnouf des moteurs de bateaux
dans le crépuscule de la jungle, arbres gigantesques qui
flottent à la dérive, leurs branches chargées de serpents
lovés et de lémuriens contemplant mélancoliquement la rive
— il plane sur la plaine lointaine du Missouri (le gamin
trouve dans l'herbe une pointe de flèche rose) accompagné
par les sifflets de trains invisibles, puis il me revient affamé
comme un voyou des rues incapable de vendre le baba que
Dieu lui a donné... Gentil Lecteur, le Verbe va se ruer sur
toi, te broyer avec ses griffes d'homme-léopard, t'arracher
doigts et orteils comme on fait aux crabes opportunistes, te
pendre au gibet et happer ton foutre comme un chien scrutable, s'enrouler autour de tes cuisses à la manière d'un cro-
tale et te seringuer un dé à coudre d'ectoplasme ranci...

Et pourquoi un chien *scrutable?*

L'autre après-midi, en rentrant de ce sempiternel déjeuner
qui file de bouche en cul chaque jour de notre vie, je tombe
sur un petit Arabe qui a un roquet noir et blanc auquel il a

appris à marcher sur ses pattes de derrière... et voilà qu'un gros chien jaunasse en carence d'affection s'approche du gosse... le gosse le chasse... le gros chien jaunasse fonce sur le roquet, grogne et montre les crocs et me fait comprendre (à croire qu'il avait le don des langues comme toi et moi) : « C'est un Crime Contre Nature! »

Voilà pourquoi j'ai baptisé ce gros chien jaunasse Scrutable... Qu'on me permette de dire en passant — et je passe toujours comme un humble Pique noir — qu'il faut une bonne dose de grains de sel pour faire passer l'Orient Inscrutable... Votre Envoyé Spécial s'envoie vingt milligrammes de morphine par jour et reste assis huit heures d'affilée aussi inscrutable qu'un étron.

— A quoi pensez-vous donc? demande nerveusement le touriste américain.

Et je réponds :

— La morphine a provoqué une dépression de mon hypothalamus, siège des émotions et de la libido — or donc, sachant que le cerveau antérieur n'agit en quelque sorte qu'au second degré en fonction des titillations du cerveau postérieur, qu'il n'existe que par procuration et ne prend son pied que par-derrière, je me vois contraint de constater l'absence virtuelle de tout événement cérébral. Je suis conscient de votre présence, mais elle n'a pour moi aucune signification affective vu que mon Contact m'a débranché l'affect pour cause de non-paiement, et par conséquent je me fous bien de ce que vous faites ou ne faites pas. Restez ou fichez le camp, baissez culotte ou baisez calotte comme il convient aux lopes de votre farine — ça ne peut intresser ni les Morts ni les Camés...

Les Camés et les Morts sont Inscrutables...

— Pouvez-vous m'indiquer les toilettes? ai-je demandé à la petite ouvreuse blonde.

— Suivez cette travée, Monsieur... il reste une place à l'intérieur...

— N'auriez pas vu Rose Pantoponne? implore le vieux camé en paletot noir.

Le shérif du Texas a liquidé son complicite, le vétérinaire Browbeck la Tremblote, qui était mouillé dans une affaire d'héroïne pour cheval... quand un bourrin chope l'aphteuse il faut une sacrée dose d'héroïne pour le soulager, et il arrive que quelques sachets s'échappent par-ci par-là et se trottinent discrètement à travers la vaste plaine pour venir jouer du naseau sur les trottoirs de New York et les camés sautent en selle en gueulant : « Hue Pégase! »

— Mais où est le *statuaire?*

Le cri, archétype du pathos, stria l'air du bar-salon de thé décoré de motifs en bambou... c'était dans l'Avenida Juarez à Mexico (Distrito Federal)... j'étais paumé là-bas avec une méchante inculpe de viol de mineure... une ramoneuse printanière t'arrache la braguette à la gloutonne et tu te réveilles au trou, mon pote, je dis bien en cabane pour viol statutaire comme on dit...

— A poil! A poil!

La vieille tantouse se retrouve face à sa propre image qui resurgit par le chemin des écoliers en une parodie de l'adolescence, se fait crocher du genou par son double resurgi des music-halls d'antan... dévale les ruelles des bas-fonds, c'est bidonvillage jusqu'au musée de Market Street, palais des autovices et de la branlette tous modèles... recommandé aux jeunots et aux lycéens...

Il étaient mûrs pour la cueillette mais hélas oubliés là-bas dans le champ d'ébandage, perdus dans leurs bribes d'orgasme et leurs parchemins noircis...

On déchiffre la métastase avec des doigts tâtonnants d'aveugle...

Message fossilisé de l'arthrite...

— Tu t'intoxiques bien plus à le vendre qu'à le fumer.. (Lola la Chata, Mexico, D. F.)

On lèche l'épouvante qui suinte de la chair trouée d'aiguilles, on entend un gémissement souterrain signalant le branle-bas des nerfs pétrifiés par le besoin qui monte, morsure enragée, pantelante...

— Si Dieu a inventé quelque chose de mieux il l'a gardé pour lui, disait parfois le Matelot quand il se mettait les engrenages au point mort avec une vingtaine de capsules...

(Lambeaux de meurtre tombant comme des perles d'opale dans un vase de glycérine lentement,...)

Il t'observe et fredonne sans cesse le même refrain...

Fourguer la came à la petite semaine pour entretenir son propre besoin...

— Et flambe-la à l'alcool, dis-je en flanquant la lampe à mèche sur la table. Vous êtes donc pas foutus d'attendre?... sales voraces... tous des emmerdeurs qui me noircissent le cul de mes cuillers avec des allumettes... tout ce qu'il me faut pour aller au trou c'est que la poulaille tombe sur une cuiller noircie dans ma piaule...

— Je croyais que t'avais abandonné... Ça m'embêterait de foutre ta cure en l'air.

— Faut avoir des tripes pour laisser tomber la seringue, fiston...

Fouillant les veines au fond de la chair qui se dissout... le sablier de la came déverse ses derniers grains de poussière diaphane dans les reins...

— Zone sérieusement infectée, murmure-t-il en resserrant le garrot plus haut.

— La Mort était l'idole de leur culture, expliquait ma mère en levant les yeux de son grimoire maya. C'est de la mort qu'ils tiraient le feu et la parole et la semence de maïs... La mort se changeait en grains de maïs...

Codex maya... *le temps du Ouab est sur nos têtes la bise écorchée vive de la haine et du malheur souffle la flamme de l'espoir...*

— Flanque-moi ces photos cochonnes au panier, lui dis-je.

Le vieux fumeur de noire était affalé contre le dossier de son fauteuil, envapé et barbituré à zéro.

— De quoi, tu es un chevalier du barbiture?

Des relents jaunâtres de Xérès frelaté et de bile malade s'échappèrent des plis de ses vêtements quand il m'adressa le geste du camé, mains ouverte paume en l'air pour mendier sa ration... (relents de gargotes mexicaines et de pardessus moites et de testicules atrophiés...)

Il m'examina derrière ma gangue de chair velléitaire, la chair ectoplasmique de l'organisme en cours de renonce... quinze kilos nés du néant en un mois de cure... une sorte de mastic rose et mou qui disparaît à la première caresse silencieuse de la came retrouvée... j'ai vu ça... vu un type perdre dix livres en dix minutes... planté sur ses pieds la seringue dans la main droite, la gauche retenant son pantalon (puanteur aiguë de métal rongé)...

Je gravis un tas d'ordures qui monte jusqu'au ciel... des foyers brasillent çà et là... la fumée d'essence forme un lourd nuage d'excrément noir dans l'air immobile, polluant le voile blanc de la chaleur de midi... D. L. marche à mon côté... il me renvoie l'image de mes gencives édentées et de mon crâne dégarni... cette chair qui tartine les os de phosphorescences putrides, consumée par un brasier minutieux et glacial... il porte un bidon d'essence débouché dont l'odeur l'enveloppe tout entier... parvenus au sommet d'un monceau de ferraille nous rencontrons une tribu d'indigènes... visages plats et bi-dimensionnels de poissons nécrophages...

— Arrose-les d'essence et fous-leur le feu...

...vite...

éclair blanc... cris silencieux d'insectes torturés...

...je me suis éveillé avec un goût de métal dans la bouche... retour du pays des morts

traînant derrière moi l'odeur incolore de la mort
placenta du singe gris et desséché de la came
élancements fantomatiques d'après l'amputation...

— Les moussaillons essayent de se faire embarquer! ricana Eduardo, une seconde avant de crever d'une surdose à Madrid...

...des trains de munitions explosent en traversant les circonvolutions roses de la chair tumescente... déclenchent l'éclair de magnésium de l'orgasme... photo au 1/1 000e de seconde du mouvement coupé net... un flanc lisse et bronzé qui se love pour allumer une cigarette...

...il restait debout sans bouger, tendant le canotier fin de siècle qu'un inconnu lui avait donné... suppliant avec des mots humbles et doux qui tombaient comme des oiseaux morts dans la pénombre de la rue...

— Non... plus rien... *no mas*...

...une mer houleuse de marteaux piqueurs dans le crépuscule brun-rouge que souillait l'odeur de métal oxydé du gaz d'égout... jeunes visages d'ouvriers s'estompant en vibrations floues sous le halo jaune des lampes à acétylène... canalisations béantes...

— Ils rebâtissent la ville...

Lee hocha la tête distraitement...

...c'est de toute façon une erreur d'entrer dans l'Aile droite, l'Aile Orientale...

...je répondrais volontiers si je savais quoi que ce soit...

— C'est moche... *no bueno*... moi aussi je fais la retape...

— *Plus lien... leviens vendledi...*

(*N. B.* — Les vieux de la vieille, les vétérans du dross au visage buriné par le temps gris de la came n'auront pas oublié... Dans les années 20, les fourgueurs chinois émigrés chez nous jugèrent l'Occident si corrompu, détestable et indigne de confiance qu'ils fermèrent boutique, et quand un camé en manque venait frapper à leur porte ils répondaient :

— Plus lien... leviens vendledi...)

Tanger, 1959.

*Ouvrage reproduit
par procédé photomécanique.
Impression S.E.P.C.
à Saint-Amand (Cher), le 4 novembre 1993.
Dépôt légal : novembre 1993.
1ᵉʳ dépôt légal : août 1984.
Numéro d'imprimeur : 2710.*
ISBN 2-07-070208-1./Imprimé en France.